ENFANTS DE DICTATEURS

Dirigé par

Jean-Christophe Brisard

et Claude Quétel

ENFANTS DE DICTATEURS

ISBN : 978-2-7540-6061-5
Dépôt légal : octobre 2014

Direction éditoriale : Marie-Anne Jost-Kotik
Édition : Laure-Hélène Accaoui
Préparation de copie et correction : Marie Caillaud
Mise en page : Stéphane Angot
Couverture : Atelier Didier Thimonier
Production : Emmanuelle Clément
Fabrication : Antoine Paolucci

Imprimé en France

Éditions First, un département d'Édi8
12, avenue d'Italie
75013 Paris – France
Tél. : 01 44 16 09 00
Fax : 01 44 16 09 01
E-mail : firstinfo@efirst.com
Site : www.editionsfirst.fr

Sommaire

Avant-propos

Ils s'appellent Carmen, Fidelito, Svetlana, Li Na, Kolia... Les manuels d'histoire n'ont pas retenu leur prénom. Et pourtant, ils ont tous en commun d'être les héritiers de dictateurs parmi les plus considérables du siècle dernier : pour les plus anciens d'entre eux, Mussolini, Staline, Mao, Ceausescu ; pour les plus actuels : Loukachentko le Biélorusse, la dynastie Kim en Corée du Nord, Bachar el-Assad en Syrie…

Ces enfants ont été les témoins privilégiés d'instants historiques. Ils ont partagé l'intimité de ceux qui ont tenté de façonner le XXe siècle à leur image. Qui mieux qu'eux peut nous offrir une nouvelle vision de ces hommes souvent présentés comme des monstres ?

La question est toute simple : est-ce qu'un Staline, un Mao ou un Ceausescu prenait le temps de s'occuper de ses enfants une fois sa journée de dictateur terminée ? Ces despotes étaient-ils capables de redevenir des être doués de sentiments une fois la porte de leur foyer franchie ? Ces enfants ont-ils pu se construire de façon équilibrée ?

Ont-ils reçu les bases d'une éducation tant sociale qu'affective leur permettant de s'adapter au monde d'aujourd'hui ?

Certains de ces pères vous étonneront peut-être... Ainsi, au gré de ces pages, surprendrez-vous Mao écoutant avec ravissement sa plus jeune fille lui chanter des airs d'opéras au cœur de la guerre contre les Japonais ? Vous découvrirez également que le petit père des peuples, Joseph Staline, ne put guère s'opposer au mariage de sa fille, cette dernière ne s'en laissant pas compter. Et vous constaterez que le dernier dictateur européen encore en place, le biélorusse Loukachenko, autorise son fils Kolia à entrer à tout moment dans son bureau, y compris en plein conseil des ministres...

Mais il s'agit là d'exceptions.

Acteurs involontaires d'un scénario dont ils n'étaient pas maîtres, ces enfants ont dû offrir leur innocence à un régime qui voyait en eux une continuité dynastique. Ils ont été mis au service de la glorification personnelle de ce père dictateur, devenant ainsi un prolongement, une incarnation de « l'amour » qu'est censé porter l'homme de pouvoir à son peuple.

Ce rôle ô combien écrasant et destructurant, tous les enfants de dictateur ne l'ont pas appréhendé de la même manière.

Il y a ceux qui ont parfaitement adhéré au régime paternel et ont voué leur vie à en défendre l'héritage. C'est le cas de la fille de Franco, de celle de Ceausescu, de celles de Mao et des enfants Pinochet.

D'autres ont été associés de gré ou de force au régime paternel pour, un jour, en prendre les rênes. Ces dictatures héréditaires restent rares et fragiles. Seule la famille Kim en Corée du Nord est parvenue à pérenniser son pouvoir. Du côté d'Haïti, Jean-Claude Duvalier a bien réussi à succéder à son père et à prolonger d'une quinzaine d'années la dictature paternelle, mais, forcé par son peuple à s'exiler, il a échoué à transmettre le pouvoir à son propre fils. Quant à Bachar el-Assad, sa famille l'a obligé à succéder à son père. Il se rêvait ophtalmologue à Londres : il finit dictateur sanguinaire à Damas.

Certains, enfin, n'ont pas eu le temps de faire leurs preuves et de prendre le pouvoir à leur tour : élevés comme des futurs princes rompus aux pratiques violentes et dictatoriales de leur père – Saddam Hussein n'obligeait-il pas ses deux fils à assister dès leur plus jeune âge aux exécutions capitales ? –, ils sortent de l'enfance avec la ferme intention de succéder à leur père et ainsi se livrent entre eux à des luttes fratricides ou bien voient leurs ambitions déçues par la chute du régime. C'est le cas des enfants Moubarak en Egypte, des Hussein en Irak et des Kadhafi en Libye.

Si certains assument et même revendiquent l'héritage paternel, pour d'autres, c'est un poids trop considérable. Ces derniers n'ont dès lors de cesse de se cacher ou de rompre de toutes leurs forces des liens teintés de sang. Ainsi, Svetlana

Staline gagna l'Ouest quelques années après la mort de son père, en pleine guerre froide, et Alina Castro trouva refuge à Miami, juste en face de l'île-prison tenue d'une main de fer par son père Fidel Castro, au grand dam de ce dernier.

À la fois ancrés dans le passé et résolument tournés vers le présent, les destins de ces hommes et de ces femmes ont rarement été évoqués en profondeur. Pourtant la plupart d'entre eux sont encore vivants et ne font pas mystère de leurs opinions. C'est pourquoi nous avons fait appel à des historiens, à des géopolitologues mais aussi à des grands-reporters pour rédiger les différents chapitres de cet ouvrage collectif. Tous les contributeurs sont des spécialistes des dictatures en question. Beaucoup ont vécu dans ces pays et y séjournent encore régulièrement. Tantôt ils évoqueront le parcours de tous les enfants d'un dictateur, tantôt ils choisiront de privilégier l'un des enfants, en fonction de sa place dans la fratrie ou de la particularité de sa relation avec le père. Pour obtenir des informations de première main, les auteurs ont parfois rencontré des proches de la famille, des fidèles comme des opposants. Lana Parshina a même interrogé personnellement Svetlana Staline, quelques années avant le décès de la fille préférée du « Petit père des peuples ». Le témoignage de cette dernière est unique de vérité et de sincérité.

Entrez dans la grande Histoire par la petite porte et découvrez le destin de ces enfants qui ont eu le malheur d'avoir un père dictateur. Un père que le monde entier, aujourd'hui, leur demande de détester.

Jean-Christophe Brisard et Claude Quétel

Svetlana, la préférée de Staline

Par Lana Parshina

Maître de l'URSS pendant plus d'un quart de siècle, Staline a été un des acteurs majeurs de notre histoire. Surnommé le « petit père des peuples », modernisateur de l'URSS, grand vainqueur de Hitler, Staline est avant tout l'artisan d'une terreur généralisée dans son pays, où il a systématisé le goulag et réprimé dans le sang toute menace, vraie ou supposée, pour son règne. On l'imagine mal, dès lors, père de trois enfants. On l'imagine encore moins chérir particulièrement l'un d'entre eux, à savoir sa petite dernière, Svetlana. Et pourtant…

(Ce texte est le fruit d'une entrevue entre Svetlana Staline et l'auteur de ces lignes, à la fin de l'année 2008.)

Svetlana Staline est née le 28 février 1926. Elle est la fille adorée de Joseph Staline. Celle que le régime soviétique aime présenter sur les photos officielles comme une enfant modèle. L'incarnation de la jeunesse communiste, vive, fière et souriante à la vie. Voilà pour la propagande. La réalité est tout autre pour cet enfant qui, finalement, n'eut que bien peu de raisons de sourire.

Un drame dès l'enfance

Svetlana est la petite dernière des trois enfants de Staline. Elle a deux frères aînés. Yakov est né d'un premier mariage, dix-neuf ans avant Svetlana. Vassili, lui, a cinq ans de plus qu'elle. La mère de Vassili et de Svetlana, Nadejda Allilouïeva, est la seconde épouse de Joseph Staline. Svetlana et son frère sont rapidement confiés à une nourrice. La petite fille n'a que quatre semaines quand celle qu'elle appellera toute sa vie « Nounou » est sélectionnée avec soin par ses parents. « Elle avait 40 ans quand ma mère l'a recrutée. Mon père devait avoir le même âge. Maman n'en avait alors que 25. Nounou savait qui dirigeait la famille, c'est pour cela qu'elle obéissait en premier à mon père. C'est grâce à elle que j'ai su garder un certain sens de l'humour. Car pour être franche, on ne pouvait pas dire que mes parents débordaient d'humour. Je pense que c'est ce qui m'a sauvée. »

De sa naissance à ses 30 ans, Svetlana ne quitte pas sa nourrice. Celle-ci, en bonne paysanne russe, lui transmet son amour de la nature. Elle lui enseigne également la littérature nationale et lui fait apprendre par cœur l'œuvre de Nekrassov, un poète russe du XIXe siècle. « Dans la famille, tout le monde aimait Nounou. Elle était notre mamie, une source de sagesse. J'étais heureuse grâce à elle, elle me donnait tant d'amour… »

Svetlana ne se souvient pas d'avoir reçu de sa mère un amour simple et véritable comme celui qu'elle a reçu de Nounou. Pourtant c'est bien sa mère, Nadejda Alliloujeva, qui va faire basculer l'existence de Svetlana. Toute sa vie, celle-ci se souviendra de cette date : le 9 novembre 1932. Elle n'a que 6 ans et le Kremlin fête le 15e anniversaire de la révolution d'Octobre. À l'écart de tous, dans sa chambre, Nadejda Alliloujeva se tire une balle en pleine tête. Le suicide de la femme de Staline est un drame qui doit rester secret. Pendant soixante ans, la version officielle prétend qu'elle est morte d'une appendicite. Seul le premier cercle des dirigeants soviétiques est informé. Ainsi que Svetlana et Vassili.

L'affection de Nounou n'en devient que plus importante, presque vitale pour les deux jeunes enfants. Mais même protégée par l'amour et la tendresse de Nounou, Svetlana perd toute joie et toute légèreté. Elle devient taciturne, dure ; elle cherche à ressembler à son père. Plutôt que d'essayer de comprendre le geste désespéré de sa mère, elle le rejette avec colère. À ses yeux, le suicide ne peut être que l'acte d'une personne faible. Peu importent les raisons de son geste, en se tuant ainsi, sa mère les a tous trahis, ses frères et son père. Svetlana ne lui pardonnera jamais. Bien que plus âgé que sa sœur, Vassili souffre encore davantage de la disparition tragique de leur mère. Il a 11 ans, c'est un enfant instable et fragile. Nadejda Allilouïeva l'adorait et le protégeait de tout. Elle lui avait patiemment enseigné les arts et les langues. Vassili avait ainsi appris l'allemand et pris des cours de musique. Nadejda tenait à ce que ses enfants soient des artistes. Elle espérait que son fils devienne un grand réalisateur. Son suicide détruit Vassili à jamais.

La grande famine

La première femme de Staline, Ekaterina Svanidze, est morte du typhus en 1907 : en 1932, il est donc veuf pour la seconde fois, et avec deux enfants en bas âge. Jusqu'à présent, il a surtout brillé par son absence et son manque de disponibilité. Depuis la mort de Lénine en 1924, il dirige le pays le plus étendu au monde et ses 170 millions d'individus. Le suicide de sa femme intervient au pire moment. L'Union soviétique traverse l'un des épisodes les plus sanglants de toute son histoire. Le pays est en pleine phase de « collectivisation » des terres. La propriété privée est abolie, les terres sont regroupées dans des kolkhozes ou des sovkhozes, d'énormes fermes d'État. Mais des centaines de milliers de paysans osent s'opposer aux directives du Politburo. Ils sont alors déportés en masse en Sibérie. C'est le début de la grande famine de 1932-1933 qui va toucher principalement l'Ukraine. Entre six et huit millions de personnes y laisseront la vie. À quelques centaines de kilomètres de Moscou, les gens meurent de faim dans les rues. On rapporte des scènes d'anthropophagie, d'assassinats pour quelques pommes de terre...

Au même moment, Svetlana et Vassili poursuivent leur scolarité à l'école publique. En effet, Staline tient absolument à montrer l'exemple : ses enfants ne bénéficient d'aucun privilège et il en est fier. Rien ne doit les distinguer des autres écoliers. Sauf pour une chose essentielle évidemment : la nourriture. Un luxe vital. Svetlana et Vassili peuvent manger à leur faim dans les cuisines du Kremlin et avoir accès à des aliments variés et de qualité. Bien à l'abri derrière les murailles du palais moscovite, ils n'auront jamais à souffrir de la faim. Savent-ils que leur père peut, d'un trait de plume ou d'un appel téléphonique, décider de la vie ou de la mort de villages entiers ? Svetlana et Vassili ne peuvent même pas l'imaginer ; « Père » ne se montre jamais violent avec eux, tout au plus peut-il faire preuve d'impatience ou d'exigence.

Deux frères sacrifiés

« Quand Papa est devenu veuf, il ne savait pas comment s'y prendre pour nous élever », se souvient Svetlana. « Il a alors choisi de nous éduquer par l'étude et la lecture. Moi, j'adorais lire. Vassili, c'était tout le contraire, il détestait ça, tout comme il détestait l'école. C'est pour cela que Père a décidé de l'envoyer à l'armée. Il pensait qu'il y deviendrait un homme meilleur. Ce fut tout le contraire. L'armée lui a appris à boire. » À contrecœur, Vassili devient pilote dans l'armée de l'air. Comme tous les officiers de son régiment, il ne décolle jamais sans être en état de quasi-ivresse. Boire permet de combattre le stress du pilotage. Vassili appelle cette technique alcoolisée le « dévissage ». La plupart de ses camarades de régiment sont des types de la campagne, bien bâtis, grands et costauds. Vassili, quant à lui, est plutôt chétif et neurasthénique – ce qui ne l'empêche pas d'être un pilote très talentueux. L'alcool, la vodka surtout, n'a pas le même effet sur lui que sur ses collègues. À 30 ans, il est déjà très marqué. Son visage a changé, il est bouffi et vieilli. Il n'arrive plus à tenir une conversation. Ses accès de violence se multiplient. Même ses enfants ont peur de lui. Surtout quand il les poursuit avec sa *shashka,* une arme cosaque semblable à un sabre. Pour Svetlana, son frère est devenu fou. Irrécupérable.

Pourtant, des trois enfants de Staline, ce n'est pas Vassili qui a le plus souffert du comportement de leur père, mais bien Yakov, l'aîné. Il est né le 18 mars 1907. Il est le demi-frère de Vassili et de Svetlana. Il a dix-neuf ans de plus que la jeune fille. Malgré leur grande différence d'âge, Svetlana se sent très proche de lui. Il est l'un des rares à oser la protéger contre les colères de son père. « Quand Yasha [l'un des diminutifs affectueux de Yakov] est parti à la guerre en 1941, raconte Svetlana, les soldats portaient encore les anciens modèles d'uniformes soviétiques. Notre père était plutôt traditionaliste, c'est pour cela qu'il a rétabli l'uniforme tsariste en 1942. Cette décision a remonté le moral des troupes. Yasha étudiait dans l'académie d'artillerie. Dès qu'il a été diplômé, avec toute sa promotion, il a été envoyé au front avec d'énormes obusiers. C'était le début de l'invasion allemande, les nazis dévastaient tout sur leur passage. Sa division a été rapidement encerclée par l'ennemi. Yasha était second lieutenant. Un officier d'artillerie ne pouvait abandonner ses canons aux Allemands. Son devoir était de mourir plutôt que de fuir. C'est pour cela que, contrairement aux autres soldats, il est resté et a été fait prisonnier. Il était honnête, calme et humble. Il a passé deux ans dans des camps de prisonniers en Allemagne. Les nazis le montraient partout dans leur pays comme un animal de foire. Vous vous rendez compte, il était le fils de Staline… Fin janvier 1943, le feld-maréchal allemand Paulus et ses généraux ont été à leur tour faits prisonniers par nos troupes. C'était lors de notre victoire à Stalingrad. Les Allemands ont proposé un échange. Mon demi-frère contre Paulus et ses généraux. Bien sûr, mon père a refusé. Il était orgueilleux, vous savez. »

Dès qu'elle apprend que son frère aîné est fait prisonnier par les Allemands, Svetlana recueille la fille de ce dernier, la jeune Gulya, et s'en occupe. Svetlana n'a pourtant que 15 ans. Elle ne reverra jamais son frère. « Nous n'avons jamais su comment Yasha était mort. Certains disent qu'il s'est suicidé en se jetant sur les barbelés électrifiés de son camp. D'autres racontent qu'il a été exécuté. De toute façon, s'il avait été libéré ou s'il s'était échappé, il aurait été envoyé en Sibérie et placé dans un camp. C'est ainsi que l'on traitait les soldats soviétiques qui étaient passés par les camps de prisonniers allemands. On se méfiait d'eux. »

Au cœur de la guerre

La guerre fait rage. Svetlana commence à s'habituer au pire. Dans l'enceinte du Kremlin, ses amis disparaissent du jour au lendemain sans laisser de traces. Les purges sont régulières et se font en silence. C'est pourtant dans ce climat de peur que la jeune fille va rencontrer son premier amour, par l'intermédiaire de Vassili. Il s'agit d'un homme de 39 ans, un réalisateur. Il s'appelle Alexeï Kapler, c'est une célébrité dans toute l'Union soviétique.

Comme le rêvait sa mère, Vassili se pique de cinéma depuis quelques années. Le milieu artistique soviétique n'a plus aucun secret pour lui. Le fils de Staline tente même de réaliser un documentaire. Ce sera sur la 32e division militaire, une sorte de chronique de guerre. Il a pensé à tout : le scénario, la lumière ainsi que la chanson de cette division militaire. Les fêtes se multiplient chez Vassili. Des fêtes où sont invités de nombreux artistes. C'est au cours de l'une d'entre elles, en 1942, que Svetlana rencontre Alexeï Kapler. Le grand réalisateur est venu déguisé en chevalier. Il porte une armure étincelante. « Je me souviens, il dansait à merveille. J'adorais ses films. Bref, je suis tombée amoureuse. Vous savez, vous tombez amoureuse de n'importe qui quand vous avez 17 ans. Le premier qui se tient devant vous, vous l'aimez. C'est ce que j'ai fait. »

Mais fréquenter la fille unique du dirigeant soviétique peut s'avérer dangereux. Svetlana est surveillée en permanence par les services secrets de son père. Kapler s'en doute forcément. L'un de ses amis lui conseille discrètement de ne pas répondre aux avances de la jeune adolescente. « Ses proches lui disaient de me quitter, mais il ne les a pas écoutés. Il a voulu jouer au chevalier. » Le reste de l'histoire, Svetlana a toujours du mal à l'évoquer. Comment justifier que son père ait envoyé Kapler au goulag pendant près de onze ans ? Bien sûr, officiellement, cela n'a rien à voir avec leur relation : Kapler est accusé d'espionnage au profit des Anglais. Il ne sera libéré et réhabilité qu'après la mort de Staline, en 1954. « Quand Kapler est revenu des camps de travail, il était devenu un autre homme. J'étais également une autre femme. Il semblait si fatigué de la vie. Il avait déjà 50 ans et n'aspirait plus qu'à finir son existence en paix. Moi, j'avais près de 30 ans, j'étais divorcée avec deux enfants. Rien à voir avec la jeune femme de 17 ans qu'il avait aimé. » Alexeï Kapler a été rayé de la vie de Svetlana sur ordre de Staline. Comme beaucoup d'autres prétendants.

Admiration mais concurrence

Svetlana ne parvient pourtant pas à en vouloir à son père et lui donne presque raison. Voici comment, vers la fin de sa vie, elle juge les hommes avec qui elle a vécu : « Mes ex-maris étaient tout à fait ordinaires. À chacun de mes divorces, j'ai été heureuse parce que je reprenais ma liberté. » Grandir dans l'ombre d'un homme aussi puissant que Staline, un homme qui prend quotidiennement des décisions qui peuvent affecter le monde sur plusieurs générations, c'est la stricte normalité pour

Svetlana. Comment, dès lors, ne pas trouver les autres hommes bien « ordinaires » ?

Enfant, elle se retrouve sur les genoux de Beria, l'un des dirigeants les plus craints du régime soviétique, joue avec « oncle Vorochilov », ce militaire responsable de la défense de Leningrad contre les nazis qu'elle trouve bien gentil mais trop négligé, et juge le maréchal Boudienny par trop « simple et tout juste capable de parler de chevaux ». N'importe qui trouverait effrayant d'avoir côtoyé si jeune toutes ces figures historiques aux mains recouvertes du sang de dizaines de milliers de personnes. C'est surtout vrai pour Lavrenti Beria, l'âme damnée de Staline, le tout-puissant et secret chef du NKVD, la redoutable police politique. Plus tard, c'est d'ailleurs lui que Svetlana rend responsable du système répressif paranoïaque imposé par le régime stalinien. Svetlana refuse d'entendre que son père ait pu laisser tuer des millions d'innocents. Pour elle, Staline ne pouvait pas être au courant de tout.

Svetlana a hérité du caractère de son père. Autoritaire, têtue, dure avec elle-même et bien entendu avec les autres. Elle est à peine majeure qu'elle apprend déjà à conduire. À l'époque, rares sont les femmes qui ont ce privilège. D'autant plus dans une Union soviétique où le simple fait de posséder un véhicule demeure un luxe hors du commun. Quand sa fille lui annonce la nouvelle, Staline ne peut y croire, lui qui n'a jamais appris à conduire. Svetlana insiste pour lui prouver que c'est vrai. Ce moment reste gravé dans la mémoire de la fille de Staline : « C'était une Emka, l'une des automobiles les plus populaires du pays. Mon père s'est assis à côté de moi, il rayonnait de joie. Son garde du corps s'est installé derrière nous, un pistolet à la main. Pourquoi ce pistolet ? Je ne sais pas et je m'en moquais bien. J'étais tellement heureuse. C'était incroyable, je savais faire quelque chose que mon père ne savait pas faire. Je conduisais et lui non. » Pour la première fois de sa vie, Svetlana réalise qu'elle peut faire mieux que le grand Staline. Mais ce plaisir de dépasser son père, ce besoin de s'affirmer, la jeune femme va vite comprendre qu'elle va devoir s'en passer.

Même avec sa fille adorée, le maître du Kremlin ne peut accepter d'être placé en situation d'impuissance. Ainsi, Staline refuse sa présence lors des visites officielles des chefs d'État. Une seule fois, elle sera présentée à Churchill à Moscou. Jamais plus. À la conférence de Yalta, le 11 février 1945, Staline accueille le Premier ministre britannique ainsi que Roosevelt pour envisager la fin de la Seconde guerre mondiale et l'après-guerre. Les dirigeants anglais et américains viennent avec leurs enfants. Le protocole prévoit que Svetlana soit également présente. « Cette invitation, je n'en ai connu l'existence que bien plus tard », se souvient l'intéressée. « C'est l'officier interprète de mon père qui me l'a révélée. Papa avait répondu à l'invitation à ma place. Il avait expliqué que j'étais trop occupée par mes études universitaires. Il ne m'avait même pas consultée ! Je pense qu'il a réagi ainsi parce qu'il ne voulait pas que je sois là. Il savait que je parlais parfaitement anglais alors que lui ne le comprenait pas. »

Deux maris, deux échecs

Somme toute, être la fille du puissant dirigeant soviétique n'a que peu d'avantages. Et beaucoup de contraintes. Compte tenu de ce qui est arrivé au malheureux Alexeï Kapler, rares sont les hommes qui osent désormais fréquenter Svetlana. C'est donc à elle de prendre les devants et d'oser se confronter à son père afin que ses amoureux ne disparaissent pas tous dans les geôles du régime. Svetlana sait qu'elle est la préférée des enfants de Staline. Quand elle prend la décision de se marier, en 1945, le grand Staline, l'un des hommes les plus puissants de la planète, l'homme qui a vaincu les nazis ne peut que céder. Svetlana n'a pourtant que 19 ans.

« Mon premier mari s'appelait Grigori Morozov. Il était juif et n'avait pas servi dans l'armée soviétique pendant la Seconde guerre mondiale. C'est pour cela que mon père refusait de le voir. Ils ne se sont jamais rencontrés. Mon père m'a juste dit : “Va au diable ! Fais ce que tu veux mais je ne veux pas le voir.” Joseph, le fils que j'ai eu avec Grigori, il ne l'a vu que deux fois, à 3 ans et 7 ans. » Lui avoir donné son prénom, Joseph, n'est pas suffisant pour attendrir Staline. Quand Svetlana décide de divorcer en 1947, après seulement deux ans de mariage, son père profite de l'occasion pour effacer toute preuve de cette union qu'il réprouvait. Sa fille peut avoir à nouveau un passeport vierge, sans l'inscription « mariée ».

Pour son deuxième époux, Svetlana choisit de laisser son père agir. Staline jette son dévolu sur le fils de l'un de ses plus fidèles alliés, Andreï Jdanov, le théoricien de la guerre froide. Nous sommes en 1949 et Staline vieillit. Svetlana aimerait ne pas décevoir son père, mais son mariage est à nouveau un échec. Les deux époux ne se supportent pas. Ils se séparent au bout d'un an seulement. « J'ai fui mon deuxième mari juste après avoir donné naissance à notre fille Katya. L'accouchement m'avait presque tué. »

Svetlana a maintenant 25 ans ; elle est déjà profondément marquée par les épreuves. Yakov, son frère aîné a été tué dans un camp de prisonniers en Allemagne nazie, Vassili est un officier soviétique rongé par l'alcool et dépressif. La fille de Staline ne se sent pas à la hauteur du nom qu'elle porte. « Mon père était devenu un vieil homme. Il découvrait que ses enfants, mes frères et moi, n'avaient rien réalisé d'exceptionnel. Il ressentait une énorme déception. » Svetlana découvre qu'elle est elle-même bien ordinaire ; autant que les hommes qu'elle rencontre et qu'elle ne parvient pas à aimer.

Des cibles à abattre

Staline était un nom trop lourd à porter pour Svetlana, même du vivant de son père. Mais il l'est davantage encore après sa mort. Avant de mourir, Joseph Staline entraîne le régime soviétique dans une névrose paranoïaque généralisée. Plus personne n'est à l'abri de ses colères et des purges sanglantes qu'il déclenche régulièrement. Sa mort soudaine, le 5 mars 1953, va donc sauver de nombreuses têtes dans tout le pays. En revanche, pour Svetlana et Vassili, le décès de leur père annonce le début des ennuis. Le corps du leader soviétique n'est pas encore embaumé que ses enfants deviennent déjà des cibles à abattre. Svetlana et Vassili ne font pourtant pas de politique et n'aspirent pas non plus à en faire. Mais leur nom représente un danger mortel pour les prétendants au poste suprême de l'Union soviétique.

Un mois seulement après la mort de Staline, Vassili est arrêté sur ordre de « tonton Beria », l'âme damnée du « tsar rouge ». Ce même Beria qui prenait Svetlana enfant sur ses genoux. Au cours d'un procès bâclé, Vassili est obligé d'avouer de nombreux crimes antisoviétiques. Il est condamné à huit années de travaux forcés dans un pénitencier de haute sécurité. Svetlana ne pourra revoir son frère qu'une fois. Quelques mois avant sa libération, en 1961, Nikita Khrouchtchev, le nouveau dirigeant de l'Union soviétique, autorise en effet le frère et la sœur à se parler. La visite doit rester secrète car les héritiers de Staline continuent d'effrayer les dirigeants du pays. Svetlana ne parlera jamais de la teneur de cette rencontre avec son frère, mais elle en sort définitivement changée.

Vassili, après avoir purgé sa peine de huit ans, retrouve sa liberté mais pas son nom. Pour ne pas retourner en prison, il accepte de ne plus s'appeler Staline mais Djougachvili, du vrai nom de famille de Joseph Staline, et de vivre anonymement à Kazan, une ville « fermée », interdite aux étrangers. Il est finalement retrouvé mort un an plus tard, en 1962. Son décès est officiellement attribué à son alcoolisme. Si Svetlana n'a pas subi le même châtiment que son frère, c'est grâce à son étonnante réaction à la mort de son père : elle décide de reprendre le nom de sa mère, Allilouïeva. Mais le décès de Vassili va de nouveau la mettre en danger. Même si elle ne porte déjà plus le nom de Staline, elle devient un symbole en Union soviétique : le dernier enfant du leader communiste. À ce titre, elle est une part de son héritage et demeure une menace.

Un acte inouï en pleine guerre froide

Pour rester en vie, Svetlana doit fuir le pays. Elle n'y parvient qu'en 1967. Le Politburo l'autorise exceptionnellement à voyager à l'étranger, en Inde plus précisément. Elle doit y enterrer le diplomate indien avec lequel elle vivait en concubinage depuis quatre ans. L'occasion est unique : elle en profite pour demander l'asile politique à l'ambassade américaine. La fille de Staline passe dans le camp adverse ! À l'époque, cette défection est considérée comme une victoire idéologique des Américains. Pour Svetlana qui a alors 41 ans, il s'agit avant tout de survivre. Elle reconnaîtra elle-même qu'elle n'avait rien prémédité. Elle est partie vers l'ambassade américaine sans affaires personnelles, pas même des photos de ses enfants – ses deux enfants qu'elle laisse en Union soviétique. Elle ne les verra pas avant 1984, dix-sept ans après sa fuite.

« Quand je suis arrivée aux États-Unis, tout le monde espérait que je fasse des déclarations sur mon père et que je dénonce le communisme. En gros, j'étais passée du communisme au capitalisme. On m'expliquait que si j'avais fui l'Union soviétique cela signifiait forcément que j'étais une opposante. C'est ce qu'ils souhaitaient. J'avais fui mais je n'avais pas changé d'état d'esprit. Pour commencer, je n'étais ni communiste ni capitaliste. Je n'aimais aucun de ces deux pays avec leurs gouvernements fiers de leur armée et de leur pouvoir. »

Svetlana est une femme fatiguée quand les Américains la découvrent. Elle s'est convertie au bouddhisme et n'aspire qu'à vivre en paix, loin de toute récupération politique. La nouvelle citoyenne américaine n'en devient pas moins une attraction nationale. Les télévisions se l'arrachent. Elle est célèbre et écrit deux livres qui deviennent des best-sellers : sa biographie en 1967, *Vingt lettres à un ami*, et le récit de sa fuite de l'URSS, *En une seule année* (1969). Elle se marie de nouveau en 1970. Ce sera son dernier mariage. Elle a déjà 44 ans. Cette fois-ci, elle choisit un Américain, un célèbre architecte, William Peters. « Autour de mon mari, tous croyaient que mon père avait caché de l'argent en Suisse, écrit Svetlana. C'était faux. Père était socialiste et minimaliste. L'argent ne l'intéressait pas. Il ne donnait pas grand-chose à ses propres enfants. Cette histoire de comptes en Suisse était ridicule. C'est avec l'argent gagné grâce à mes livres que j'ai remboursé les dettes de William. Il devait près d'un demi-million de dollars. L'argent ne m'a jamais intéressé non plus. Je peux vivre avec peu. Une fois qu'ils ont tous compris que je n'avais aucune fortune cachée, plus personne ne s'est intéressé à moi. William m'a donné ma fille, Olechka. Et rien que pour cela, je lui suis reconnaissante. » Comme les précédentes unions de Svetlana, celle-ci s'achève rapidement : le couple divorce en 1973.

Svetlana choisit de garder le nom de son dernier mari, même une fois divorcée. Elle change également son prénom en Lana ; et devient ainsi Lana Peters. C'est sous cet ultime patronyme qu'elle termine sa vie. Désargentée, oubliée de l'Histoire, rejetée par ses deux premiers enfants, Joseph et Katya, la fille de Staline décède en novembre 2011 dans une résidence sociale au fin fond du Wisconsin. Elle avait 85 ans. Ses voisins ignoraient tout d'elle et de ce passé qui la hantait sans cesse. Aux rares visiteurs qu'elle acceptait de recevoir dans son petit deux pièces, elle montrait des photos abîmées. Toujours digne et respectueuse de la mémoire de son père, elle refusait de s'apitoyer sur sa vie brisée : « Vous savez, dans la tradition chrétienne, on dit que trois générations doivent payer pour les péchés de leur père. »

Edda Mussolini, la rebelle

Par Michel Ostenc

Benito Mussolini accède au pouvoir en 1922 et instaure la dictature fasciste en Italie dès 1925. Après une ascension fulgurante, le Duce s'allie à l'Allemagne et entraîne l'Italie dans la Seconde Guerre mondiale. Renversé le 25 juillet 1943, il est libéré par un commando SS et placé par les nazis à la tête d'un État fantoche : la République de Salò. Capturé par la Résistance italienne, il est exécuté le 28 avril 1945. Edda a été sa fille chérie, la prunelle de ses yeux ; il faut dire qu'elle lui ressemble de façon surprenante. Leur relation, entre adoration, jalousie, possessivité et manipulation s'est vite transformée en tragédie grecque : Edda est déchirée entre l'amour et la haine pour ce père, responsable de la mort de son mari, Galeazzo Ciano.

Rachele Guidi, issue d'une petite famille paysanne, est la fille d'une amie d'Alessandro Mussolini, le père de Benito. Benito et elle se sont connus à l'école primaire de leur village natal, Dovia di Predappio, en Émilie-Romagne. Benito se met en ménage avec Rachele à Forlì fin octobre 1909. Moins d'un an après, le 3 septembre 1910, à trois heures du matin, Rachele Guidi, 20 ans, met au monde une fille. C'est Benito qui choisit le prénom : la petite s'appellera Edda. Née hors mariage, on déclare Edda fille de Benito Mussolini et de mère inconnue.

« J'ai aimé de nombreuses femmes »

La naissance d'Edda cause une grande émotion à son père qui se jette dans la lutte politique avec une ferveur nouvelle tant il éprouve un besoin accru d'action. Il s'implique déjà énormément dans la vie de sa fille : il va acheter lui-même un berceau en bois qu'il rapporte sur son épaule. En raison de ses principes anticléricaux, il s'abstient de la faire baptiser. Les mois passés à Forlì en 1909 et 1910 sont ceux de la pauvreté et du découragement. À cette époque, Benito n'est encore qu'un petit journaliste et un révolutionnaire à l'esprit bohème. Edda est, selon son père, la « fille de la misère ».

L'union de Benito et de Rachele est une union libre : loin de la classique histoire d'amour, Benito entretient également une relation avec Ida Dalser, 30 ans. Il aura d'ailleurs d'elle un fils, Benito Albino, né le 11 novembre 1915. Ce n'est que le 17 décembre 1915 que Benito épouse civilement Rachele Guidi, lorsqu'il est hospitalisé car blessé au front. Dans *La mia vita* qu'il publie en 1928, alors qu'il est devenu le Duce, Mussolini écrit : « J'ai eu une jeunesse passablement aventureuse et orageuse. J'ai connu le bien et le mal de la vie [...]. J'ai aimé de nombreuses femmes, mais désormais l'oubli étend son voile sur ces amours lointaines. Maintenant, j'aime ma Rachele et elle aussi m'aime profondément. »

Et en effet, l'oubli a étendu son voile sur Ida Dalser et son fils, d'abord reconnu puis renié. Ida, à qui Mussolini avait promis le mariage, se fait passer pour son épouse et multiplie les scandales. Mussolini en profite pour la faire interner à l'asile San Clemente à Venise. Ida y meurt en 1937. Quant à Benito Albino, il est recruté dans la Marine et envoyé en Chine. Sur la suite de sa vie, les sources divergent. Selon certaines, il serait mort en Chine. Selon d'autres, il aurait été interné à son retour et serait mort lui aussi à l'asile, en 1942. Le réalisateur Marco Bellochio a raconté ce double destin tragique dans son film *Vincere*, en 2009.

Une famille modèle

Le couple formé par Rachele et Benito aura cinq enfants, mais c'est avec Edda que Mussolini a la relation la plus forte et il n'aura guère de temps à consacrer aux cadets. Vittorio (1916-1997), pilote à 20 ans, se distingue dans la guerre d'Abyssinie (et pendant la guerre d'Espagne). Passionné de cinéma, il tâte aussi de la mise en scène et de la production. Après la guerre, il s'exile en Argentine, rentre en Italie en 1967 et y meurt en 1997. Bruno (1918-1941), le deuxième fils, est lui aussi pilote de guerre et grand passionné d'aviation. Il commande en 1941 une escadrille de bombardement. Il meurt dans un crash à l'atterrissage de son avion le 7 août 1941. Romano (1927-2006), le troisième fils, n'a que 13 ans lorsque la guerre commence. Il poursuit une carrière dans le jazz et dans la peinture. Il épouse Anna Maria Scicolone, la sœur de Sophia Loren. Il meurt à Rome en 2006. Sa fille, Alessandra Mussolini, née en 1962, est une femme politique, actuellement membre du parti Forza Italia (centre droit). Quant à Anna Maria (1929-1968), la petite dernière de la fratrie, elle est atteinte de polio dans son enfance. Elle épouse en 1960 un artiste dont elle a deux filles, Silvia et Edda, toutes deux aujourd'hui dans la politique, côté néofasciste.

Rachele, dite « Chiletta » dans l'intimité et « Donna Rachele » dans l'Italie fasciste, veut être pour sa part l'épouse fidèle et modèle, en dépit des frasques de son mari. On découvrira plus tard sa liaison avec un Romagnol. Elle écrit dans ses souvenirs : « Je crois que ce qui attirait les femmes en lui, c'était d'abord son regard – ce même regard dont j'avais été victime dès mon jeune âge. Puis la prestance, et la voix qu'il avait basse, mélodieuse, "envoûtante" de l'avis de certaines. Mais une fois conquises, ce qui les retenait ensuite, c'était sa rudesse. Comme tout Italien, il estimait que le sexe féminin ne devait pas dépasser un certain niveau de l'échelle sociale et que son rôle devait s'arrêter au seuil de la maison. »

La « pouliche folle »

L'enfance d'Edda est évidemment marquée par les bouleversements qui jalonnent l'ascension politique de son père. Entre la naissance et les 12 ans d'Edda, Mussolini va passer du petit journaliste au révolutionnaire fasciste pour finalement prendre la tête du gouvernement italien et devenir le Duce. Née dans une extrême pauvreté, Edda va connaître dans son enfance une ascension sociale fulgurante avec tous les égards correspondants.

Alors même qu'il est extrêmement occupé par sa quête de pouvoir, Mussolini va accorder à Edda beaucoup plus de temps et d'attention qu'à ses frères et sœurs. Il adore sa fille et cette passion ne va pas se démentir.

L'enfance turbulente d'Edda se déroule entre une mère peu affectueuse, prête à utiliser la manière forte pour dompter celle qu'elle surnomme la *cavallina matta*, la « pouliche folle », et un père certes très attaché à sa fille, mais finalement peu présent. Benito se montre un père parfois fantasque – il la réveille en pleine nuit pour la rendormir en musique et l'amène, même tard le soir, dans les couloirs de son journal ; parfois exigeant – il tient par exemple à lui faire apprendre le violon dès l'âge de 4 ans. Les émoluments de son professeur s'élevant alors à 10 lires la leçon, c'est un sacrifice dans leur budget réduit de cette époque, mais Mussolini est prêt à tout pour sa fille.

Mussolini encourage le côté « garçon manqué » de son aînée et s'applique à lui donner une éducation « virile ». Elle doit apprendre à ne jamais pleurer et à dompter ses propres peurs. À 15 ans, elle dirige une bande de camarades et sauve même l'une d'entre elles de la noyade. Fier comme Artaban, le Duce la récompense alors d'une médaille et d'une lettre officielle de félicitations.

Un tempérament passionné

Mussolini passe tout à sa fille chérie à condition que l'émancipation dont elle commence à faire preuve à l'adolescence ne se tourne pas vers la coquetterie et les garçons. Edda se farde donc en cachette et s'endette pour s'acheter des parfums, des rouges à lèvres et des vêtements à la mode. Ceci lui vaut d'être placée, à la rentrée 1924, dans une pension de Florence, l'une des plus huppées d'Italie : l'institut royal féminin de Santa Annunziata dont la réputation donne des garanties de bonne éducation. Mais le caractère vif et indépendant d'Edda ne peut se plier à la discipline de l'internat. Elle s'y ennuie à mourir et achève d'y perdre le goût des études, qu'elle n'avait déjà guère auparavant ! Au bout d'un an, son père l'en retire. N'a-t-elle pas parlé de s'évader ? En 1925, la famille s'installe à Milan pour permettre aux cinq enfants de suivre les meilleures études possibles. Ils suivent les cours d'établissements publics, le Duce ne voulant pas les « tenir à l'écart des gens du commun ». Edda entre pour sa part au lycée Parini, mais elle n'achèvera jamais sa scolarité.

En 1929, la famille emménage à Rome, villa Torlonia. Intelligente, séduisante, trop gâtée, Edda fait preuve d'un tempérament passionné qui la pousse à vivre de nombreuses aventures sentimentales. Mais son père, inquiet, jaloux et manipulateur, surveille tout cela de très près : il la fait suivre par la police et ouvre même son courrier. Déjà, pendant l'été 1928, Edda a une aventure avec un jeune chef de gare de Cattolica, sur la côte de l'Adriatique. Celui-ci est aussitôt muté en Sicile.

L'année suivante, toujours au même endroit, deux autres soupirants sont priés par la police fasciste de quitter les lieux. Évidemment, Edda supporte très mal cette surveillance et multiplie les flirts pour provoquer son père. Or, ce qui passait à peu près inaperçu sur une plage de l'Adriatique, risque de faire scandale à Rome. De guerre lasse, le Duce songe donc à marier sa fille.

À la recherche d'un mari

Il confie la recherche du mari parfait à sa sœur cadette, Edwige. Celle-ci déniche un parti honorable en la personne de Pier Francesco Orsi Mangelli, fils d'un industriel de Forlì. Edda le trouve insipide mais ne s'oppose pas à un mariage qui, rêve-t-elle, la mettrait à l'abri de la surveillance de son père. Des fiançailles officielles ont lieu. Ceci n'empêche pas, pendant l'absence du fiancé parti terminer son année universitaire à Liège, qu'Edda entretienne une liaison clandestine avec un jeune juif, sans situation et sans fortune. Sommée de rompre, Edda s'exécute et renoue sans vergogne avec son triste fiancé. Le mariage aura-t-il lieu ? Non, car lors d'un dîner à la villa Torlonia, le fiancé en question commet l'imprudence de s'enquérir de la dot d'Edda auprès de Mussolini. Outré, celui-ci rétorque que sa fille n'aura pas de dot, tout comme Rachele, son épouse, n'en a pas eu. Le prétendant est prié de ne plus réapparaître.

Après l'échec de la mission d'Edwige, c'est au tour du frère de Mussolini, Arnaldo, de se mettre en chasse. Le Duce, qui désire toujours le meilleur pour sa fille, la verrait bien avec un aristocrate, voire même avec un membre de la famille royale – ce qui serait au demeurant difficile à défendre dans une Italie fasciste ! Arnaldo déniche finalement un jeune diplomate de 26 ans, Galeazzo Ciano. Son père, amiral pendant la Grande Guerre, comte, fasciste de la première heure, a été ministre du Duce dont il est resté très proche. Quant à Galeazzo, c'est un opportuniste doué d'une intelligence subtile. La première rencontre d'Edda et de Galeazzo a lieu lors d'une réception fin janvier 1930, peu après la rupture des premières fiançailles d'Edda. Le physique avantageux et la conversation brillante du jeune homme la séduisent, elle qui n'a que 19 ans. La rumeur prétend qu'à l'époque, elle fréquente assidûment un certain Kiko avec qui elle a projeté de s'enfuir.

Très vite, le 15 février 1930, à la villa Torlonia, Galeazzo demande la main d'Edda au Duce. Si ce dernier accepte le mariage, ce n'est pas le cas de Rachele qui brosse à son futur gendre un tableau peu flatteur de sa fille : « Vous devez savoir qu'elle ne sait rien faire. Quant à son caractère, il vaut mieux ne pas en parler. » Le mariage est célébré le 24 avril 1930. Des fascistes en uniforme noir font une haie d'honneur à la sortie de l'église San Giuseppe de Rome, en croisant leurs dagues au-dessus de la tête des mariés. Une grande réception officielle de plus de 500 invités suit. Rachele et Mussolini ont en commun d'avoir les réceptions en horreur, mais ils poussent un soupir de soulagement car voilà enfin leur diable de fille casée !

La presse célèbre l'événement comme un symbole du régime. Le couple part pour Capri en voyage de noces, Edda conduisant elle-même son Alfa Romeo. Mussolini tient à les accompagner en voiture jusqu'à Rocca di Papa, village à une trentaine de kilomètres de Rome, situé sur un rocher isolé. Il s'arrêtera là « afin de pouvoir pleurer en paix au moment des adieux ». Chagrin réel d'un père qui comprend qu'il perd sa fille préférée – celle qui lui ressemble tant.

Le temps des désillusions

Quelques mois plus tard, Galeazzo est nommé consul à Shanghai et le couple s'envole pour la Chine. Edda s'attend à une vie mondaine brillante faite de réceptions et de voyages. Mais les problèmes commencent : la jeune femme découvre en effet les infidélités de son mari alors qu'elle est enceinte de 7 mois du petit Fabrizio, dit « Ciccino ».

Le couple rentre en Italie en juin 1933. Raimonda, dite « Dindina » et Marzio, dit « Mowgli », y naissent coup sur coup, fruits de grossesses accidentelles.

À Rome, les disputes deviennent fréquentes dans le ménage Ciano. Galeazzo reproche notamment à son épouse ses tenues provocantes, mais aussi et surtout sa passion du jeu. Du bridge et du poker à Shanghai, Edda est devenue adepte du tapis vert en Italie. Elle perd d'importantes sommes d'argent. Quelques semaines seulement après son retour de Chine, elle écrit au secrétaire particulier du Duce : « Cher Sebastiani, je désirerais, si c'est possible et à l'insu de mon père et de mon mari, que vous m'adressiez la somme de 15 000 lires. » Ses dettes ultérieures seront couvertes de la même façon – et avec l'approbation de Mussolini.

Edda semble incarner à elle seule tous les aspects de la modernité fasciste. Elle est une des premières femmes en Italie à conduire une automobile, à porter des pantalons et des maillots de bain deux pièces. Elle fume en public, s'exhibe coiffée d'un béret comme Michèle Morgan dans *Quai des brumes*, danse et boit du whisky dans des lieux parfois louches et se complaît dans l'emploi d'un langage vulgaire.

Edda est élégante pourtant, elle possède une sorte de distinction naturelle. Mais elle déteste l'aristocratie romaine dont Galeazzo apprécie tant la compagnie. Elle manque de respect aux personnes âgées qu'elle trouve mortellement ennuyeuses. Toujours insatisfaite et presque jamais gaie, elle est considérée comme une femme étrange et dure. Elle promène dans les cérémonies officielles un tel ennui qu'on préfère qu'elle s'abstienne d'y paraître. Au milieu des dames très « collet monté » de l'aristocratie, elle accueille les hommages des prélats avec l'air d'un oiseau tombé du nid. Ses caprices importunent tout le monde.

Le caractère indépendant d'Edda et son mépris du « qu'en dira-t-on » l'incitent à compenser les infidélités de son mari par des aventures extraconjugales. Elle a des amants qui ne comptent guère dans sa vie. Emilio Pucci, le futur styliste à la mode des années 1950, occupe pourtant une place à part dans sa vie : « Il avait beaucoup de chic et c'était un vrai gentilhomme. ». Mais si le flirt est habituel dans les milieux fréquentés par le couple Ciano, le divorce est quant à lui interdit.

La « Dame de l'Axe »

Malgré leur mésentente et les disputes incessantes, Edda a de l'ambition pour son mari. Et c'est ainsi qu'en 1933, il devient chef du bureau de la Presse du Duce ; en 1934, ministre de la Presse et de la Propagande et il siège au Grand Conseil fasciste ; en 1936, ministre des Affaires étrangères. Ciano a alors 33 ans. Il est considéré comme le vice-Duce au grand dam des hiérarques fascistes. Il est en revanche très apprécié de l'aristocratie romaine qui le verrait bien succéder au Duce – il est plus fréquentable.

Ciano est également un pilote de bombardier très médiatisé pendant la seconde guerre d'Éthiopie (octobre 1935-mai 1936). C'est lui qui pousse son beau-père à intervenir dans la guerre d'Espagne aux côtés de Franco. Enfin et surtout, il est l'auteur principal du rapprochement avec l'Allemagne nazie. « Devant la débilité franco-britannique, le moment est venu de jouer gros jeu », écrit-il dans son journal. Ciano reprend la diplomatie traditionnelle de l'Italie, faisant pression sur les Alliés dans l'espoir de les contraindre à des concessions. Le pays sombre dans l'alliance allemande du pacte d'Acier dont Ciano comprend trop tard le piège fatal. Il contribue à convaincre Mussolini de se réfugier dans la « non belligérance » (septembre 1939) mais ne peut freiner le bellicisme du Duce en juin 1940.

Edda milite également pour un rapprochement avec l'Allemagne. Elle contribue d'ailleurs pour une bonne part à la disgrâce de la maîtresse en titre du Duce, Margherita Sarfatti. L'éviction progressive de Margherita va favoriser l'arrivée de Clara Petacci, « Claretta », maîtresse en titre du Duce qu'elle suivra dans la mort. L'inimitié d'Edda à l'encontre de Claretta sera tout aussi grande que celle qu'elle a eue pour Margharita, et plus encore peut-être. Edda fera tout pour détacher son père de Clara, en dénonçant notamment le trafic d'influence et les malversations du clan Petacci.

Fin 1935, Edda et Galeazzo se lient d'amitié avec les Goebbels et, à l'inverse de son mari, Edda affiche au grand jour sa sympathie pro-nazie. Elle passe un mois en Allemagne en juin 1936. La capitale du Reich la reçoit avec faste. Dino Grandi, longtemps ministre des Affaires étrangères et fasciste de la première heure, dit, non sans inquiétude, qu'elle y a été accueillie « comme une reine ». Elle est reçue par Hitler lui-même et en brosse un portrait flatteur : « Il était vêtu avec élégance, avait acquis une certaine sûreté de soi et se comportait en homme du monde, aimable et cultivé, écrira-t-elle. Ses yeux exerçaient une certaine fascination, même s'ils n'étaient pas dotés du pouvoir hypnotique dont on parlait. Il avait une voix profonde et agréable, capable d'attirer l'attention. Il s'exprimait avec calme, écoutait attentivement et montrait qu'il avait le sens de l'humour. Ses moustaches "à la Charlot" qui nous avaient semblé si drôles au début, s'harmonisaient avec sa physionomie et lui conféraient une certaine personnalité. »

Edda devient alors une ardente propagandiste du rapprochement de l'Italie avec l'Allemagne. Les Göring vont même jusqu'à baptiser leur fille, qui naît le 2 juin 1938, Edda, en hommage à la fille du Duce. En juillet 1939, la couverture du *Time* la consacre : « Dame de l'Axe » – l'Axe Rome-Berlin ayant été proclamé en novembre 1936 par Mussolini. L'article présente Edda comme la plus douée des enfants de Mussolini et l'imagine en intrigante exerçant une influence néfaste sur son père et sur son mari.

Le temps de la guerre

Edda ne manque pas de courage. Elle est la seule femme de diplomate à refuser de quitter Shanghai pendant la guerre sino-japonaise.

Pendant la guerre contre la Grèce (1940-1941), Edda est volontaire à la Croix-Rouge italienne, elle embarque sur le navire-hôpital *Aquilea.* En décembre 1940, les revers subis sur ce front incitent Mussolini à opérer de profonds remaniements politiques et militaires. L'opinion est très hostile à Ciano et lui impute la responsabilité de cette aventure ; mais le Duce ne peut le désavouer sans être éclaboussé lui-même. Edda quitte alors précipitamment son poste à la Croix-Rouge pour regagner Rome et assister son mari. En effet, si l'amour s'est éteint entre Edda et Galeazzo, il reste beaucoup d'affection dans leur couple. Galeazzo considère sa femme comme sa seule amie et la fidélité d'Edda ne se démentira jamais.

En 1941, Edda se rend en Albanie et le 14 mars, le navire-hôpital *Lloyd Triestino* sur lequel elle est embarquée est coulé par une bombe dans le port de Valona. Edda, se précipitant vers la cabine de l'amie qui l'accompagne, trouve porte close car le souffle de la bombe a scellé l'entrée de la chambre de la malheureuse qui appelle au secours. Un marin jette alors Edda à la mer pour la sauver. Elle se maintient à la surface pendant cinq heures, dans les ténèbres et transie de froid, les opérations de sauvetage ne commençant qu'à l'aube. Elle doit sa survie à ses qualités de nageuse. Mussolini pense exploiter l'événement à des fins de propagande. « Tu as vécu l'une de ces aventures qui rendent les femmes intéressantes, dit-il à sa fille. La perte de ton amie montrera aux Italiens la gravité du danger que tu as couru. »

Edda visite à nouveau l'Allemagne en avril 1942 et son intelligence fait l'admiration de Goebbels. Elle insiste pour se rendre à Kiel et à Lubeck, ravagées par les bombardements alliés, malgré les efforts de son entourage pour l'en dissuader. Quelques semaines plus tard, elle se rend également en Russie auprès des troupes italiennes. Fin avril 1943, elle retourne dans le Reich où elle est outrée après sa rencontre avec un ouvrier italien blessé d'un coup de serpe par un surveillant allemand. L'épisode vient aux oreilles de Mussolini qui lui interdit d'en parler. Edda, quoique toujours pro-nazie, dénonce également le sort misérable qui est fait à ses 200 000 compatriotes, travailleurs « volontaires » en Allemagne. Elle proteste non seulement auprès de son père mais aussi auprès du Führer.

La prison, la mort ou l'exil

Persuadé d'une défait inéluctable de l'Axe, Ciano quitte le gouvernement en février 1943.

Le 25 juillet 1943, le Duce est destitué et emprisonné sur ordre du roi Victor-Emmanuel III – qui a encore son mot à dire et souhaite préserver sa dynastie déjà très compromise avec le fascisme – à la suite du vote hostile du Grand

Conseil auquel Ciano s'est associé. Informée de la situation, Edda déclare à son fils aîné Fabrizio : « Dans le meilleur des cas, votre père perdra son emploi et ses biens seront mis sous séquestre ; mais il est plus probable que nous connaîtrons la prison et la mort, ou bien l'exil si nous avons de la chance. » Le départ pour l'Allemagne est une erreur d'Edda. Elle pense que les Allemands respecteront sa famille par égard pour son père. Mais l'hébergement des Ciano sur le lac de Starnberg, dans une villa prêtée par Hitler, se transforme vite en détention.

Mussolini rencontre Hitler après sa libération par un commando de parachutistes SS. Le Führer ne lui cache pas que le premier devoir du nouveau gouvernement qu'il entend mettre en place doit être le châtiment des « traîtres du Grand Conseil fasciste » ; mais il estime préférable que la sanction soit prononcée en Italie. À cet effet, la République de Salò – le nouveau gouvernement fasciste, état fantoche, à la tête duquel Mussolini a été mis par l'Allemagne – voit bientôt le jour.

Le sort de Ciano est désormais entre les mains de Mussolini. Edda rend visite à son père le 14 septembre au matin le suppliant d'être clément. L'entretien est houleux. « Quand le sort de Rome était en jeu, répond simplement le Duce à sa fille, les pères romains n'ont jamais hésité un seul instant à sacrifier leurs propres fils. » En réalité, Mussolini, par amour pour sa fille aînée, se laisserait bien fléchir. À en croire Edda, il accepterait même que Ciano rentre en Italie pour servir dans l'aviation. Mais il en va tout autrement de Rachele qui, le déclin du régime et de son mari venant, a pris sur ce dernier un grand ascendant. Elle n'a jamais aimé Ciano et se fait son inlassable procureur : il doit payer pour sa trahison. Et puis, tout le monde veut la tête de Ciano, Hitler le premier. C'est en vain donc qu'Edda plaide sa cause : le 19 octobre 1943, la police allemande remet Ciano aux autorités italiennes.

Jusqu'au bout, Edda essaye d'obtenir de son père la grâce qui sauverait Ciano. La dernière entrevue entre Mussolini et sa fille le 26 décembre est dramatique. Edda n'est pas autorisée à voir son mari pour Noël et elle doit se contenter de griffonner un mot accompagnant un flacon d'eau de Cologne et une boîte de chocolats. Après avoir forcé la porte de son père qu'on lui tenait fermée, elle l'accuse avec violence d'être un fou et un assassin. Elle le couvre d'insultes et lui déverse toute sa haine. Ce sera la dernière rencontre entre le dictateur et sa fille. Edda fait preuve d'un dévouement extrême pour se procurer le « Journal » de Galeazzo dans le vain espoir de l'échanger contre la libération de son époux.

Ciano est condamné à mort le 10 janvier 1944 à l'issue d'un procès expéditif et fusillé le 11, dans le dos et attaché sur une chaise – une exécution infamante – en même temps que quatre autres dignitaires fascistes. Le Duce reçoit vers 4 heures du matin un message poignant d'Edda lui disant combien sa décision l'engageait devant l'Histoire, qu'il allait passer pour l'esclave des Allemands et que la honte rejaillirait sur lui.

Hospitalisée en Suisse en juillet 1944 dans une clinique psychiatrique, Edda suit le traitement d'un médecin freudien, le docteur André Repond. Elle analyse avec lui l'enchevêtrement complexe des sentiments qui la rattachent à sa famille. Là-bas, elle est contactée par Allen Dulles, le chef des services secrets américains. Ce dernier la met en relation avec le correspondant du *Chicago Daily News*, intéressé par le journal intime de Ciano qu'Edda a en sa possession. Très démunie, Edda n'hésite pas à le vendre pour 25 000 dollars (l'équivalent, aujourd'hui, de 135 000 euros !). Il est publié à partir du 7 avril 1945 et c'est elle qui touche les droits d'auteur.

Le 28 avril 1945, Mussolini, capturé par la Résistance communiste, est abattu et sa dépouille exposée pendue par les pieds place Loreto à Milan. Bien qu'elle prétende être moins affectée par la fin tragique de son père que par celle de son mari, Edda est évidemment totalement bouleversée par sa mort. Quant à Rachele, elle n'est pas présente aux côtés de Mussolini lorsqu'il est exécuté. Il est avec sa maîtresse, Clara Petacci, qui connaît le même sort que lui. Réfugiée en Suisse, puis arrêtée par les Américains, Rachele passe quelques mois en prison avant d'être assignée à résidence à l'île d'Ischia. Libérée en 1957, elle tient un restaurant à Forlì. Elle y meurt en 1979.

La vie après la mort du Duce

Arrêtée elle aussi par les Américains, le 29 août 1946, Edda est expulsée de Suisse vers l'Italie et internée à Lipari, petite île au Nord de la Sicile que les fascistes avaient transformée en lieu de détention politique. Elle y rencontre Leonida Buongiorno, un chef communiste, ancien partisan, diplômé d'économie, qui l'aide et la protège. Une passion et une liaison clandestine longtemps restée secrète en résultent. Dans l'Italie de l'immédiat après-guerre, désormais sous l'emprise des communistes, une telle liaison ne pouvait qu'être inavouable. Lorsqu'Edda quitte l'île en juin 1946, après une loi d'amnistie, ce sera pour ne plus revoir son amant qui, de son côté, se mariera et aura des enfants.

Aux dires de son frère Romano, beau-frère de l'actrice Sofia Loren et grand amateur de jazz, Edda se serait réconciliée avec sa mère Rachele en novembre 1946 lors d'une entrevue secrète à Pompéi. Rentrée en possession de son appartement romain du quartier des Parioli, Edda mène alors une existence aisée, s'engageant dans des entreprises d'édition et fréquentant les milieux néofascistes. C'est une personnalité en vue dans le milieu mondain de Rome et de Capri où elle a conservé une villa.

À la fin de sa vie, lors d'un entretien télévisé, Edda évoque en termes terrifiants la tragédie de la place Loreto. Elle le considère comme la dernière expression d'amour des italiens pour le « padre padrone » dont ils auraient dévoré le corps pour continuer à le porter en eux. En 1975, elle publie *La mia testimonianza* – « *Mon témoignage* » – livre de souvenirs rédigé en un style où les expressions populaires de ses origines se mêlent à la langue plus châtiée acquise dans les salons diplomatiques avec son mari. Le 15 avril

1985, la RAI diffuse une série télévisée qui lui est consacrée. En 1993, son fils, Fabrizio Ciano, publie *Quando il nonno fece fucilare papa* (« Quand grand-père fit fusiller papa »). Edda meurt le 9 avril 1995 à 84 ans et Suzanna Agnelli, alors ministre des Affaires étrangères de la République italienne, assiste à titre privé à ses obsèques. Le dernier salut d'un monde longtemps cotoyé.

Carmencita et ses enfants, le clan Franco

Par Bartolomé Bennassar

Militaire de carrière, Francisco Paulino Hermenegildo Teódulo Franco y Bahamonde dit Franco, prend la tête du soulèvement nationaliste de juillet 1936 contre le gouvernement de Front populaire, sorti vainqueur des élections six mois plus tôt. Nommé généralissime par la Junte, il dirige personnellement la conduite de la terrible guerre civile qui ne s'achève que le 1er avril 1939 par le triomphe des nationalistes sur les républicains. Le bilan humain est effrayant : plus d'un demi million de morts. Franco instaure alors un régime dictatorial jusqu'à sa mort en 1975. Il a une fille unique, Carmencita, elle-même mère de sept enfants. Pour sa succession, Franco désigne pourtant don Juan Carlos de Bourbon, le petit-fils d'Alphonse XIII.

Carmen Franco Polo, surnommée Carmencita, est née en 1926. Elle est la fille unique de Franco et de Carmen Polo. Elle a sept enfants (quatre filles et trois garçons) en treize ans, de 1951 à 1964, nés de son union avec Cristóbal Martínez-Bordiú, dixième marquis de Villaverde, qu'elle épouse en 1950. Veuve en 1998, elle reste la figure tutélaire du clan Franco qui se rassemble chaque année le 20 novembre, date anniversaire de la mort du général.

Des révélations sensationnelles

Avant toute chose, Carmencita est-elle bien la fille unique de Francisco Franco Bahamonde et de María del Carmen Polo ? Impossible de faire l'impasse sur les révélations sensationnelles d'un journaliste, José María Zavala, reprises par une dépêche de l'AFP : selon lui, Carmencita pourrait être la fille du jeune frère de Franco, Ramón, et d'une prostituée. La petite aurait été recueillie par Franco et sa femme et élevée comme leur fille. José María Zavala a d'ailleurs publié sur ce thème un long article dans le quotidien madrilène *El Mundo*, le 17 mai 2009.

Quels sont les arguments du journaliste ? Franco a perdu un testicule lors de la grave blessure qu'il a reçue au Maroc, à El Biutz, en 1916. L'information est exacte, mais cette mutilation ne le rend pas obligatoirement stérile. D'autre part, on ne possède aucune photo de Carmen enceinte, de Carmencita venant de naître ou de son baptême. Pilar, la sœur du Caudillo, affirme qu'elle a vu sa belle-sœur enceinte, mais celle-ci date la naissance de Carmencita de l'année 1928, année retenue également par le journaliste et historien Philippe Nourry. Ces divergences à propos de la date de naissance de Carmencita sont surprenantes.

Cependant, les arguments qui réfutent cette thèse sont nombreux. Il existe bien une date officielle de naissance de Carmencita qui est le 14 septembre 1926. D'autre part, il serait étrange qu'aucune rumeur n'ait jamais filtré du côté de la mère de Carmencita. L'épouse du général a en effet choisi d'aller accoucher à Oviedo auprès de sa famille (père, mère et sœurs, plusieurs témoins par conséquent). De plus, dans le livre qu'elle a écrit avec le concours d'historiens reconnus, *Franco mi padre,* Carmencita fait allusion à une remarque de sa mère qui se réjouissait de n'avoir pas été enceinte en Afrique et disait à sa fille qu'elle avait très opportunément attendu le retour de sa mère dans la péninsule pour naître. Enfin, la ressemblance physique entre Carmencita et sa mère officielle, l'épouse du général, est évidente et certains des petits-enfants du Caudillo ont des traits physiques qui s'apparentent aux siens.

Il suffirait bien entendu d'un test ADN effectué sur Carmencita ou l'un de ses enfants pour savoir si cette hypothèse repose sur quelque fondement. Mais, jusqu'à ce que nous ayons de plus amples informations et sans négliger la thèse de Zavala, tenons-nous en à la vérité officielle qui paraît consolidée par l'affection parfois démonstrative de

Franco, personnage au demeurant peu enclin aux épanchements, envers Carmencita et ses petits-enfants.

Des Canaries au palais du Pardo

Selon Carmencita, le mariage de ses parents a été une réussite : leur relation a été « fusionnelle », sa mère a « de l'adoration » pour son père et il existe une « identification » totale entre eux deux. Mais c'est bien sa mère, dont elle est toujours restée proche, qui s'occupe de son éducation. Avant la guerre, Carmencita sillonne l'Espagne en voiture avec ses parents, au hasard des villes où les conduit la carrière de Franco : Madrid, La Corogne, Palma de Majorque. En 1936, le trio s'installe aux Canaries où le futur Caudillo est envoyé par le gouvernement républicain – le Front Populaire vient d'arriver au pouvoir – qui souhaite l'éloigner de la péninsule. Carmencita est ravie de cette destination, d'autant que la famille loge à l'hôtel, une première pour la petite ! Franco est un père attentionné et affectueux, même s'il ne joue pas avec sa fille. Il ne lui raconte pas d'histoires non plus, mais en revanche il aime lui parler de l'Histoire telle qu'il la voit. Elle se remémore la « nature joyeuse » de son père : « Mon papa était une personne affectueuse, souriante et, surtout, il avait un grand sens de l'humour. »

Lorsque la guerre civile éclate en juillet 1936, Franco, avant de rejoindre le protectorat marocain d'où il compte lancer la Légion et les tabors marocains vers la capitale, expédie sa femme et sa fille, qui a 10 ans, vers la France pour les mettre à l'abri. Carmencita, qui n'a pas alors une conscience très précise de la gravité des événements, prend plaisir à ce voyage en compagnie de sa mère, sur un navire allemand qui les laisse en France, au Havre, où mère et fille passent plusieurs semaines avant de gagner Bayonne. Là, elles attendent un moment favorable pour revenir en Espagne. Deux mois plus tard, le cousin Pacon, chef de la maison militaire du général Franco, vient les chercher pour les ramener en Espagne. Franco vient d'être nommé généralissime et mis à la tête du gouvernement par la junte militaire.

Pendant la guerre civile, après quelques jours à Càceres où elles rejoignent le général, Carmencita et sa mère séjournent à Salamanque, puis à Burgos jusqu'en avril 1939. À Burgos, elles habitent une grande villa où les deux sœurs de Maria, Isabel et Zita, viennent les rejoindre. Zita, qui a épousé Ramón Serrano Súñer (surnommé le *Cuñadísimo,* littéralement le « super beau-frère », un haut dignitaire franquiste qui a été six fois ministre), a de jeunes enfants et Carmencita apprécie beaucoup la compagnie de ses cousins. Elle est l'aînée du groupe qu'elle dirige donc à sa guise. « Comme ils étaient plus petits que moi, j'étais leur capitaine et tout se passait très bien », écrit-elle. D'ailleurs, elle souhaite ardemment avoir des frères et sœurs.

À cette époque, son père, que Carmencita a connu avant la guerre loquace et guilleret même – il chantait souvent, notamment des *zarzuelas* (opérettes espagnoles) dans la voiture –, s'assombrit : il parle peu et lui apparaît comme tendu et préoccupé. Elle explique : « Il n'aimait pas l'idée de la guerre ni que les militaires prennent le pouvoir de cette façon. Mais si le camp adverse se montrait violent, il fallait répliquer. Sa devise, c'était "œil pour œil, dent pour dent". » Selon Carmencita, pendant son enfance, Franco n'intervient « ni dans mes amitiés ni dans mon genre de vie, en rien… Maman s'occupait bien davantage de mon éducation, en accord avec les critères qui prévalaient alors. »

Il faut dire que Franco ne chôme pas. En 1938, un décret le nomme chef de l'État, du gouvernement et de l'armée. Il entre à Madrid le 28 mars 1939 et obtient la reddition sans condition des chefs républicains. D'avril 1939 jusqu'à son mariage en 1950, Carmencita vit donc à Madrid et, plus précisément, dans le palais du Pardo. C'est dans ce cadre qu'elle effectue ses études secondaires sous la direction de professeurs, des ecclésiastiques choisis par le Caudillo et ses collaborateurs. Elle ne suit pas d'enseignement traditionnel donné dans un cadre collectif ni ne passe d'examens mais elle parvient à acquérir une culture générale satisfaisante et à parler de façon passable l'anglais et le français.

Carmencita voit en son père un homme extraordinaire. Elle admettra plus tard qu'elle manquait alors d'une personnalité affirmée. Elle admire le couple qu'il forme avec sa mère, et la droiture de l'homme. Par exemple, Franco ne supportait pas l'infidélité conjugale, notamment chez ses proches – c'est ainsi que les adultères de son beau-frère Serrano Súñer sont une des causes majeures de la disgrâce politique du *Cuñadísimo*, par ailleurs trop germanophile.

Franco n'avait en effet pas Hitler en haute estime : « Il n'avait pas confiance en lui. Lorsque papa a été à la rencontre de Hitler à Hendaye [en 1940], il avait laissé le pouvoir aux mains de trois personnes, car il craignait d'être séquestré par les Allemands. [...] Et puis, il pensait que c'était une profonde erreur d'avoir envahi la Pologne. Pour mes deux parents, la Pologne était un grand pays, qui plus est catholique », ajoute-t-elle.

Cristóbal Martínez-Bordiú, médecin et homme d'affaires

De son côté, Carmencita vit avec insouciance et mord la vie à pleines dents. Elle pratique volontiers le tennis et l'équitation – elle aime beaucoup monter à cheval. Elle aime également, avec ou sans son père, aller chasser la perdrix. On ne sait pas grand-chose de ses relations avec les hommes. Carmencita a 24 ans, quand elle épouse en 1950 Cristóbal Martínez-Bordiú, marquis de Villaverde, après « deux ans de relation ». Elle est très nerveuse le jour de son mariage car elle ne connaît rien des choses de la vie : sa mère lui a seulement raconté quelques détails de ses fiançailles à Oviedo avec le futur Caudillo. Peut-être a-t-elle aussi recueilli les confidences de ses tantes Isabel et Zita ? Est-elle amoureuse ? Cristóbal est assez bel homme, sportif, avec un certain goût du risque – il pratique le parapente et le parachutisme. Il semble qu'au fil des années, il ait même acquis une réputation de play-boy.

La vie conjugale de Carmencita ne défraye pas la chronique, loin s'en faut ! Au début de son mariage, la jeune femme passe des années sans histoires à côté de son époux et ses grossesses rapprochées ne l'empêchent pas d'accompagner Cristóbal dans ses voyages aux États-Unis ou en Scandinavie (Suède, Finlande). Spécialiste de cardiologie et de chirurgie thoracique, le gendre du Caudillo, qui a noué des relations avec le professeur Barnard et pratiqué la première greffe du cœur tentée en Espagne, se rend plusieurs fois en Amérique du Nord, en compagnie de sa femme et d'un autre couple de médecins, afin de s'informer directement des progrès de la chirurgie, d'assister à des congrès ou de faire des conférences.

Cristóbal et Carmencita en profitent pour passer quelques jours à l'ambassade espagnole de Washington que la jeune femme trouve fort agréable. Ils visitent plusieurs villes américaines, dont Dallas. Carmencita effectue ensuite d'autres voyages, notamment plusieurs en Argentine – un pays dont elle garde un très bon souvenir (elle a noué des relations cordiales avec Eva Perón) – et visite une partie de l'Europe.

Son mari ne tarde pas à tirer parti du statut social exceptionnel que lui donne son mariage pour obtenir d'importants postes bien rémunérés dans plusieurs des principaux hôpitaux ou cliniques madrilènes. À partir de 1971, il devient chef du service de chirurgie thoracique de la clinique de la Concepción et chef du service de chirurgie thoracique vasculaire du célèbre hôpital Ramon y Cajal. Mais, assez vite, il néglige ces fonctions pour s'intéresser à des affaires financières et notamment à des sociétés immobilières : il devient ainsi membre de nombreux conseils d'administration dont les jetons de présence sont lucratifs. De fait, les relations de Carmencita et de son époux avec les milieux d'affaires (banquiers, entrepreneurs) se développent progressivement : ce sont les premiers jalons de la constitution d'un empire immobilier que les descendants du Caudillo consolideront au fil des années et dont le marquis de Villaverde, dur en affaires et prêt à profiter de sa situation privilégiée, est l'initiateur.

Les relations entre Carmencita et son époux se refroidissent avec le temps, peut-être à l'occasion des conflits entre Cristóbal et certains de ses enfants dont il désapprouve les amours et les mariages. Surtout, les difficultés professionnelles graves connues par le médecin dans la dernière partie de sa carrière (à partir de 1984) et notamment la suspension pour cinq ans de sa charge et de son salaire de directeur de l'hôpital Ramon y Cajal pour « faible rendement et déficiences dans l'exécution de sa charge » et sa destitution en 1986 par la communauté de Madrid de sa fonction de directeur médical de l'École d'infirmières du thorax, ont vraisemblablement nui à l'harmonie du couple. Carmencita est certainement affectée par ces sanctions qui mettent en cause les activités de son époux comme médecin et sa conscience professionnelle. D'autre part, les compromissions précoces du marquis avec des milieux d'affaires – ainsi à propos d'une importation de Vespa que Cristóbal aurait favorisée – ne peuvent que lui déplaire. Carmencita n'a de cesse de rappeler la méfiance affirmée de son père à l'égard de l'argent : « l'argent corrompt », disait-il volontiers.

Sept enfants

Carmencita met au monde sept enfants : María del Carmen, dite Carmen ; María de la O, dite Mariola ; Francisco, dit Francis ; María del Mar, dite Merry ; José Cristóbal ; María de Aránzazu, dite Arancha et enfin Jaime Felipe. Elle n'assume que partiellement leur éducation, ne serait-ce qu'en raison de la fréquence et de la proximité de ses grossesses : sept en treize ans, soit 63 mois de grossesse sur 156 ! Selon José Cristóbal, le cinquième de ses enfants, la personne qui joue le rôle essentiel dans cette éducation est une institutrice anglaise, Beryl Hibbs, dite Nani. « C'est à Nani, affirme José Cristóbal, que nous, les petits-enfants, devons de n'avoir pas perdu le sens des réalités. Nani ne cessait de nous dire : "Rappelez-vous que tout ce que vous avez, vivre au Pardo, jouir de la forêt, avoir des chevaux, des domestiques, un chauffeur à la porte, vient de ce que votre grand-père est le chef de l'État. Le jour où il disparaîtra, tout changera." »

Nani entre dans la maison en 1954 après la naissance de Francis, le troisième enfant de Carmencita, et, toujours selon José Cristóbal, « mes parents lui déléguèrent le soin de l'éducation de leurs enfants de sorte qu'elle en prit la direction. Elle obtint un grand ascendant sur nous durant notre enfance et elle l'a conservé lorsque nous étions déjà adultes, tout simplement parce qu'elle fit preuve d'un dévouement total envers nous... Nani fut la personne adulte qui m'a donné le plus d'affection. » Qui plus est, Nani est l'incarnation d'une morale exigeante, de tradition victorienne, qui convient parfaitement à la situation car, au Pardo, l'important – l'essentiel même – est d'épargner au grand-père toute contrariété. Grâce à Nani, les petits-enfants du Caudillo se conforment aux règles que la société leur impose, compte tenu de leur situation privilégiée. Ils font ce qu'on attend d'eux.

Les petits-enfants de Franco apprécient la vie dont ils jouissent au Pardo où ils passent leurs week-ends et une grande partie des vacances. Francis avoue qu'il a grand plaisir à aller chasser et pêcher avec son grand-père dans la grande réserve du Pardo qui est leur domaine ; José Cristóbal reconnaît également sa chance d'avoir pu profiter d'un tel lieu : « Ces vingt mille hectares de réserve fermée qui s'étend jusqu'à la montagne, je les connaissais mieux que n'importe quel garde... La forêt du Pardo était mon meilleur allié lors des moments de dépression... La forêt, l'étape la plus heureuse de mon enfance et de mon adolescence. »

Une longue agonie

Depuis plusieurs années, Franco est atteint de la maladie de Parkinson. À la mi-octobre 1975, son état de santé se délabre : il souffre d'une insuffisance cardiaque aiguë. S'y ajoutent bientôt un œdème pulmonaire, suivi d'un afflux de sang dans les bronches et la trachée. Quelques jours plus tard, c'est l'urémie qui menace. Un rein artificiel portable est mis en service. Franco ne pèse plus que 40 kilos. Mais rien n'est épargné pour maintenir en vie le Caudillo : vingt-trois praticiens se relaient à son chevet, avec à leur tête son gendre qui va superviser les trois opérations effectuées sur le despote, et signer de sa main les communiqués de presse.

L'agonie de son père qu'elle chérit tant est pour Carmencita une épreuve affreuse. Elle confie : « Oui, l'agonie fut très longue et nous aurions voulu, ma mère et moi, qu'il ne quitte pas le Pardo ; qu'il soit mort dans son lit, parfaitement, sans nécessité d'une si grave opération. Mais il a eu une hémorragie, évidemment les hémorragies te font grand-peur, en plus on veut les arrêter et pour les arrêter, il faut opérer. Il n'y avait pas d'autre recours. » Carmencita ajoute : « Les médecins sont un peu maniaques en l'affaire. [...] L'agonie de mon père fut très dure, très dure, et je me sens un peu responsable d'avoir consenti à ce qu'ils le transfèrent à la clinique de la Paix où il est mort. La vérité est qu'on ne pouvait plus rien faire parce que, quand les organes commencent à défaillir, le mieux est de ne pas insister mais les médecins ont la manie de lutter jusqu'à la fin. Ce fut plus une décision des médecins que de la famille. Nous étions effondrés... Ce sont les médecins qui ont décidé l'hospitalisation et nous ne pouvions pas nous y opposer... »

Carmencita est un peu perdue parce qu'elle s'occupe également de sa mère malade : « Mon mari était là-bas et je ne sais l'heure qu'il était. [...] On nous l'annonça à ma mère et à moi, à notre lever, à 9 heures du matin. Mais cela a dû arriver à 1 heure du matin ou un peu après... L'agonie de mon père a été si longue que nous avons eu le temps de nous préparer, de nous résigner à le perdre. » Selon la fille du Caudillo, c'est son mari qui prend la décision de laisser Franco mourir. Elle assure : « Cristóbal était avec les médecins et savait qu'il n'y avait rien à faire. Moi, j'étais plus souvent avec ma mère parce que mon père était inconscient. Après l'hémorragie qui provoqua l'opération d'urgence, il ne reprit pas conscience. »

À Madrid, après la mort du Caudillo, Carmencita et son mari se mêlent assez peu de politique quoiqu'ils assistent souvent aux cérémonies d'hommage organisées en l'honneur de Franco, très souvent par des groupes d'extrême droite, notamment Fuerza Nueva. Ces cérémonies sont presque toujours l'occasion pour des hommes restés « des fanatiques du grand-père », tels Girón de Velasco, Blas Piñar ou Utrera Molina, « de revendiquer son œuvre », attitude qui, précise José Cristóbal, « suscitait incontestablement le respect de ma grand-mère et de ma mère ». Cependant, « les vrais amis de mes parents étaient des médecins, des banquiers, des entrepreneurs ».

La succession de son père est un sujet délicat pour Carmencita : « Il était contre un régime politique avec plusieurs partis. À la fin de la guerre, il pensait que l'Espagne n'était pas mûre et que le pays devait avant tout se reconstruire économiquement avant de rétablir la monarchie et peut-être permettre une démocratie. » Franco est mort sans avoir permis la démocratie, mais en choisissant un successeur, Juan Carlos, dont le premier soin a été de la rétablir. Franco désigne Juan Carlos comme son possible successeur dès 1948. Celui-ci n'a que 10 ans. Alors en exil à Rome, Juan Carlos est envoyé en Espagne pour poursuivre son éducation et s'imprégner de la culture franquiste. En 1969, Juan Carlos est officiellement désigné successeur de Franco. Alors âgé de 31 ans, il n'est encore que prince d'Espagne, un titre honorifique. Cinq ans plus tard, il est nommé chef de l'État par intérim, durant les périodes de maladie du Caudillo.

La nouvelle génération Franco

La rupture avec le modèle familial et social respecté jusqu'à la mort de leur grand-père en 1975 est d'autant plus forte que les petits-enfants de Franco disposent de moyens financiers substantiels : le testament du grand-père et les ventes de biens fonciers par leurs parents leur valent une aisance financière considérable. De surcroît, ces filles et ces garçons ne manquent pas de caractère. Longtemps adulés et privilégiés mais aussi tenus à une sévère discipline, ils ont éprouvé le désir, voire la nécessité, de s'affirmer comme personnes indépendantes. Une preuve évidente de cette exigence est le recours à l'écriture : quatre d'entre eux ont publié des livres et, à plusieurs reprises, se sont confiés à des organes de presse ou à des producteurs d'émissions télévisées.

Les amours et les liaisons successives de l'aînée des petites-filles, Carmen, ont défrayé la chronique. Avant la mort du dictateur, en 1972, Carmen épouse, à l'âge de 21 ans, Alphonse de Bourbon, duc de Cadix. Un mariage qui provoque la réticence de Carmencita jugeant sa fille immature mais qu'encouragent sa grand-mère et son père, fort heureux de pénétrer ainsi l'univers des princes. Mais dès 1979, Carmen se sépare d'Alphonse de Bourbon, avec qui elle a deux fils, puis divorce en 1982. Elle s'installe à Paris où elle noue une liaison avec Jean-Marie Rossi, de 22 ans son aîné, un antiquaire brillant, auprès de qui elle mène une vie agréable et libre, très éloignée du carcan intellectuel et moral du Pardo. Au terme de quelques années, elle épouse Rossi. Le couple a une fille, Cynthia. Mais après sept ans de vie commune, Carmen et Rossi se séparent. Carmen se lie alors avec un architecte italien, Roberto Federici et s'installe avec lui dans la campagne andalouse. Un élevage de brebis occupe leurs loisirs. Cette nouvelle liaison dure neuf ans ou presque : un record pour Carmen ! Elle rencontre ensuite un jeune sportif, José Campos, qui a treize ans de moins qu'elle. Il l'emmène à Santander où elle vit sur la plage et découvre avec délices la gastronomie régionale. Carmen et José se marient en 2006. La petite fille du Caudillo assure que son nouveau mari la fait rire. Pas assez sans doute car, après sept ans, Carmen s'en va de nouveau : cette fois, elle a rencontré Luis Miguel Rodriguez, un entrepreneur multimillionnaire, déjà marié. Qualifiée de nymphomane par sa première belle-mère, la mère d'Alphonse de Bourbon, Carmen a revendiqué dans un livre (*Cumple años, gana vida*, publié en 2010, que l'on pourrait sans doute traduire en français par « Plus on vit, plus on apprend ») une grande liberté sexuelle qui lui paraît être un signe de modernité. « Le sexe ? C'est comme une gourmandise. On goûte et si cela plaît on recommence », peut-on lire dans une interview qu'elle a accordée à *El Mundo* le 29 janvier 2014. Il faut également souligner que Carmen a fait preuve de beaucoup de courage et de détermination lors des malheurs qui l'ont frappée – la mort de son premier fils notamment – et pour défendre les intérêts du second de ses fils, héritier prétendant au trône de France sous le nom de Louis XX.

Carmen fait des émules parmi ses sœurs et ses frères. María del Mar, Merry, la préférée du Caudillo par sa vivacité et son impertinence, écrit son autobiographie dès 25 ans pour la revue *Diez Minutos*. Elle parcourt le monde, revient en Espagne pour épouser un journaliste, Jimmy Giménez-Arnau dont elle divorce pour convoler de nouveau avec un Américain, Greg Tamier, avec qui elle part vivre aux États-Unis. Elle vit en Floride, puis aux Canaries. Considérée comme la hippie de la famille, on lui a même prêté une liaison – fantaisiste –avec Felipe González, président du gouvernement espagnol de 1982 à 1996.

María de la O, Mariola, termine des études d'architecture mais elle se marie aussitôt après et, comme ses sœurs, n'exerce pas de profession. Elle choisit pour époux un avocat, Rafael Ardid, fils d'un colonel républicain condamné aux travaux forcés par les tribunaux franquistes, ce qui déplaît beaucoup au marquis. Mais ce couple qui a trois fils, installé dans une luxueuse résidence de Pozuelo de

Alarcón – la banlieue chic de Madrid –, dure toujours, à la différence des autres ! Rafael Ardid, titulaire d'une licence de sciences politiques et avocat, préside avec Mariola une entreprise immobilière. Enfin, la dernière fille, María de Aránzazu, Arancha, fait très peu parler d'elle ; elle est l'épouse d'un avocat galicien, Claudio Quiroga.

L'aîné des fils de Carmencita, Francis, voulait être ingénieur agronome, mais poursuit des études de médecine. Il obtint son diplôme mais n'a jamais exercé. Seigneur de Meiras et onzième marquis de Villaverde, il se marie en 1981 à María de Suelves y Figueroa dont il a deux fils ; il divorce en 1992. Il se marie une seconde fois en 1994 avec Miriam Guisasola qui lui donne un autre fils et une fille, ce qui ne l'empêche pas de divorcer de nouveau en 1999. Francis, qui a contracté la passion de la chasse auprès de son grand-père et qui est même condamné pour braconnage en 1977, deux ans après la mort du Caudillo, est allé vivre sa passion sur les cinq continents, notamment en Amérique du Sud : ainsi, il vit au Chili de 1979 à 1986. Il confesse son addiction à la cocaïne au cours d'une émission de télévision et est arrêté pour trafic de cocaïne en 2010. En dépit de nombreuses accusations – dont certaines récemment encore –, il est toujours parvenu à éviter la prison. Il a maintenant trouvé sa voie dans les affaires immobilières. Assisté par son jeune frère Jaime qui a obtenu une licence en droit à l'université Complutense de Madrid, Francis est l'administrateur des sociétés dont sa mère est l'actionnaire unique ou principale et de celles qu'il a fondées lui-même. La plupart de ces sociétés gèrent des immeubles et souvent également des garages. L'aîné des petits-fils de Franco a aussi pénétré le monde des établissements sanitaires, des laboratoires d'analyse et celui des télécommunications. Francis et ses associés ont su remarquablement profiter, grâce aux capitaux dont ils disposaient, de l'essor de la capitale.

José Cristóbal est le seul garçon qui envisage une carrière militaire, comme son grand-père ; il entre à l'Académie militaire de Saragosse et en sort avec un classement honorable. Mais après avoir accédé au grade de lieutenant, il quitte l'armée, se sentant trop attendu pour faire une carrière militaire avec une telle hérédité ; il veut se consacrer à l'écriture dorénavant. José Cristóbal est marié à la top model et présentatrice Jose Toledo, qu'il a épousée civilement à New York (au grand dam de son père) et dont il a deux fils. Enfin, le dernier des enfants de Carmencita, Jaime Felipe, marié en 1995 avec la top model Nuria March, dont il a un fils, est également divorcé.

Ainsi, les petits-enfants du dictateur ont rompu, parfois bruyamment, avec les modèles sociaux de leurs grands-parents, que leurs parents avaient pourtant respectés. Observons cependant que trois d'entre eux fuient la publicité et mènent, semble-t-il, une vie de couple paisible et peut-être heureuse.

L'admiration en héritage

Carmencita, déçue par son époux et par le comportement de certains de ses enfants, bien qu'elle soit très tolérante, cherche certainement un refuge dans le culte de son père. Car l'admiration de Carmencita pour Franco demeure et elle souffre de l'opprobre dont le Caudillo est l'objet depuis sa mort et depuis l'installation de la démocratie en Espagne, même si elle juge « normales » les critiques à l'égard du régime franquiste. Depuis 2000, les critiques se sont d'ailleurs considérablement durcies. L'Espagne s'est même lancée dans une catharsis collective afin de dénoncer les crimes franquistes passés sous silence pendant près de quarante années de dictature. Ainsi, les statues équestres de Franco sont détruites peu à peu. On exhume des fosses communes les corps de milliers de républicains fusillés par les franquistes. La justice a même tenté d'accuser de crimes contre l'humanité le Caudillo et son clan. Récemment, sa ville natale, Ferrol, a décidé de retirer tous les titres honorifiques qu'elle lui avait accordés. Carmencita concède cependant que les hommes de la transition « n'étaient pas revanchards » et que les descendants du Caudillo ont pu vivre tranquillement. Et même « bien vivre » car sa mère, la veuve du généralissime, a perçu toute sa vie une pension considérable – supérieure au salaire des chefs du gouvernement, Adolfo Suarez d'abord, Felipe Gonzalez ensuite.

Carmencita a tenu à participer à un livre consacré au Caudillo. Peut-être cherche-t-elle à redorer le blason de son père ? Rédigé par deux historiens reconnus, Jesús Palacios et Stanley G. Payne, l'ouvrage laisse une large place aux citations, souvent longues, de Carmencita. Elle ne conteste pas que le régime franquiste ait été une dictature, Franco l'admettait aussi d'ailleurs. « Il admirait la dictature de Primo de Rivera et, après tout, son régime était une dictature, mais à cette époque cela n'avait pas la même connotation qu'aujourd'hui. » Elle poursuit : « Il était un militaire et il voulait l'ordre avant tout. » Il respectait d'ailleurs tout homme engagé dans l'armée : « Je crois qu'au début il n'aimait pas beaucoup de Gaulle, mais à la fin, après la visite que celui-ci lui a rendue à Madrid, il l'a apprécié car c'était un général. Mais son préféré était le maréchal Pétain, qui avait été ambassadeur en Espagne et était devenu très ami de maman. »

Elle est persuadée que son père aurait accepté une « république modérée » et qu'il ne détestait pas les socialistes. Selon elle, il était foncièrement anticommuniste comme anti-franc-maçon. « Il aimait les États-Unis, mais il ne s'entendait pas du tout avec Roosevelt et surtout pas avec sa femme, trop procommuniste à son goût », écrit-elle. Carmencita est convaincue que son père était « une grande personne », qu'il est mort entouré de l'affection de la plus grande partie du peuple espagnol et que le jugement de la postérité lui sera favorable. Elle évoque volontiers l'accueil fait au Caudillo par une foule considérable réunie sur la place d'Orient quelques semaines avant sa mort ; une réalité constatée, il est vrai, par les observateurs internationaux. Le bilan de son long gouvernement est pour Carmencita positif : elle se réfère souvent à l'amélioration du niveau de vie, à l'installation de la sécurité sociale, à la formation et au développement d'une classe moyenne qui n'existait pas.

À l'instar de leur mère, les petits-enfants de Franco éprouvent une vive admiration pour leur grand-père, les garçons surtout. Ils ne l'ont jamais renié, même s'ils ont parfois souffert, notamment à l'université, des critiques violentes, voire des injures à son égard. José Cristóbal écrit que Franco a toujours été « le nord » de sa mère. Et il ajoute : « Il [Franco] était celui que j'admirais le plus et, depuis lors, personne n'a remplacé le grand-père sur le piédestal où je l'avais placé. » Petit, il soutenait des conversations imaginaires avec Franco. Quant à son aîné, Francis, il déclare dans son livre, *La naturaleza de Franco. Cuando mi abuelo era una persona* (« La nature de Franco. Quand mon grand-père était une simple personne »), publié en 2011 : « J'ai découvert en mon grand-père un modèle d'austérité et de discipline. C'était un grand-père attentif et affectueux. Il était mon compagnon de chasse et de pêche, mon mentor, mon ami. Je l'ai aimé plus que mon père. » Il ne fait aucun doute que cette admiration partagée entre Carmen et ses fils est entre eux un lien essentiel.

Une vie discrète

Carmencita a rarement suscité l'émotion ou même la curiosité des médias et, à ce propos, l'un de ses fils, José Cristóbal, observe dans son livre *Cara y Cruz, Memorias de un nieto de Franco* (« Pile et face, Mémoires d'un petit-fils de Franco »), publié en 1983 : « Ma mère a toujours été un modèle de discrétion, en faisant les sacrifices nécessaires pour la conserver. » Il est vrai que Carmencita a toujours fui la publicité, à la différence de certains de ses enfants. Il est vrai aussi qu'elle n'a jamais suscité la curiosité des foules ou provoqué de scandale sauf lorsqu'elle fut accusée, de façon injustifiée semble-t-il, en 1988, à l'aéroport de Barajas, de vouloir exporter des bijoux en Suisse. Son fils souligne, non sans raison, que cet incident mineur fut gonflé par certains organes de presse avec une évidente malveillance et que sa mère en fut fort affectée. Il lui eût probablement suffi ce jour-là d'emprunter la porte réservée aux personnalités pour éviter cet incident.

Après avoir perdu son mari en 1998, toujours selon son fils José Cristóbal et afin d'échapper à la curiosité du public ou à la traque des journalistes, elle passe beaucoup de temps hors d'Espagne, d'autant qu'elle a conservé la passion des voyages. Au cours de ces dernières années, à plus de 80 ans, elle a fait une croisière sur le Danube, puis, avec une amie, s'est même offert un voyage à Pékin.

Aujourd'hui, âgée de 87 ans, impressionnée par la crise qui, depuis plus de cinq ans, affecte durement l'Espagne et porte le taux de chômage à des niveaux inconnus, elle subit davantage l'influence de l'extrême droite et donne parfois raison à ceux qui affirment que l'héritage du Caudillo et de son régime a été dilapidé : en trente-cinq ans, dit-elle, l'Espagne a perdu l'essentiel des conquêtes et des progrès réalisés après la guerre civile.

Carmencita a conservé un sens aigu de la famille. Elle voit souvent ses enfants et ses petits-enfants. Elle a soutenu sa fille aînée, Carmen, malgré ses trois divorces, ses frasques et ses déclarations à propos de la liberté sexuelle qui ont fait les délices de la presse à scandales. Elle demeure proche de ses fils qui ont de l'affection pour elle, reste en relations d'affaires suivies avec eux et préside les réunions périodiques, assez rares il est vrai, qui rassemblent le clan. Le livre récent, *Franco mi padre*, souhaité par Carmencita et auquel elle a pris part, est le signe fort de l'amour et de l'admiration qu'elle conserve pour son père.

Li Na, la grande poupée de Mao

Par Jean-Christophe Brisard

Mao Zedong (1893-1976), révolutionnaire communiste, est le premier président de la République populaire de Chine. Après plus de vingt ans de guerre contre les nationalistes chinois et les Japonais, il prend le pouvoir et instaure la République populaire en Chine en 1949. Pour asseoir son autorité, il déclenche des réformes économiques et sociétales aux conséquences catastrophiques. Le Grand Bond en avant (1958) provoque des famines dans tout le pays et la Révolution culturelle (1966-1976) place la Chine en situation de quasi-guerre civile. Entre 40 et 60 millions de Chinois paieront de leur vie les choix de Mao. Il reconnaît officiellement une dizaine d'enfants. Sa préférée, sa « grande poupée », est sa benjamine, Li Na.

Ce 25 avril 2013, dans la solennelle salle du Peuple, des murmures s'élèvent soudain et parcourent les rangées de l'assistance comme un vent chaud d'été. C'est le moment tant attendu. Une vieille dame aux cheveux aussi noirs que les ailes d'un corbeau avance lentement jusqu'à l'estrade centrale. Tous les notables du district de Linzhang ont revêtu leurs plus beaux costumes pour elle, certains ont ressorti les vieilles médailles, celles reçues durant les années de lutte et d'optimisme collectif. Linzhang, cette sordide sous-division administrative noyée dans les volutes polluantes des usines à charbon, n'avait jamais espéré recevoir l'honneur d'une telle visite. Pékin n'est qu'à 600 km au nord, mais c'est ici un autre monde. Celui d'une Chine laborieuse, fière de son communisme et de ses maîtres fondateurs, fière de Mao. « Mao est encore plus grand que Confucius ! » s'écrie avec emphase le maître de cérémonie dans son micro. « Je vous demande d'accueillir la fille de notre cher leader : Li Na. » La vieille dame lève lentement la tête et fixe l'assistance. Les applaudissements nourris ne semblent pas l'intimider. Les plus audacieux sortent des téléphones portables pour immortaliser le moment. D'une voix étonnement jeune, Li Na entame alors les premières strophes d'un chant en forme de promesse :

« *L'Orient est rouge, le soleil se lève*
La Chine a vu naître Mao Zedong
Il œuvre pour le bonheur du peuple
Hourra, il est la grande étoile sauvant le peuple !... »

L'hymne sacré, celui de l'époque maoïste, de la révolution culturelle, Li Na l'a toujours aimé. Pour les cent vingt ans de la naissance de Mao, elle le chante avec encore plus de ferveur. Li Na a 72 ans. Elle est venue pour inaugurer une nouvelle statue de son père. Ce père qu'elle a tant aimé.

Un père absent sauf pour la petite dernière

Li Na est la petite dernière de la dizaine d'enfants qu'a eus Mao. Elle est née en 1940. Sa mère, Jiang Qing, est la quatrième et ultime femme officielle du révolutionnaire chinois. À sa naissance, son père n'est déjà plus tout jeune. Il a 47 ans et il est usé par une décennie de guerre contre les troupes de son grand rival Tchang Kaï-chek alors au pouvoir en Chine. Contrairement à ses nombreux frères et sœurs, Li Na reçoit beaucoup d'affection et d'attention de son père. Elle est même le premier des enfants de Mao à grandir auprès de lui.

Avant la naissance de Li Na, le chef des rebelles communistes chinois n'a pas vraiment fait preuve d'un amour paternel aiguisé. Dans les années 1930, n'a-t-il pas obligé sa troisième femme, He Zizhen, à donner au moins deux de ses nouveau-nés à des paysans ?! Pas question de s'encombrer de bébés dans la guerre civile qu'il mène. Même s'ils sont les siens. Et peu importe ce qu'ils peuvent bien devenir. À la fin de la guerre, vingt ans plus tard, désespérée et inconsolable, He Zizhen fera tout pour les retrouver. Elle finira par découvrir en 1952 un enfant qui pourrait être le sien. Il a en effet deux caractéristiques que l'on retrouve chez son père : les oreilles grasses et une forte odeur de transpiration – ce qui est très rare chez les Chinois. Pour elle, il ne peut s'agir que de son garçon perdu. Immédiatement, elle en rend compte à Mao alors président de la Chine. Mais une autre femme, également à la recherche de son enfant abandonné pendant la guerre civile, croit elle aussi reconnaître en ce jeune homme son fils disparu. Le Parti communiste chinois donne raison à cette dernière. He Zizhen demande alors à Mao d'intervenir. En vain. « Ce serait trop gênant pour moi », déclare-t-il sobrement. Il faut respecter la décision du Parti.

Avec Li Na, tout est si différent. Pour la première fois, Mao semble heureux d'être papa. Lui d'habitude si insensible aux babillages des bébés, il donne de son précieux temps à sa dernière fille. Il l'affuble de petits surnoms, l'appelle « ma gentille fille à papa » ou encore « ma grande poupée ». Son entourage s'étonne presque ouvertement d'un tel sentimentalisme. Dès qu'il le peut, Mao retrouve sa « poupée », il aime la prendre dans ses bras, jouer avec elle. Elle lui ressemble tellement, raconte-t-il. « Voici mon autre chérie ! Quand elle sera grande, elle servira aussi le peuple ! »

Mais la guerre contre Tchang Kaï-chek contraint Mao à se séparer quelques mois de sa fille chérie. Nous sommes en 1946, Li Na a 6 ans et voit son père reprendre le maquis. Elle doit rester en arrière, à l'abri avec le personnel de l'administration centrale du Parti. Pour cela, il lui faut traverser le fleuve Jaune et s'installer plus au nord. Les adieux sont déchirants. Mao la prend dans ses bras et lui dit : « Grande poupée à papa, tu vas bientôt traverser un grand fleuve avec les adultes. Il faut que tu sois obéissante… » Li Na est au bord des larmes mais veut montrer qu'elle est de taille : « Je serai obéissante ! » Selon les témoins, Mao a les yeux rougis mais en homme d'action et de courage, il réussit à retenir ses larmes. Telle est l'image que doit véhiculer la propagande officielle : le père du communisme chinois a du cœur mais n'hésite pas à sacrifier son bonheur personnel pour le bien commun.

Dès octobre 1947, l'armée rouge remporte victoire sur victoire. La situation est suffisamment sous contrôle pour que Mao puisse faire revenir sa Li Na auprès de lui. Ils ne se sont pas vus pendant une année entière. Les retrouvailles sont émouvantes. L'enfant court vers son père en criant « Papa ! » Lui l'attrape et la fait virevolter au-dessus de sa tête. « Ma poupée, brave poupée, grande poupée, tu as tellement manqué à papa. » Li Na a déjà 7 ans et se présente comme une vraie petite révolutionnaire. Sa mère, Jiang Qing, est une ancienne actrice. Durant cette année sans Mao, elle lui a appris les grands airs de l'opéra classique chinois. La petite fille ne se fait pas prier pour les chanter devant son père. Mais ce qu'elle préfère, ce sont les chansons à la gloire de Mao : « Le soleil de la zone frontalière est tout rouge, notre leader est Mao Zedong, Mao Zedong ! »

Des fils sacrifiés et oubliés en Union soviétique

Mao An-Ying, lui, n'a pas le temps de chanter. Ni même le droit de s'adresser à Mao sans sa permission. Mao An-Ying est le frère aîné de Li Na. Son demi-frère plus précisément. Sa mère était la deuxième femme de Mao. En 1947, il a 25 ans et n'a déjà plus le goût des chants patriotiques qui plaisent tant à sa jeune sœur. Son père lui en a fait passer l'envie. Pour l'endurcir, Mao l'a remis entre les mains de l'Armée populaire afin qu'il devienne un parfait soldat. Et pour s'assurer qu'il ne bénéficie d'aucun traitement de faveur, il a changé son nom : interdiction lui est faite de se présenter comme le fils de Mao. Cela ne sera pas trop difficile tant Mao An-Ying a toujours appris à vivre sans son père : Mao l'a abandonné alors qu'il n'avait que 5 ans, en même temps que son jeune frère, Mao An-Qing, et que sa mère, Yang Kaihui.

La vie de Mao An-Ying tourne d'ailleurs définitivement au cauchemar à partir de ce moment-là. En 1927, Mao tombe amoureux d'une autre femme et répudie sa deuxième épouse. Cette dernière est capturée trois ans plus tard par les troupes nationalistes qui luttent contre les communistes. Quand ils découvrent qu'elle est l'ex-femme de Mao, ils lui proposent un marché : soit elle déclare publiquement qu'elle renie Mao, soit elle est exécutée. Elle préfère rester fidèle à celui qu'elle considère toujours comme son mari. Elle est tuée alors qu'elle n'a que 29 ans. Mao An-Ying a 8 ans. Avec son jeune frère, il échappe à la mort en s'évadant juste avant l'exécution de sa mère avec l'aide de partisans communistes. Les deux enfants sont envoyés à Shanghai et pris en charge par le parti communiste. Mais la ville est encore sous le contrôle des troupes de Tchang Kai-chek. Mao An-Ying et son frère Mao An-Qing doivent vivre clandestinement. Ils ne peuvent plus aller à l'école et traînent dans les rues. La police qui traque les enfants vagabonds les maltraite souvent. Mao An-Qing est plusieurs fois violemment matraqué. Il ne s'en remettra jamais. C'est à cette époque qu'il devient débile léger et schizophrène.

Sept ans plus tard, en 1937, Mao parvient à les faire transférer à Moscou. Ses deux fils ont alors 14 ans et 12 ans. Il ne les a plus vus depuis dix ans. Quand Mao retrouve Mao An-Ying, celui-ci est un homme au visage dur, au regard fier. Staline s'est personnellement impliqué dans l'éducation de ce garçon, l'aîné de son allié chinois. Il l'a incorporé dans l'Armée rouge soviétique où il a atteint le grade de lieutenant. Il a même participé à des batailles contre les nazis à Koursk et en Pologne.

« Tu as vu Staline en personne ? s'étonne Mao quand il revoit son fils en 1945.

– Oui, il me demande même de vous transmettre le bonjour !

– Bien, très bien ! Tu as vraiment grandi, tu as participé à de grandes batailles, tu es digne d'être un fils de la famille Mao. »

Mais ce ne sont que des mots. Mao An-Ying sait qu'il ne peut pas être un vrai membre de la famille Mao. Avoir rencontré Staline et avoir été formé par l'Armée rouge ne le rendent que plus étranger et suspect aux yeux de son père. Mao décide d'ailleurs de reprendre à zéro l'éducation militaire de son fils. Pendant deux années, Mao An-Ying va subir les pires brimades au sein de l'Armée populaire chinoise. Il est même accusé de « droitisme ». N'en pouvant plus, le jeune homme écrit à son père pour lui faire acte d'allégeance : « Ma position prolétarienne s'est maintenant affermie », promet-il. Mais cela ne peut suffire à faire de lui un bon communiste chinois. En 1948, le voilà donc obligé de participer à la réforme agraire voulue par son père. En clair, il travaille comme une bête de somme dans les champs au milieu de paysans illettrés.

« Je n'ai rien à vous offrir »

C'est dans ces circonstances que Mao An-Ying rencontre la femme de sa vie. Elle s'appelle Liu Siqi. Ils souhaitent se marier mais, pour ce faire, Mao An-Ying doit obtenir l'autorisation de son père. Afin d'éviter une confrontation trop brutale, il préfère passer par un intermédiaire : la femme d'un proche collaborateur de Mao. Après maintes discussions, l'affaire semble entendue. Mao An-Ying se décide alors à rencontrer son père en personne. Il entre dans son bureau, Mao est en train de lire des dossiers. Il demande timidement : « Papa, tu es au courant pour Siqi et moi ?

– Oui, répond Mao sans même lever la tête.

– Tu sais alors que nous avons décidé de nous marier ?

– Vous marier ? Mao lève la tête. Quel âge a Siqi ?

– 18 ans.

– Elle a déjà 18 ans ou elle va les avoir bientôt ?

– 18 ans l'année prochaine… dans seulement quelques mois.

– Vous ne pouvez donc pas vous marier. Même si elle devait avoir 18 ans dans un jour, conclut Mao l'air grave en faisant non de la main. Je suis très occupé, tu peux partir. »

Mao An-Ying est tellement secoué par la nouvelle qu'il s'évanouit. Pourquoi son père lui refuse-t-il ce bonheur ? Serait-il jaloux ? Siqi est très belle. Mao est un homme à femmes, et il les aime jeunes. Avec sa dernière épouse, Jiang Qing, la différence d'âge atteint vingt et un ans. Finalement, après maintes demandes et crises de larmes de son fils, il finit par accepter ce mariage. Il aura lieu un an plus tard, le 15 octobre 1949, quinze jours après la proclamation de la victoire finale de Mao sur les troupes de Tchang Kaï-chek et la proclamation de la Chine populaire.

C'est donc en président de la toute nouvelle République populaire de Chine que Mao marie son fils. Pourtant, la cérémonie se déroule dans une simplicité plus qu'austère. Aux yeux de Mao, son fils ne doit bénéficier d'aucun privilège, aucun passe-droit. Une nouvelle ère vient de s'ouvrir en Chine, celle du maoïsme. Et le fils du président ne peut que montrer l'exemple. Son mariage doit être le plus sobre possible. À l'extrême. Seule la future épouse est légèrement épargnée. Elle a droit à un pantalon et une paire de chaussures neufs. En guise de cadeau, Mao leur donne un manteau en laine. « Je n'ai rien d'autre à vous offrir, dit-il, j'ai seulement ce manteau, vous pouvez l'utiliser comme couverture la nuit et vêtement chaud pour Mao An-Ying le jour. » « Je n'ai rien à demander de plus, remercie timidement Siqi. Nous ne manquons de rien. » Mao ajoute alors en direction des invités : « Même si elle veut quelque chose, je n'ai rien à lui offrir de toute façon ! »

Interdiction de porter le nom de Mao

Quand son frère se marie, Li Na a 9 ans et vient de découvrir qu'elle a une grande sœur. Elle s'appelle Li Min. Elle est de quatre ans son aînée. Li Min est la fille de la troisième femme de Mao et a passé toute son enfance en exil avec sa mère en Union soviétique. Telle avait été la volonté de Mao. En 1949, elle a enfin le droit de revenir en Chine. Mais la petite fille de 13 ans ne parle que le russe. Et n'a aucun souvenir de son père. Quand Li Min apprend qu'elle doit venir en Chine, elle se permet d'écrire à Mao une lettre rédigée en russe :

« Président Mao,

Tout le monde me dit que vous êtes mon père biologique et que je suis votre fille. Mais je ne vous ai jamais vu en Union soviétique et je n'étais pas au courant de notre relation. Vous êtes vraiment mon père, je suis vraiment votre fille ? Répondez-moi rapidement SVP. Ainsi, je pourrai vite revenir à vos côtés. »

Mao confirme qu'elle est bien sa fille et qu'elle peut le rencontrer. Li Min doit donc rapidement apprendre le chinois pour être acceptée dans sa nouvelle famille. Pour marquer d'emblée son autorité sur elle, Mao commence par changer son nom.

Cet épisode a été raconté en détail par la nourrice de l'enfant. À sa naissance, la fille de Mao est prénommée Jiaojiao. C'est la femme de Zhou Enlai (l'un des plus proches collaborateurs de Mao et futur Premier ministre de la Chine populaire) qui l'a baptisée ainsi. Ce nom, l'enfant le porte pendant l'ensemble de son exil soviétique, soit les treize premières années de sa vie. Mais peu importe. Mao ne peut tolérer qu'un autre que lui choisisse le prénom de ses enfants. L'adolescente devra accepter la décision paternelle et oublier cette identité. C'est un soir de 1949 que la décision est prise. Entre deux rendez-vous politique, le père reprend ses droits sur sa fille.

« Maintenant tu as grandi, il te faut un vrai nom, affirme Mao en regardant son enfant qu'il connaît à peine.

– Comment dois-je m'appeler ? Mao comment ?

– Tu t'appelleras Min. *Min* veut dire « être agile », « être intelligent ». En revanche, tu ne porteras pas mon nom, pas Mao.

– Pourquoi ? Mes deux grands frères s'appellent Mao An-Ying et Mao An-Qing, pourquoi je ne peux pas utiliser le nom de papa ?

– Bien sûr que mon nom de famille est Mao, mais pendant ces années de révolution, j'ai utilisé d'autres noms. Parmi tous ces noms-là, celui qui me plaît le plus est Li Desheng ! Tu peux donc utiliser ce nom, Li. »

C'est ainsi que Min ne portera jamais le nom de Mao. Elle s'appellera Li comme sa sœur. Comme Mao An-Ying, elle a été élevée chez les Russes, elle est donc incapable de comprendre les subtilités de la vie chinoise. De plus, les treize premières années de sa vie, elle a grandi dans son père. Autant de raisons qui feront à jamais de Li Min une étrangère pour Mao.

Apprendre à « manger amer »

Seule Li Na ne déçoit pas ce père sévère. Elle est même plutôt douée. Soucieuse de plaire à Mao, elle n'hésitera jamais à se mettre en valeur au détriment de ses frères et sœurs. En juin 1950, la guerre de Corée éclate. La Chine communiste se retrouve bientôt partie prenante de cette première guerre « chaude » de la guerre froide. Mao entend que ses propres enfants s'impliquent personnellement dans ce combat. Ses deux filles doivent donc subir le même rationnement alimentaire que n'importe quel enfant chinois. Voire plus. Alors que la ration vitale de céréales par an est de 200 kilos par personne, Mao décrète que ses enfants n'ont besoin que de 140 kilos, et peuvent même descendre à 110 kilos.

Mais cela ne suffit pas. Les jeunes adolescentes sont également soumises à des tests idéologiques. Ils ont lieu le dimanche, au moment du seul dîner qu'elles passent avec leurs parents. « Vous le savez toutes, l'économie nationale traverse une période de récupération », commence Mao. Li Na a 10 ans et Li Min 14 ans. « Nous venons de fonder notre nation. Il faut suivre l'esprit de la campagne de rectification de Yan'an. Aujourd'hui, on va examiner un peu si vous avez bien suivi. » Mao fait ici allusion aux premières grandes purges politiques du Parti communiste chinois de 1942-1944. Veut-il pousser ses filles à se dénoncer mutuellement pour prouver la profondeur de leur foi dans le maoïsme ? Li Na est la première à réagir. D'un coup d'œil appuyé sur sa sœur, elle pousse Li Min à confesser ses péchés. « Papa, j'ai demandé au cuisinier de me préparer du pain. Je suis désolée… Mais je n'étais pas la seule. » Li Na est à son tour obligée d'avouer le même péché. Mao est furieux. Pour qui se prennent-elles ? Les autres enfants mangent tous du millet et des grains durs. Les deux filles sont terrorisées. Li Min se lance tout de suite dans son autocritique : « Je ne savais pas que le pain sortait de l'ordinaire. Maintenant je comprends. Je promets de faire attention. Je vais obéir à tout ce que papa dit. »

Li Na sait que son père est moins en colère contre elle. Mais pour lui plaire, elle ajoute : « Papa, je vais changer aussi. » « C'est parfait ! » s'écrie Mao en attrapant Li Na dans ses bras.

De son côté, Mao An-Ying a terminé sa longue formation militaire. Grâce à la guerre en Corée, il va pouvoir démontrer à son tour sa valeur de soldat sur le front. Il a 28 ans quand son père l'envoie au combat, fin octobre 1950. Un an tout juste après son mariage. Mao lui interdit de prévenir sa femme en invoquant le secret défense. Sa vie ne lui appartient pas, elle est entre les mains de son père. Mais Mao An-Ying meurt à peine arrivé en zone de combat : un raid aérien australien détruit le bâtiment où il se trouve. Quand il apprend la nouvelle, Mao reste imperturbable et déclare à son secrétaire : « Comment veut-on qu'il n'y ait pas de mort dans une guerre ? » Même sa belle-mère Jiang Qing, pourtant peu réputée pour sa sensiblerie, pleure la tragique disparition du jeune homme. Pendant deux ans et demi, jusqu'à la fin de la guerre de Corée en juillet 1953, la veuve de Mao An-Ying ne sait rien de la triste vérité. Mao l'interdit, toujours sous le prétexte du secret défense. En réalité, il refuse que le monde apprenne qu'un Mao a été tué par l'ennemi. Cela pourrait fragiliser la position du président chinois. Il est en effet devenu lourdement paranoïaque et déclenche régulièrement des purges dans son entourage. Durant sa première année au pouvoir, près de trois millions de « contre-révolutionnaires » ont ainsi été exécutés. Pour ne pas inquiéter Siqi, Mao continue donc de parler de son fils comme s'il était vivant. Il va jusqu'à faire des blagues sur Mao An-Ying devant tout le monde. Finalement, une fois l'armistice signé en Corée, Siqi apprend la mort de son époux par la bouche de son beau-père et peut enfin porter le deuil. Mais le plus discrètement possible, le maître de Pékin ne tolérant pas la faiblesse. Comme il aime à le répéter, tout le monde doit *chi ku*, c'est-à-dire « manger amer », connaître les épreuves pour mieux s'endurcir. Ses enfants et sa famille en premier lieu. Il en va de même pour sa tendre Li Na.

L'héritière politique

Début février 1958, pour ses 18 ans, Li Na se fait hospitaliser. Elle subit deux opérations qui provoquent des infections et de fortes fièvres. Mao ne vient pas la voir une seule fois. Il est trop occupé à lancer le terrible « Grand Bond en avant ». Ce plan de relance industrielle a pour ambition de transformer en quelques années la Chine agricole en géant sidérurgique mondial. Mais c'est une véritable catastrophe. Les paysans sommés de devenir des ouvriers délaissent leurs récoltes. Les famines se multiplient dans les campagnes causant la mort de près de 50 millions de Chinois. Li Na ne peut imaginer les drames qui se déroulent de l'autre côté des murs de sa confortable chambre d'hôpital du Parti. Et comme une enfant gâtée, elle ne comprend pas l'absence de son père alors qu'elle souffre. Elle s'en plaint ouvertement aux médecins. Pourtant, elle a été courageuse : elle n'a pas pleuré pendant les opérations, raconte-t-elle en colère. Une infirmière ose lui répondre qu'elle a reçu une anesthésie et qu'elle n'avait donc aucune raison de pleurer.

Heureusement, un membre du bureau politique de Mao est présent pour corriger immédiatement la maladresse de l'infirmière. La fille du président chinois a forcément raison : « Même si on ne t'avait pas fait d'anesthésie, je suis sûr que tu n'aurais pas pleuré. Tu es une petite héroïne parmi nous », reprend-il avec précaution. C'est exactement ce que Li Na souhaite entendre. Elle veut être un bon petit soldat, la fille préférée de son père. Très vite, son caractère va d'ailleurs évoluer et se durcir un peu plus encore. Elle comprend qu'elle est l'héritière politique du leader communiste. Pour montrer l'exemple, elle refuse tout luxe, tout confort. Ainsi, elle ne se déplace plus que sur une vieille bicyclette alors qu'une voiture officielle est à sa disposition. Elle aime à raconter qu'enfant elle a vécu un bombardement avec son père sans trembler.

Ses efforts sont enfin récompensés en 1966 en pleine Révolution culturelle. Mao décide d'en faire l'une de ses plus proches assistantes. Elle n'a que 26 ans quand elle obtient un poste au quotidien de l'Armée populaire de libération, le plus grand journal du pays. L'objectif de son père est qu'elle devienne le relais de sa pensée et de sa volonté dans cet organe de propagande. Au début, la jeune femme semble effacée, discrète. Mais très vite, elle devient féroce. Elle ordonne que tous se mettent au garde-à-vous en sa présence et elle menace de mort ceux qui lui résistent : « J'aimerais vous faire fusiller ! » Dès qu'elle publie un article, elle court le présenter à son père.

« Papa, le quotidien de l'Armée d'aujourd'hui a publié un article intitulé "L'équipe des poignards rouges", c'est moi qui l'ai écrit ! » exulte-t-elle.

– Je l'ai déjà lu. Ma gentille fille est désormais grande. Tu n'es plus une poupée…

– Non, je suis toujours ta grande poupée, et je le serai encore quand j'aurai 30 ou 40 ans. Et papa sera toujours mon petit papa… »

En août 1967, tous les responsables du journal sont mis en prison, la « grande poupée » de Mao peut devenir directrice. Li Na devient intouchable. N'est-elle pas la fille de l'homme fort du régime, cet homme déifié par tout un peuple ?! À cette époque, s'opposer ouvertement à lui est suicidaire. Les « gardes rouges » veillent et sèment une terreur ciblée contre les « ennemis du peuple », les bourgeois, les intellectuels… tous ceux qui mettent la Révolution en danger. La violence se généralise et en quelques mois, la Chine est de nouveau au bord de la guerre civile. Très rapidement, la situation devient incontrôlable. Au sein du Parti communiste, Mao finit par être mis en difficulté et doit faire profil bas pour sauver son poste. Tous ceux qui sont impliqués dans les excès de la Révolution culturelle sont traqués et sacrifiés. Parmi eux se trouve Li Na. En 1968, elle doit quitter le journal de l'armée. Son père ne l'oublie pas pour autant. Il la nomme secrétaire de la commission de contrôle disciplinaire du Parti à Pékin.

Quand la carapace se fissure

Mais c'est trop tard. La jeune femme craque pour la première fois de sa vie. La pression est trop forte. Elle est hospitalisée pour une dépression nerveuse, la première d'une longue liste. La violence du régime, les purges, les suicides provoqués, les menaces ont raison de sa santé mentale. Et elle souffre avant tout de l'absence d'un père de moins en moins disponible. Elle a maintenant 31 ans mais elle garde une affection tout infantile pour lui. Un jour, Mao lui dit qu'elle doit se préparer à vivre sans lui car elle est grande et doit faire sa propre vie. Li Na s'écrie alors qu'elle ne veut pas le quitter, jamais, qu'elle restera toujours à ses côtés. « Dans le passé, les familles de quatre générations qui vivaient sous un même toit étaient très nombreuses ! » argumente-t-elle pour le convaincre de la garder à ses côtés. Son père est l'amour de sa vie, un amour déçu. En désespoir de cause, elle décide alors de se marier. L'heureux élu est un domestique. C'est Li Na qui prend les devants et place son futur mari devant le fait accompli. Il n'a pas le choix, la fille de Mao l'a décidé ainsi, il doit obéir. Comme cadeau de mariage, Li Na reçoit de son père les œuvres de Marx et d'Engels. La cérémonie est triste. Ni Mao ni Jiang Qing, la mère de Li Na, ne se déplacent. Le mari déplaît à la famille. Il n'est pas digne des Mao. Très vite, il est accusé d'espionnage, banni et envoyé dans une autre ville, le plus loin possible de son épouse. Quelques semaines plus tard, en mai 1972, Li Na donne naissance à un fils que Mao et sa femme refuseront de prendre dans leurs bras puisque son père est un espion.

Li Min, la sœur aînée de Li Na, parvient à revoir son père. Mais ce n'est que pour le découvrir sur son lit d'hôpital, quelques jours avant sa mort. En cette fin de juin 1976, Mao est gravement handicapé par la maladie de Charcot qui attaque sa moelle épinière. Cela fait déjà près de trois décennies qu'il dirige en dictateur absolu le pays le plus peuplé au monde. À 82 ans, il est un homme usé et responsable de la mort d'une cinquantaine de millions de Chinois. Son bilan politique est désastreux, le pays est au bord du gouffre, son système de production reste archaïque, son économie fragile. Sa mort est souhaitée par une élite politique qui s'entre-déchire déjà pour lui succéder. Même sa femme, Jiang Qing, complote sur le corps mourant du président du Parti communiste chinois. Sur la dizaine d'enfants qu'il a reconnus, seuls trois sont encore vivants. Son dernier fils, Mao An-Qing, est débile léger et a été nommé commissaire politique dans le Nord de la Chine. Mao ne le considère pas comme son enfant. Seules ses deux filles continuent de lui être fidèles. Li Min n'est pas rancunière. Pendant plus de dix ans, on lui a interdit de visiter son père. « Je suis venue plusieurs fois avec mon mari mais on m'a dit que tu étais très pris par le travail. Nous n'avions pas la permission d'entrer… » lui raconte-t-elle lors de sa première visite autorisée. Li Min a 40 ans et ne connaît quasiment pas son père. Pourtant, elle lui voue un culte indéfectible. Jusqu'à la fin, elle viendra à l'hôpital. Le 9 septembre à minuit, Mao meurt. C'est Li Min qui prévient sa sœur, Li Na. Celle-ci est trop fragile psychologiquement pour se déplacer. Selon les témoins, quelques heures avant de rendre l'âme, Mao aurait voulu prendre des nouvelles de ses autres enfants et de ses femmes. Ceux qu'il avait abandonnés ou négligés pendant toutes ces années.

Près de quarante ans plus tard, la Chine a changé. Les statues de Mao sont moins nombreuses mais le profil grassouillet du premier président communiste chinois continue d'orner les billets de banque de la deuxième puissance économique du monde. Mao est redevenu une fierté nationale, le symbole du régime. Ses deux filles sont maintenant de vieilles dames septuagénaires. Ces dernières années, la population semble se souvenir de leur existence. Comme une revanche sur l'Histoire, elles resurgissent du néant où la mort de leur père les a plongées. Li Na perçoit une retraite de fonctionnaire d'une centaine d'euros. Elle souffre toujours de dépression nerveuse et participe dès qu'elle le peut aux nombreuses célébrations de vétérans du maoïsme. Quant à Li Min, elle n'a jamais cessé de publier des ouvrages hagiographiques sur son père. Une passion que sa propre fille, Kong Dongmei, a su rendre lucrative à son tour. Cette dernière a fait son entrée parmi les 500 plus grandes fortunes chinoises – ce qui n'a pas manqué de déclencher les railleries sur les réseaux sociaux du pays – en grande partie grâce aux quatre best-sellers qu'elle a écrits sur son grand-père. Elle a également ouvert, en 2001, une librairie et une maison d'édition à la gloire de la « culture rouge ». Une belle revanche pour ces femmes qui n'ont jamais eu le droit de porter le nom de Mao.

Zoia Ceaușescu, un nom comme un fardeau

Par Marion Guyonvarch

Nommé Premier secrétaire du Parti communiste en 1965, Nicolae Ceaușescu est d'abord considéré par les Roumains comme l'homme de l'ouverture. Mais très vite les choses se gâtent. De dirigeant éclairé, l'homme – accompagné par sa femme, Elena – devient un véritable tyran omnipotent, un dictateur paranoïaque, et ce, jusqu'à sa chute, brutale, en 1989. Elena mettra au monde trois enfants. Zoia, la cadette, n'a de cesse de revendiquer sa liberté, mais sans s'opposer au régime. Après la révolution, malgré son patronyme, elle se bat pour défendre l'héritage de sa famille.

Noël 1989. Une salve de tirs brise le silence de la nuit roumaine : Nicolae et Elena Ceauşescu, le couple de dictateurs qui tenait le pays sous son joug, s'effondrent dans la cour de la caserne de Târgovişte. Au même moment, à Bucarest, c'est la vie de leur fille, Zoia, qui s'écroule. Arrêtée, la cadette du clan est jetée en prison, comme ses deux frères, Nicu et Valentin. En quelques jours, la révolution a transformé l'héritière choyée en ennemie du peuple. Le choc est brutal, car depuis sa naissance, Zoia n'a connu que les ors du communisme.

Zoia, l'irréprochable

Zoia vient au monde le 1er mars 1949, un an après son frère aîné, Valentin. Elle est baptisée ainsi en l'honneur d'une héroïne soviétique tuée par les Allemands, son destin s'inscrivant déjà sous le signe du communisme et de la tragédie. Son père n'est pas encore le Conducător, le tyran omnipotent qui va présider aux destinées de la Roumanie. Suppléant du Comité central, adjoint du ministre de l'Agriculture, il occupe toutefois un poste clé, puisqu'il est chargé de mettre en œuvre la collectivisation des terres agricoles. La mère de Zoia, Elena, ne s'est pas encore inventé sa vie de grande savante de renommée internationale et joue les mères au foyer.

Les Ceauşescu sont alors une famille d'apparatchiks comme les autres, installée à Primăverii, le « quartier rouge », dans le nord de Bucarest. Dans ces quelques rues bordées de belles demeures du XIXe siècle se concentre toute la nomenklatura roumaine, à l'abri des regards et de la réalité du pays. « On y vivait déjà comme le régime promettait qu'on vivrait tous, bientôt : sans argent, en passant des commandes auprès du Parti », explique Lavinia Betea, historienne spécialiste de la période. « Tous recevaient bien plus que nécessaire, sans oublier les cadeaux des délégations étrangères, des filiales locales du Parti. » La vie y est douce et facile, loin des barres grises où s'entassent les ouvriers, loin des campagnes brisées par la collectivisation, loin des prisons où l'on torture ceux qui osent s'opposer au rêve communiste. Zoia, jolie brunette surnommée Zoica, grandit dans ce cocon, dans l'ombre de ses frères, Valentin, l'aîné réservé, et Nicu, le cadet excentrique, et sous l'œil de sa grand-mère maternelle, Alexandrina Petrescu, « une femme très pieuse, qui a transmis sa foi à Zoia », précise Lavinia Betea.

La vie de Zoia bascule une première fois en mars 1965. Son père, qui a gravi un à un les échelons du Parti pour atteindre le poste de numéro deux, est élu Premier secrétaire à la mort du très stalinien Gheorghiu-Dej. Zoia a 16 ans et se retrouve sous le feu des projecteurs. Désormais, l'adolescente va devoir être aussi « exemplaire » que ses illustres parents. Car Nicolae Ceauşescu, qui s'éloigne de Moscou et devient un symbole d'ouverture aux yeux de l'Occident, s'attache à construire son mythe personnel.

À ses yeux, l'image d'un couple et d'une famille modèles est un élément essentiel du décorum.

Zoia semble remplir à merveille son rôle d'adolescente irréprochable. Élève brillante, elle décroche son bac à 17 ans, en 1966, au très chic lycée Jean Monnet. Zoia est un pur produit de l'éducation communiste et elle en symbolise la réussite. Destinée à devenir une scientifique de renom comme sa mère, elle intègre la faculté de mathématiques sans avoir à passer les examens d'entrée : en vertu d'une nouvelle loi, les bons élèves en sont dispensés depuis peu. À en croire les mauvaises langues, cette mesure aurait été spécialement adoptée pour la fille de Nicolae Ceauşescu... Sur les photos officielles, Zoia pose, souriante, aux côtés de ses parents et de ses deux frères. Sur les films en noir et blanc, on voit son père qui l'embrasse, elle qui se laisse faire, un peu gênée face aux caméras. La famille idéale prend la pose à la campagne, au bord de la mer, dans les cérémonies officielles, dans leur demeure de Primăverii. Mais en coulisses, le tableau parfait s'effrite. Car Zoia est aussi un esprit libre, une âme bohème qui veut se libérer du carcan familial.

Des amours très surveillées

Nous sommes au début des années 1970. Un vent de liberté souffle sur Bucarest, Nicolae Ceauşescu accueille les chefs d'états occidentaux, joue au dirigeant éclairé. La censure n'impose pas encore un silence absolu et la Securitate n'est pas encore la pieuvre totalitaire qu'elle deviendra dans les années 1980. Zoia est jeune, belle et compte bien en profiter. Dès qu'elle sort de cours, elle file rejoindre la bande de son frère Nicu, fêtard invétéré, « composée de filles et de garçons de Primăverii, de footballeurs, d'artistes », détaille Lavinia Betea. En minijupe ou en jean, une éternelle cigarette à la main, Zoia s'amuse, s'étourdit dans la fête. Elle cultive des amitiés bohèmes, se passionne pour l'art et les livres. L'écrivain Petru Popescu, qui sera l'objet de l'affection de Zoia quelques années plus tard, se souvient de leur première rencontre. « C'était une jeune brunette renversante, qui conduisait un coupé Mercedes dans les rues de Bucarest, suivie par ses gardes du corps », raconte-t-il de son exil californien. « Je la croisais souvent lors des événements organisés par la Ligue des jeunes communistes. Elle était toujours habillée d'une façon incroyable et détonnait au milieu du gris qui recouvrait Bucarest. »

La jeune femme séduit, par son nom, par son allure. Ironie de l'histoire, l'une de ses premières conquêtes est un jeune homme bien sous tous rapports, fils d'un cadre du Parti. Son nom ? Petre Roman… celui-là même qui conduira la révolution de 1989 et deviendra Premier ministre à la mort de Nicolae Ceaușescu. Balades dans le parc, rencontres à la montagne, la légende postrévolutionnaire écrit l'histoire d'un amour interdit entre la fille du dictateur et le futur tombeur du régime. Après avoir nié cette relation avec véhémence, Petre Roman a fini par la reconnaître, à demi-mot dans une interview exclusive accordée en 2011 au quotidien *Evenimentul Zilei.* « Oui, il y a eu quelque chose entre nous. Nous nous sommes vus à plusieurs reprises, mais on ne peut pas parler de relation, je suis parti à Toulouse [pour ses études]. » À en croire le général Nicolae Pleşiţă, ancien dirigeant de la Securitate qui a révélé cette brève histoire d'amour dans la presse, une rencontre aurait eu lieu entre les parents des deux amoureux. Elena Ceauşescu, inflexible, aurait refusé toute relation suivie entre sa fille et le fils de Walter Roman, proche de Moscou, et aurait préféré exiler le prétendant en France.

Car les Ceauşescu, et Elena en premier lieu, comptent bien garder leurs descendants sous contrôle. Ils dictent leurs choix et imposent leurs points de vue. Et pour s'assurer d'être écoutés, ils les placent sous la surveillance étroite de la Securitate, qui leur rapporte leurs moindres faits et gestes. Zoia, encore plus que ses frères, vit dans une prison dorée. « Il y avait deux raisons à cet espionnage, explique Lavinia Betea, la volonté d'avoir des enfants qui servent de modèle à la jeunesse roumaine et la crainte que des personnages dangereux – des agents capitalistes et plus encore des agents du KGB – infiltrent l'entourage de leurs enfants. »

Mais Zoia supporte mal cette surveillance constante. Agent de la Direction V de la Securitate, celui qui s'occupait de la protection des dignitaires du régime, Dumitru Burlan a suivi Zoia pas à pas pendant un an et demi, à partir de 1971. « Pour nous, elle était le matricule 202. On l'accompagnait partout où elle allait », a-t-il confié à la presse roumaine après la révolution. Témoin privilégié, il a assisté à de nombreuses altercations de Zoia avec ses parents, lors de ses tentatives désespérées pour vivre sa vie en femme libre. C'est souvent un homme qui est à l'origine de ces disputes. Car les choix amoureux de Zoia, le meilleur parti du pays, ne sont pas du goût de sa mère. En 1972, elle s'éprend de Dan Vincze, un gynécologue de Cluj, au Nord-Ouest du pays. Elena Ceauşescu voit cette relation d'un mauvais œil, car une partie de la famille du médecin est d'origine hongroise. Une dispute éclate, Zoia quitte le domicile familial. « On a retrouvé sa voiture, une Mercedes offerte par le shah d'Iran, abandonnée à la gare du Nord, se souvient Dumitru Burlan. On a reçu l'ordre de la chercher partout et on a fini par la retrouver à Sighetu Marmatiei, tout au Nord du pays, chez des amis. »

Zoia rentre finalement à Bucarest, où le général Pleşiţă l'attend à l'aéroport pour la reconduire chez ses parents, sous bonne escorte. Quelques années plus tard, Zoia récidive, et prend la fuite avec son amant du moment, le journaliste Mihai Matei. La Securitate, en alerte rouge, débusque les amoureux dans un hôtel à la montagne. Après cette escapade, et pour en empêcher de nouvelles, une loi est bientôt adoptée, interdisant aux hôtels d'accueillir des couples non mariés. Si Zoia regagne Primăverii, Mihai Matei est « expédié » en Guinée et décède peu après son retour en Roumanie, dans des conditions suspectes. Une mort derrière laquelle certains voient la main de la police politique.

L'écrivain Petru Popescu est l'un des amours passagers de Zoia. Leur histoire débute lors d'une visite de la Ligue des jeunes communistes à Berlin-Est. « J'avais écrit deux livres, qui critiquaient le système, mais avaient été publiés malgré la censure. J'avais une petite aura au sein de l'intelligentsia communiste. On s'est retrouvé côte à côte dans l'avion et n'avons pas cessé de discuter », se souvient Petru Popescu. Pendant quelques mois en 1973, le jeune auteur va fréquenter la fille du dictateur, lors de rencontres prétendument fortuites à la Ligue des jeunes communistes et surtout lors d'une tournée de Ceauşescu en Amérique du Sud – Petru Popescu est choisi afin de couvrir le voyage pour la presse roumaine. « La fille du Pharaon », comme il l'appelle, le fascine. « Vive, svelte, passionnée, l'esprit acéré, suave, elle avait tout pour séduire un innocent tel que moi. » Suivis en permanence par la Securitate, les deux jeunes gens entretiennent une relation de fascination réciproque, essentiellement platonique. Privilège rare, le jeune écrivain découvre la Zoia intime. « Elle adorait son père et pardonnait tous ses excès, justifiés à ses yeux par les souffrances qu'il avait connues dans sa jeunesse. Elle était en conflit avec sa mère, tyrannique, qui critiquait tous ses choix. Elle souffrait de cette surveillance permanente, mais y était habituée, c'était le prix à payer pour être si proche du pouvoir. » Si elle ne critique pas le régime, approuvant au contraire les choix de son père et espérant seulement « un rajeunissement du Parti », c'est elle qui convainc Petru Popescu de fuir. « Nous étions au Pérou, elle m'a dit qu'elle ne pensait pas que j'allais pouvoir continuer longtemps à écrire ce genre de roman et qu'on allait vite me rappeler ce qu'était le vrai socialisme. » Quelques mois plus tard, Petru Popescu, invité à l'université d'Iowa, décolle pour les États-Unis, avec l'approbation de Nicolae Ceaușescu en personne, bien heureux de se débarrasser d'un prétendant indésirable. Il ne reviendra plus.

Zoia, elle, poursuit sa quête d'émancipation. Elle va même se marier, brièvement, contre la volonté de ses parents. « Elle a épousé un professeur d'histoire, Dinu Angelescu », explique toujours Lavinia Betea. « Elle le prenait pour un homme normal, qui l'aimait pour ce qu'elle était et non pour son nom. » Mais les parents n'acceptent évidemment pas cette union et vont tout faire pour la briser. « La mairie, sachant que ce mariage était réprouvé par les Ceaușescu, n'a pas attribué de domicile au jeune couple, comme c'était l'usage. Ils ont donc dû vivre sous le même toit que les Ceaușescu, et le mariage s'est rapidement conclu par un divorce. » Lavinia Betea résume ainsi la triste vérité : « Elena Ceaușescu a détruit tous les amours de sa fille. » Dans un rare entretien accordé après la révolution et diffusé seulement à l'été 2013 à la télévision roumaine, Zoia évoque à mots couverts ces affrontements et cet étouffement maternel. « C'est principalement maman qui nous a fait mettre, chacun des trois enfants, sous surveillance. Un geste dicté par un soin, un amour qu'on peut qualifier d'exagéré. Les informations fournies à mes parents par la Securitate ont provoqué un certain nombre de mésententes entre nous. »

Bohème certes, mais pas rebelle

À l'époque, rien ne filtre dans la presse sur ces tensions au sein du clan. Valentin, le fils aîné, a pris ses distances après son mariage avec la fille d'un ennemi politique des Ceauşescu et reste en retrait. Nicu, l'héritier désigné et le fils préféré d'Elena, donne des fêtes incroyables et entame son ascension vers les hautes sphères du pouvoir. Son père a en effet de grandes ambitions pour lui. Ceauşescu a ainsi chargé deux hauts dignitaires du Parti de faire l'éducation de son fils, mais contrairement à son frère et sa sœur, Nicu n'est pas doué pour les études. Il réussit quand même à avoir son bac, et se dirige ensuite vers des études de physiques. Il rentre en politique alors même qu'il est encore étudiant, en devenant tout d'abord Premier secrétaire des Jeunes communistes. Il est élu au Comité central du Parti en 1982. Son destin semble alors tout tracé. Son addiction au jeu, son alcoolisme notoire, son amitié avec un des fils de Saddam Hussein, les scandales sexuels auxquels il est lié scandalisent la Roumanie tout entière. Mais seule l'image d'une famille idéale, élément clé de la propagande, a droit de cité : « On ne parlait pas des Ceauşescu, de leur vie privée, explique Lavinia Betea. Il y avait bien quelques rumeurs, sur des fêtes démentielles, des histoires d'amour, mais pas plus. Tous ceux qui vivaient dans leur entourage, tous les officiers chargés de leur sécurité devaient garder le silence absolu. C'est après la révolution que les langues se sont déliées. »

Si elle souffre beaucoup de cette surveillance permanente, Zoia n'en reste pas moins fidèle à sa famille. La jeune femme ne s'opposera jamais au régime. « Les enfants ont toujours entretenu de bonnes relations avec leurs parents. Malgré les divergences ponctuelles, aucun n'a songé à s'exiler. Cela aurait été désastreux pour l'image de Nicolae et Elena. Zoia, comme son frère Nicu, était de toute façon trop fragile pour se débrouiller seule à l'étranger. » La seule fille du clan ne cherche à aucun moment à jouer un rôle de premier plan : « Elle n'a pas eu de fonction politique, à l'inverse de son frère Nicu. Elle a été propulsée à la tête des Jeunes communistes, mais n'a eu qu'une fonction décorative. » Même discrétion côté carrière. Brillante, elle choisit de faire de la recherche après la fac. Elle est d'abord professeur assistante à l'Institut de mathématiques. Pas assez prestigieux pour Nicolae et Elena. Qu'importe, l'institut est supprimé par ses parents, Zoia se retrouve à la tête de la section mathématiques de l'Institut pour la création technique et scientifique. Elle publie une vingtaine d'articles dans des revues, mais fait profil bas, ne recherchant pas la gloire. À l'inverse de sa mère, chimiste, qui multiplie les titres et les publications... souvent écrites par d'autres.

En 1980, Zoia épouse Mircea Oprean, ingénieur et professeur à l'université polytechnique de Bucarest, qu'elle a rencontré en vacances à Neptun, station chic de la mer Noire, par l'intermédiaire de son cousin. Cette fois, elle a la bénédiction de ses parents. Zoia a 30 ans et l'heureux élu, cadre universitaire, a un dossier immaculé : Elena et

Nicolae acceptent enfin de la laisser s'envoler. Les jeunes mariés s'installent dans une belle villa du centre de Bucarest, près de la Calea Victoriei, et mènent une vie tranquille. Ils baladent leurs chiens, travaillent et voient les parents Ceauşescu dans leur résidence secondaire de Snagov ou sur le littoral. Ils sont approvisionnés par le Parti dès qu'ils ont besoin de quelque chose. Bref, ils coulent des jours heureux pendant que le pays manque de tout.

Car Nicolae Ceauşescu a basculé dans une folie tyrannique. Plus mégalomane que jamais, le « Danube de la pensée » détruit des quartiers entiers de Bucarest pour édifier un palais à sa gloire, réduit les libertés, contrôle le pays grâce à la terreur que fait régner la Securitate. La Roumanie est exsangue, le rationnement, les privations et le marché noir sont devenus le quotidien des Roumains. L'ancien président éclairé est devenu un dictateur paranoïaque, déconnecté de la réalité, qui ne voit pas que son peuple a faim et soif de liberté. Zoia est loin de ces réalités, elle aussi. Elle se contente d'améliorer le quotidien de ses proches, en obtenant plus de fonds pour son institut, en permettant à ses collègues de participer à des colloques à l'étranger, ou en leur procurant des médicaments introuvables. Elle refuse de se mêler de politique, contrairement à son frère Nicu. Une seule fois, elle s'oppose vraiment à son père, en 1984, lorsqu'il commence à détruire de nombreux monuments historiques de Bucarest. « Zoia lui a fait part à plusieurs reprises de son opposition, notamment face à la destruction de l'église Mihai Vodă », a raconté son mari, lorsqu'il a été arrêté en 1990.

Chute et procès expéditif

En décembre 1989, la révolution prend Zoia par surprise, comme tout le clan Ceauşescu. Alors que la fièvre contestataire s'est déjà emparée de Timişoara, son père décide de prononcer un discours à Bucarest pour prouver la popularité du régime, le 21 décembre. Le vieil homme se dresse sur le balcon du siège du Comité central et commence à parler, de sa voix chevrotante. Des cris lui répondent. « Timişoara ! Timişoara ! », la ville venant d'être proclamée première ville libre de Roumanie. Des coups de feu éclatent, la retransmission du discours est coupée. La Roumanie comprend que son dictateur vacille et descend dans la rue.

Zoia est chez elle, à quelques centaines de mètres du siège du Comité central. Ses parents lui demandent de les rejoindre. En chemin, elle et son mari découvrent les rues de la capitale envahies de manifestants, face auxquels se dressent, menaçants, les chars de l'armée. Sur place, elle retrouve ses parents et son frère, Valentin. Nicu, lui, est à Sibiu. « J'ai discuté avec maman, qui soutenait qu'il n'y avait pas de problèmes, tandis que Valentin disait que la situation était grave, surtout à Timişoara », raconte-t-elle lors de ses interrogatoires en janvier 1990. Son frère affirme d'ailleurs avoir tenté de convaincre son père de « réformer le système » pour s'en sortir. Mais les Ceauşescu sont dans leur bulle, sourds aux prières de leurs enfants. « Mon père a reçu un appel de Timişoara, du général Coman [qui dirigeait les troupes sur place], il l'a pris dans une autre pièce. Ça a duré une ou deux minutes. Quand il est revenu, Valentin lui a demandé ce qui se passait, il n'a pas répondu. » Le Conducător informe juste sa femme, dans une pièce à part, de la gravité de la situation. Quelques minutes plus tard, les enfants s'éclipsent. « Mon mari, Valentin et moi sommes partis, mon père était fatigué et voulait se coucher. » Zoia ne le sait pas, mais c'est la dernière fois qu'elle voit ses parents.

Le lendemain, Nicolae et Elena Ceauşescu prennent la fuite, en hélicoptère. S'ensuit une odyssée rocambolesque dans la campagne roumaine, où le couple passe de voiture en voiture avant d'être finalement rattrapé par l'armée et emprisonné dans la caserne de Târgovişte, à une centaine de kilomètres au nord-ouest de Bucarest. Ce 22 décembre, quand elle apprend la fuite de ses parents, Zoia se dépêche de quitter sa maison où elle ne se sent plus en sécurité. Elle et Mircea trouvent refuge chez son cousin, Gheorghe-Dodu Petrescu, qui vit à Dorobanţi, un beau quartier du nord de Bucarest. Dans les heures qui suivent, sa maison de Calea Victoriei est prise d'assaut. Elle se terre pendant trois jours à Dorobanţi, le temps de voir comment évolue la situation. Le 24 décembre, elle est arrêtée avec son mari, après avoir contacté elle-même les nouvelles autorités. Un déluge de haine s'abat alors sur la fille du tyran honni, qui devient le réceptacle d'une colère trop longtemps contenue. Elle est traitée d'alcoolique, de débauchée. La télévision s'invite dans sa villa et fait l'inventaire de toutes les « richesses » qu'elle recèle. Rien de follement extravagant en réalité, mais pour un peuple qui manque de tout depuis des années, un simple magnétoscope ou un frigo bien approvisionné sont le comble du luxe. Sur les images d'archives, on voit la caméra s'arrêter sur une banale balance métallique. Le commentaire affirme qu'elle est « en or massif et sert à peser la viande pour les chiens ». C'est faux, mais peu importe. Les révolutionnaires veulent prouver que pendant que les Roumains faisaient la queue pour manger, la fille Ceauşescu vivait comme une princesse.

Le 25 décembre, après un semblant de procès expéditif, Nicolae et Elena Ceauşescu sont exécutés à Târgovişte. Placée en détention, dans une caserne de la capitale, Zoia va apprendre leur mort comme le reste de la Roumanie et du monde : par la télévision. « Elle a eu vent de leur exécution la nuit même [le 25 décembre], quand a été diffusée la fameuse cassette », a raconté son avocat, Haralambie Voicilaş, en 2005. « Les militaires rassemblés dans une salle pour assister à la diffusion ont mis le son très fort. Zoia a pu pratiquement tout entendre par le mur de sa cellule. Elle était terrorisée. » Zoia a 40 ans et voit sa famille, son univers et ses repères exploser. Devenue un symbole à abattre, elle est mise en examen pour dégradation de l'économie nationale. Elle va passer 237 jours en prison, à Oltenita puis à Bucarest. Une expérience douloureuse qui la marquera profondément. Dumitru Popescu, ancien cadre communiste qui fut son compagnon de détention, se souvient qu'elle « a alors terriblement maigri, et que son regard était éteint ». Entre les murs de sa cellule, Zoia trouve refuge dans l'écriture. Elle griffonne des lettres qu'elle s'adresse ou qu'elle adresse à Mircea, lui aussi emprisonné, et qu'elle ne poste jamais. Ces pages peines de sensibilité, et qui révèlent un certain talent littéraire, ont été publiées après la révolution. Dans l'une de celles adressées à son mari, elle confie sa tristesse infinie et lui dit : « Je sais que c'est dur, atrocement dur, mais je t'en prie, prends soin de toi. Nous devons être forts, résister, car il nous faudra toutes nos forces et notre courage pour nous rebâtir une vie tranquille. »

Zoia a vu juste. Placée en liberté conditionnelle, elle sort de prison le 18 août 1990, peu après son mari et son frère Valentin, dont elle restera proche toute sa vie. Seul Nicu, jugé responsable de la répression de décembre 1989 à Sibiu, est condamné à vingt ans de prison. Libéré pour raisons de santé, en 1992, il meurt dans un hôpital viennois en 1996. Quand elle sort de prison, celle qui avait tout n'a plus rien. La fille du dictateur va devoir lutter pour s'en sortir dans la Roumanie postrévolutionnaire. Le nom de Ceaușescu lui ferme toutes les portes. Pendant sa détention, sa maison et tous ses biens ont été confisqués. Zoia et Mircea sont hébergés chez des amis ou chez des proches pendant de longs mois. Elle tente de se faire réengager au sein de l'institut où elle officiait avant la révolution, sans succès. Son mari, lui, retrouve finalement un poste à l'université polytechnique. Zoia abandonne son combat pour réintégrer l'institut et prend sa retraite en 1996. La même année, elle est finalement blanchie de toutes accusations par la justice roumaine, comme son frère aîné. Zoia et son mari s'installent alors à Cotroceni, un quartier tranquille de la capitale. « Elle a vécu dans l'ombre, aidée par quelques amis. Elle s'est retirée de toute vie publique, comme son frère Valentin, explique Lavinia Betea. Elle était convaincue qu'elle ne pouvait que souffrir davantage si elle s'exposait. »

Si elle se fait discrète, Zoia est cependant bien décidée à défendre l'héritage de sa famille, dont elle protège farouchement la mémoire. Une seule fois, dans un enregistrement diffusé à l'été 2013, elle évoque Nicolae Ceaușescu et sa dérive autoritaire. « Le pouvoir transforme, il n'élève pas mais abaisse, au contraire », dit-elle face à la caméra. Images saisissantes, où la fille tente d'expliquer le comportement de son père. « Je crois qu'il n'avait plus le discernement, la force. Il a essayé de contrôler seul un pays. Même si la Roumanie est un petit pays, cela me semble exagéré. Ce fut son erreur principale. » Jamais Zoia ne renie son passé. Dans le livre compilant ses écrits rédigés en prison et paru en 2007, après sa mort, sous le titre *237 jours dans la tombe*, elle dit clairement son attachement indéfectible à sa vie au temps du communisme. « On peut me confisquer mes biens chargés de souvenirs, mais pas ma mémoire, on peut dénaturer les faits, mais pas ce que j'ai vécu, on peut déformer mes paroles, mais pas ce que j'ai murmuré. Je suis mon passé, c'est ce qui définit essentiellement mon âme. »

Ne pas se laisser déposséder de son passé

Zoia commence par attaquer en justice l'État roumain pour que lui soient rétrocédés tous ses biens confisqués à la révolution. De haute lutte, elle obtiendra la rétrocession de quelques tableaux et livres rares peu avant sa mort, la justice reconnaissant finalement qu'elle n'a pas à payer pour les crimes de ses parents. Elle entame surtout un long combat pour demander l'exhumation de la dépouille de ses parents. En effet, selon la version officielle, Nicolae et Elena Ceauşescu ont été enterrés au cimetière militaire de Ghencea, à Bucarest, après leur procès expéditif et leur exécution sommaire. Une version à laquelle Zoia ne croit pas, au point de n'avoir jamais été se recueillir devant les deux tombeaux parentaux, devenus lieu de pèlerinage pour les nostalgiques du communisme.

Affaiblie par un cancer des poumons, l'éternelle fumeuse multiplie les recours judiciaires pour obtenir gain de cause. En 1998, la justice lui délivre les certificats de décès de ses parents. En 2003, avec le soutien de son frère Valentin et de son mari, elle entame une procédure pour que l'État lui apporte la preuve que ses parents sont bien enterrés à Ghencea. Toujours aussi discrète, elle ne s'exprime que par le biais de son avocat, qui demande l'exhumation des corps pour procéder à des tests ADN. Mais Zoia ne saura jamais que ce sont bien les corps de ses parents, finalement exhumés en 2010, qui reposent sous la terre de Ghencea. La maladie la rattrape, le cancer ne cesse de grignoter du terrain, attaquant maintenant le colon. Le 20 novembre 2006, Zoia Ceauşescu, dont la ressemblance physique avec son père s'est encore accentuée, s'éteint, à 57 ans, Mircea à son chevet. Des Ceauşescu, il ne reste plus que Valentin et ses deux enfants, Daniel et Alexandra, aussi discrets que leur père. Avant de mourir, Zoia transmet le flambeau de son combat à son époux : à lui désormais de défendre l'héritage des Ceauşescu. Ce qu'il fait, fidèle à sa promesse.

La nouvelle de la mort de Zoia mobilise les télévisions, mais pas les foules. Le jour de son enterrement, seule une poignée de proches entoure son cercueil. La fille de Ceauşescu part comme elle a vécu, en toute discrétion. Preuve de son destin tragique, elle est poursuivie par son passé au-delà la mort. Avant que Zoia ne soit incinérée, comme elle l'a demandé, sur son lit de mort, une messe est célébrée pour elle qui est restée toute sa vie orthodoxe pratiquante. Mais son cercueil est transporté dans la petite église de Sfântul Elefterie vechi, et non dans la grande église voisine comme prévu. « Le prêtre a refusé de célébrer une messe pour Zoia », glisse un des participants au cortège. « Car dans les années 1980, son père avait fait détruire son église. » Une dernière fois, Zoia Ceauşescu aura porté son nom comme un fardeau.

L'ÉTRANGE CLAN DES CASTRO

PAR JACOBO MACHOVER

Fidel Castro s'oppose au coup d'État du général Fulgencio Batista en 1952. Il est emprisonné, puis libéré moins de deux ans plus tard. Il choisit l'exil, accompagné par son demi-frère cadet Raúl. En décembre 1956, il débarque clandestinement sur l'île afin de renverser la dictature. Après deux ans de guérilla, Fidel Castro provoque la fuite de Batista et s'installe au pouvoir en janvier 1959. Durant les années 1960, les États-Unis instaurent un embargo contre Cuba. Un bras de fer oppose les deux nations. Fidel Castro procède à la nationalisation de toutes les grandes entreprises et interdit le libre commerce. La pauvreté et la pénurie s'installent tandis que l'émigration vers les États-Unis explose. En juillet 2006, la santé de Fidel se dégrade et le conduit finalement à démissionner en février 2008 de son poste de chef de l'État – qui revient à Raúl. Fidel Castro se marie deux fois et connaît de nombreuses maîtresses. On lui attribue plus de dix rejetons, légitimes et illégitimes…

Les débuts dans la vie de Fidel Castro sont chaotiques et le marquent durablement. Sa mère est une grenouille de bénitier, mais pas vraiment un modèle de vertu ni de fidélité. Son père est un homme violent et inculte originaire de Galice et qui a fait fortune à Cuba. Le petit Fidel voit le jour alors que sa mère n'est encore que la maîtresse de son père et, accessoirement, sa cuisinière. Fidel est donc un bâtard qu'il faut cacher pour éviter tout scandale. Il est même placé dans une famille, à l'abri des regards. Son père ne le reconnaîtra qu'en 1943 : il a 17 ans. Pas étonnant, dès lors, que Fidel ait quelques *a priori* sur la famille.

« Fidel est notre papa », s'écrie Raúl Castro devant un parterre d'officiers, en juin 1989, trente ans après la révolution cubaine... C'est bien l'image que le *Lidér Máximo* veut imprimer dans l'imaginaire de son peuple et du monde : son unique compagne est la nation cubaine et ses enfants les Cubains, évidemment.

Fidelito, ballotté entre son père et sa belle-famille

Fidel s'essaye tout de même à la vie maritale. En 1948, il épouse Mirta Díaz Balart, issue d'une famille qui deviendra très influente sous le régime de Batista. L'année suivante, Fidel devient l'heureux père d'un petit garçon, Fidelito, ce qui le rend fou de joie. Mais Mirta, mariée à Fidel bien avant les débuts de sa lutte contre la dictature, est loin de partager les convictions révolutionnaires de son mari. En juillet 1953, pour l'attaque de la caserne Moncada, à Santiago de Cuba, qui fait des dizaines de victimes, Fidel est condamné à quinze ans de prison. Il est amnistié en 1955, à peine dix-neuf mois après. Au Congrès de la république cubaine, une seule voix s'oppose à la clémence accordée par Batista : celle de Rafael Díaz Balart, membre influent du gouvernement et… beau-frère de Fidel ! C'est donc sans surprise pour personne que Mirta demande le divorce en 1953. Elle obtient facilement la garde de leur enfant, dont Fidel s'est bien vite désintéressé, et s'installe provisoirement à Miami avec lui. Fidel ne l'entend pas de cette oreille, il veut finalement récupérer son fils, plus par crainte de l'influence politique de sa belle-famille sur lui que par véritable amour paternel. L'infortuné Fidelito connaît alors trois enlèvements : ses parents se l'arrachant à tour de rôle. Fidel demande d'abord à son ex-femme de lui confier Fidelito pour deux semaines. Celle-ci finit par accepter. Grossière erreur ! Fidel refuse de le lui rendre. Mais plutôt que de s'en occuper, il préfère le confier à des amis proches. Désespérée, Mirta organise à son tour l'enlèvement de son fils. En 1956, lors d'une promenade dans un parc à Mexico, trois hommes armés kidnappent Fidelito pour le rendre à sa mère. C'est Fidel qui finit par récupérer l'enfant définitivement en 1959, une fois sa guérilla et sa révolution achevées.

Fidel entrevoit un grand avenir pour Fidelito. Le dirigeant cubain s'affiche naturellement avec lui devant les photographes. Ils jouent même aux petits soldats dans la suite qu'il occupe à l'hôtel Hilton (aujourd'hui hôtel Habana Libre) de la capitale juste après la prise du pouvoir. Mais très vite, Castro cherche à le faire oublier et on ne reverra quasiment plus Fidelito dans les médias. D'autant que, dès janvier 1959, Raúl, le demi-frère de Fidel, est désigné comme l'hériter officiel au cas où il lui arriverait malheur. Selon Juan Reynaldo Sánchez, un ancien officier de l'escorte personnelle du *Comandante,* Fidelito habite davantage chez Raúl dont il se sent plus proche que chez Fidel. C'est d'ailleurs sous le pseudonyme de « José Raúl » que Fidelito est envoyé à l'université Lomonossov à Moscou faire ses études supérieures. Plusieurs officiers du KGB sont chargés de sa sécurité.

De retour au pays, Fidelito est nommé au poste de directeur de la Commission à l'énergie atomique. Mais il est rapidement renvoyé pour des raisons obscures. Son père manœuvre dans l'ombre. Finalement, Fidelito est placé en résidence surveillée à la fin des années 1990. Depuis plus de quarante ans, Fidelito, le fils aîné légitime, l'héritier auquel rêve tout bon dictateur, est l'otage de son père. Peut-être parce qu'il a osé maintenir des liens avec sa mère, exilée à Madrid depuis 1959, mais qui, depuis 2006, date de la maladie de Fidel, effectue de longs séjours à Cuba ?

Pourtant, à 65 ans, Fidelito reste ce qu'il a toujours été : un bon fils écrasé par la figure tutélaire du *Líder Máximo.* Pas rancunier, il n'a cessé de vouer un culte sans réserve à son père tout-puissant. Il cherche même à le copier jusque dans son physique, en se laissant pousser la barbe.

Et il s'abstient bien de manifester la moindre critique. Impossible au final de savoir si tout ceci est sincère ou si Fidelito cherche simplement à éviter les problèmes…

Alina, l'épine dans le pied du Líder Máximo

Alors qu'il est encore avec sa première femme, Mirta, Fidel rencontre Naty Revuelta qui est déjà mariée. De leurs amours passionnées et clandestines naît Alina Fernández en 1956, que Fidel ne reconnaît pas. « Un bâtard, comme moi » et une « fée sublime et lointaine » selon les propres mots d'Alina. Un couple impossible, écrasé par les exigences du pouvoir, à l'ombre duquel elle grandit. Le mari de Naty, le docteur Fernández, accepte d'endosser la paternité de l'enfant, mais il s'exile très vite aux États-Unis pour échapper au régime. Afin de s'assurer qu'elle est bien sa fille, Fidel envoie l'une de ses demi-sœurs examiner le bébé. Des grains de beauté et une tache derrière le genou lui confirmeront qu'Alina est bien une Castro. Une fois rassuré, Fidel vient la voir de temps en temps, sans qu'elle sache qu'il est son père. À 10 ans, la nounou d'Alina lui dévoile la vérité, et sa mère ne peut alors que confirmer l'aveu : elle est bien la fille de Fidel. « Sur le moment, j'étais soulagée de ne pas être la fille d'un *gusano*, un "ver de terre", comme disent les castristes au sujet des exilés, déclare Alina. On ne peut pas dire que Fidel était un père absent. On le voyait en permanence à la télévision… » ajoute-t-elle ironiquement. En réalité, Fidel voit sa fille de temps en temps, au gré de ses humeurs. Il l'oublie puis se souvient soudainement de son existence et se manifeste, à sa façon. Un jour, il décide ainsi de lui offrir un cadeau pour son anniversaire : il lui tend brutalement une poupée le représentant, lui, en treillis vert olive ! Mais il ne l'embrasse pas et ne le fera d'ailleurs jamais.

Si Alina voit très peu son vrai père, elle a pourtant droit à des privilèges rares. Elle peut ainsi suivre une partie de ses études en France dans un pensionnat de Saint-Germain-en-Laye quand sa mère est envoyée à Paris comme diplomate à l'ambassade de Cuba. Elle y apprend le français qu'elle maîtrise toujours parfaitement. De retour à La Havane, Alina intègre une école fréquentée par les enfants de la nomenklatura. Elle se sent mal à l'aise dans cette école de privilégiés, dans cette atmosphère de faux-semblant, au point que la rebelle annonce à son père, du haut de ses 14 ans, son intention de quitter le pays. Fidel lui refuse ce droit, bien entendu. Mais elle est bien « décidée à ne pas vivre dans un endroit fermé, isolé, sans livres, sans presse libre, sans vêtements, sans fantaisie, sans argent, entourée de mouchards et où il fallait attendre trois heures sur un trottoir pour obtenir un morceau de pain », comme elle le dit dans une interview. Alina demande de l'aide à Raúl, le demi-frère de Fidel, « toujours disponible pour la famille ». Petit à petit, le doute s'installe dans l'esprit de la jeune fille. Des camarades d'école, des amis et des connaissances lui font parfois parvenir des lettres pour qu'elle les transmette à son père. Curieuse, Alina finit par lire ces messages à Fidel ; elle découvre alors toutes les doléances de l'île. « Les gens me prenaient pour un messager. C'était l'autre côté de la médaille. »

Finalement, ce qui devait arriver arriva : sa mère, Naty, tombe en disgrâce. Cette dernière a beau s'accrocher au Parti et travailler sans relâche dans les ministères du régime, elle est écartée. « Les Castro la traitaient beaucoup mieux quand elle était la putain du barbu que quand elle devint l'ex-chérie du Commandant », écrit Alina, en 1998, dans son autobiographie (*Fidel, mon père*, publiée chez Plon). Elle a alors du mal à supporter la « double morale » venant de sa propre famille, qui reconnaît son existence tout en délaissant sa mère. Alina reste en effet aux yeux de tous « la fille de ». Même si, incapable de la moindre émotion, du moindre geste de tendresse envers Alina, comme envers tous ses enfants d'ailleurs, Fidel l'oblige à l'appeler *Comandante* et surtout pas « Papa ». Alina a bien retenu la leçon : aujourd'hui, elle l'appelle « Castro » !

Durant des années, Alina, la fille non reconnue, va tout faire pour réveiller l'instinct paternel de Fidel. En vain. Elle a beau multiplier les frasques, Castro ne réagit pas. Mais, jamais à une contradiction près, Fidel est jaloux et possessif avec sa fille. Ainsi, dans les années 1980, quand Alina tombe amoureuse d'un conseiller diplomatique mexicain et veut voyager autour du monde avec lui, son père reste inflexible : elle ne quittera jamais le territoire avec un « étranger ». Il a bien trop peur qu'elle ne revienne jamais. Elle épouse alors clandestinement son Mexicain. Mais en quelques semaines, le mari, effrayé, constamment surveillé par les services secrets castristes, s'enfuit de Cuba. Alina, sous la coupe de ce père absent mais tout-puissant, enchaîne les dépressions nerveuses et souffre d'anorexie, à tel point qu'elle ne pèse bientôt plus que 40 kilos.

Alina se remet doucement. Elle travaille comme mannequin à La Havane. Et en 1993, enfin, elle ose l'impensable. Elle embarque clandestinement, affublée d'une perruque et prenant l'accent espagnol, à bord d'un avion de la compagnie Iberia, direction Madrid. Son évasion est préparée minutieusement par une organisation exilée en Espagne, ainsi que par l'ancien prisonnier politique Armando Valladares, qui a réussi à quitter l'île après plus de vingt ans derrière les barreaux. La fille d'Alina, surnommée Mumín, quittera Cuba plus tard après une campagne internationale en sa faveur.

Des années d'exil plus tard, Alina s'installe à Miami, au cœur de *Little Havana*, le quartier historique de l'anticastrisme. Depuis Miami où elle vit toujours aujourd'hui, elle s'exprime régulièrement dans la presse et à la radio. Elle affiche des positions violentes contre le régime et parcourt le monde pour réclamer la démocratie dans son pays. Elle n'hésite pas à accuser son père et son oncle d'être les responsables de la tyrannie qu'ils font subir aux Cubains. De tous les enfants de Fidel, c'est bien la seule qui a osé et ose toujours tenir tête ainsi au paternel !

Alina est tout de même rentrée à Cuba au cours de l'été 2014 pour rendre visite à sa mère mourante, ce qui lui a été reproché par une partie des exilés : innombrables sont ceux, en effet, qui n'ont jamais obtenu l'autorisation de revenir pour voir une dernière fois leurs parents en fin de vie.

Des garçons à l'ombre de leur père

Contrairement aux autres maîtresses du *Comandante* et après vingt ans d'une liaison secrète, Dalia Soto del Valle a l'honneur de devenir la femme officielle de Fidel en 1980. Avec elle, il a cinq garçons : Alexis, Alex, Alejandro, Antonio et Ángel. Systématiquement, les prénoms des enfants de Fidel (excepté Fidelito, le premier) commencent par la lettre « A ». Peut-être parce que Fidel signait « Alejandro » certains de ses articles dans la presse vers la fin des années quarante ? Ou bien est-ce une allusion à son admiration sans bornes pour Alexandre le Grand ? Toujours est-il que ses fils reconnus, malgré la référence historique, ne sont pas promis à un destin exceptionnel, loin s'en faut. Ils sont au contraire condamnés à rester dans l'ombre de leur illustre géniteur.

Alexis et Alejandro, tous deux anciens étudiants en informatique, aujourd'hui quinquagénaires, se consacrent aux affaires. Des positions extrêmement lucratives pour eux car dans ce pays communiste, c'est l'État, c'est-à-dire le clan des Castro en personne, qui contrôle toute l'activité économique. Alex est quant à lui devenu le photographe officiel de son père, diffusant les rares photos actuellement permises de Fidel en survêtement, et organisant une exposition de ses clichés familiaux à Mexico. Antonio a pour sa part choisi la médecine. Ce chirurgien orthopédiste, grand sportif, vainqueur d'un tournoi de golf à Cuba, a parfois veillé sur la santé de son père. Notamment lorsqu'il l'accompagnait pendant ses discours en public. Antonio est désormais en charge de la Fédération cubaine de base-ball. À l'occasion, il s'occupe de la santé des sportifs cubains à l'étranger. On a même pu l'apercevoir lors des Jeux olympiques de Londres en 2012. Ángel, enfin, travaille dans le secteur automobile, comme représentant à Cuba d'une marque étrangère. Bref, pas d'appétit pour le pouvoir, pas d'envie irrépressible de commander à l'horizon chez ces cinq gaillards.

Fidel Castro a eu de nombreuses maîtresses. L'histoire d'amour qu'il a vécu avec l'Allemande Marita Lorenz a peut-être donné naissance à un petit garçon : Andrés. Fidel rencontre Marita alors que le bateau sur lequel elle voyage avec son père fait escale à Cuba en 1959. Elle a à peine 19 ans et tape rapidement dans l'œil du *Comandante.* Installée à l'hôtel Habana Libre, au QG de Castro, elle devient sa secrétaire particulière. Un flou artistique entoure ensuite leur histoire au moment où Marita tombe enceinte. Son bébé lui est-il retiré après un accouchement prématuré ? A-t-elle dû avorter à 6 mois de grossesse comme certains l'affirment ? De retour aux États-Unis après leur séparation, Marita a ensuite été recrutée par la CIA pour commettre un attentat contre Fidel qu'elle n'a finalement pas eu le courage de mener à son terme, trop amoureuse du barbu au cigare.

Fidel a toujours préféré maintenir ses fils à l'écart de la scène publique. Il ne veut pas leur transmettre le virus du pouvoir, de la toute-puissance. Il n'a pas confiance en eux. Il n'a ni le temps ni l'envie de les former comme de vrais communistes disciplinés, étant lui-même trop brouillon et trop impulsif pour être capable de la moindre discipline.

Elián, l'enfant symbolique

Incapable de construire une famille un tant soit peu soudée, Fidel préfère se concentrer sur son rôle de protecteur bien-aimé de la nation, de ce peuple qui, pourtant, voit son unité malmenée par des vagues incessantes d'exils massifs. Jamais Fidel ne s'est senti responsable de cet exode qui a vu plus de deux millions de ses compatriotes fuir le pays par n'importe quel moyen, le plus souvent au péril de leur vie, sans espoir de retour. Ils partent pour s'établir n'importe où – la plupart aux États-Unis, principalement en Floride, le plus près possible de leur île natale.

En novembre 1999, l'une de ces expéditions vers le Nord parvient à attirer l'attention de l'opinion publique mondiale. Une embarcation faite de bric et de broc, une *balsa*, avec à son bord près d'une vingtaine de personnes, chavire. Il y a trois survivants : parmi eux, le petit Elián González, 6 ans, dont la mère et le beau-père perdent la vie dans cette tentative de fuite éperdue. Elián, miraculeusement sauvé des eaux, est recueilli par des pêcheurs américains et confié par les autorités à des membres de sa famille paternelle établis à Miami depuis plusieurs années. Ceux-ci entendent le garder et l'empêcher d'être rapatrié dans l'île, respectant ainsi la volonté de sa mère, qui s'est sacrifiée pour sa liberté. Le père, Juan Miguel, resté à Cuba, commence alors à réclamer son enfant.

Mais est-ce vraiment son père qui le réclame ? On voit beaucoup le Commandant en chef haranguer la foule, avec le père biologique assis au premier rang, tenant un petit drapeau cubain dans sa main mais désespérément muet. Fidel Castro réclame le retour à Cuba du petit Elián, désormais tiraillé entre les deux parties de sa famille paternelle, celle de l'intérieur et celle de l'exil. L'enfant devient un symbole. Des manifestations, paralysant pratiquement le pays et mobilisant des centaines de milliers de personnes, se déroulent tous les jours pendant près de six mois devant la Section d'intérêts nord-américains (qui fait office d'ambassade des États-Unis, les liens diplomatiques étant officiellement rompus depuis janvier 1961). Il s'agit de démontrer la « paternité » du régime sur l'enfant. Fidel veut affirmer son pouvoir absolu sur tous les Cubains, même ceux qui ont quitté le territoire national, ces exilés qui, selon lui, ont été trompés par la « propagande impérialiste ». Il finit par obtenir gain de cause. Après de multiples procès devant différentes juridictions américaines, l'administration Clinton décide de rendre l'enfant à son père biologique. Le petit Elián González est brutalement enlevé du domicile de sa famille adoptive à Miami, en avril 2000, et rentre donc à Cuba.

Très vite, il devient un enfant modèle, emblématique des batailles imaginaires de la révolution. Il assiste aux discours de celui qu'il appelle *abuelo* – « grand-père ». Il est éduqué dans une école militaire et apprend rapidement à prononcer à son tour des discours révolutionnaires dans lesquels il attribue la mort de sa mère aux manœuvres de l'« impérialisme américain ». Elián ne se prive pas non plus de réclamer la libération par les États-Unis de cinq « héros » castristes, des espions en réalité, lourdement condamnés par des tribunaux pour avoir infiltré des organisations cubaines de l'exil et avoir provoqué la mort de plusieurs de ses membres. Cependant, dans sa voix et dans ses gestes, il demeure l'enfant traumatisé par la disparition de ses compagnons d'infortune et de sa propre mère, ceux qui, à bord d'une *balsa,* ne sont plus jamais revenus.

Fidel Castro délaisse ainsi sa progéniture naturelle pour créer un enfant « nouveau », élevé dans les écoles et les campements de « pionniers », là où les gamins en uniforme doivent répéter tous les matins en saluant le drapeau, une main sur le front : « Pionniers pour le communisme, nous serons comme le Che ! » Ce qui motive Fidel, ce sont les jeunes générations, plus malléables en principe (en principe seulement, car celles-ci se détournent de plus en plus des lubies du régime) que les citoyens qui ne voient en lui qu'un vulgaire tyran. Des citoyens qui adoptent le précepte de Francesco Guicciardini, l'ami de Machiavel, que le *Líder Máximo* a dû étudier : « Pour échapper à un tyran bestial et cruel, il n'est règle ou remède qui vaille, hormis celui dont on use contre la peste : fuir, le plus loin et le plus vite possible. »

Cependant, aux yeux de Fidel, le seul dirigeant susceptible de lui succéder a toujours été celui qui a partagé ses combats et mené d'une main de fer la construction d'une société communiste, sans avoir besoin d'apparaître au premier plan ni de prononcer d'interminables discours : Raúl Castro, son demi-frère.

Raúl, le successeur

Raúl et Fidel sont tellement différents ! On voit bien qu'ils n'ont pas le même père, ce n'est un secret pour personne à Cuba – leur mère ayant eu quelques aventures avec des soldats de la garde rurale. D'ailleurs tout dans leur physique les sépare. Fidel est un géant barbu, parfaitement sûr de lui. Il ne cédera le pouvoir, en 2006, que contraint par la maladie. Raúl est, dans un premier temps, président des Conseils d'État et des Ministres par intérim ; en 2008, il sera définitivement « élu » à ce poste. Il est, quant à lui, plutôt un freluquet aux yeux bridés, affublé d'une petite moustache. Une vieille photo, datant des années 1930, montre les trois garçons de la famille Castro – l'aîné des trois se nomme Ramón – en uniforme dans un collège de jésuites. Ramón et Fidel, qui se ressemblent comme deux gouttes d'eau, entourent le plus petit, Raúl. Fidel a toujours été pour lui le grand frère, le plus costaud. Il domine Raúl en tout.

Ramón ne s'intéresse guère à la politique. Il a la passion des animaux, héritée de la ferme que dirigeait le patriarche, le Galicien Ángel Castro. Fidel est un casse-cou, un sportif qui apprend aussi l'art oratoire, mais qui se dédiera plus tard également à des expériences de croisements génétiques improbables entre les animaux, particulièrement entre les bovins, une passion qui l'accompagnera tout au long de ses longues années de pouvoir. Raúl, pour sa part, s'intéresse davantage à la poésie, puis au communisme, et déteste la discipline imposée par les jésuites, accompagnée d'incessantes prières.

Contrairement à Fidel, Raúl a toujours veillé à maintenir sa famille unie. Il est capable de pardonner à Fidel sa vie particulièrement dissolue. Raúl a d'ailleurs le pardon plus facile que son demi-frère. Ainsi, avec le caporal Mirabal, dont on dit qu'il pourrait être son père biologique : l'intervention personnelle de Raúl, contre la volonté de Fidel, permettra au caporal d'éviter le peloton d'exécution, une chance rarissime en 1959, l'an I de la révolution, et jusqu'à récemment encore. Sa peine sera commuée ; il mourra en prison.

C'est Raúl aussi qui permet à Juanita, l'une de ses sœurs qu'il adore, de quitter Cuba en 1964. Pourtant celle-ci collabore avec l'opposition clandestine en aidant des contre-révolutionnaires à s'opposer au pouvoir communiste. Elle est alors aidée par la CIA. En exil à Miami – où elle a longtemps possédé une « pharmacie » dans laquelle nombre d'anticastristes militants allaient faire leurs achats –, elle n'a cessé d'accuser Fidel d'avoir détruit sa propre famille et son pays, avant de se rendre, en 2006, au chevet de son frère malade.

Raúl finit par s'émanciper. Depuis qu'il a officiellement pris les rênes du pouvoir en février 2008, il a parfois osé se moquer de son aîné, de ses discours-fleuves et de ses appels téléphoniques, « peu nombreux, heureusement ». Il assume seul l'exécutif. Contrairement à son aîné, dont le caractère impulsif, colérique et imprévisible a fortement rejailli sur sa progéniture, Raúl a su imposer au sein de la famille qu'il a créée une vraie discipline. Cela lui permet aujourd'hui de pouvoir mettre en avant certains de ses enfants dans le cadre d'une éventuelle succession. La plus tardive possible, bien sûr. Raúl Castro a davantage les pieds sur terre que son demi-frère. Discipliné, cruel, militant communiste (stalinien) depuis toujours, Raúl a besoin de la cellule familiale pour le soutenir dans ses moments de dépression et de beuveries, dont il est coutumier. Sa femme, Vilma Espin, meurt le 18 juin 2007. Il ressent sa perte comme un coup du destin irréparable, au moment où il a le plus besoin d'elle, alors qu'il a la totalité du pouvoir à sa charge. Et puis, il n'a entièrement confiance qu'en la famille, son clan.

C'est son petit-fils, Raúlito, qui lui sert de garde du corps pour le protéger d'un éventuel attentat, qu'il craint par-dessus tout, raréfiant ses sorties en public. Nombre de militaires cubains ne lui pardonnent toujours pas l'exécution en 1989 des quatre officiers supérieurs qui avaient été ses subordonnés dévoués, lors des interventions militaires en Syrie (au moment de la guerre du Kippour, en 1973) ou dans les camps palestiniens du Sud du Liban, en Afrique ou encore en Amérique latine (au Nicaragua ou à Grenade) et sur de nombreux autres théâtres d'opérations planétaires. C'est pourquoi il place ses rejetons – principalement Alejandro et, de manière plus visible, sa fille Mariela – à des postes stratégiques, de surveillance de ses propres troupes notamment.

Mariela joue le rôle de la femme apportant une certaine ouverture à Cuba. Depuis qu'elle est apparue sur la scène publique, l'identité sexuelle de Cuba n'est plus tout à fait la même. Ce pays qui a fait de l'« homme nouveau » prôné par Che Guevara son idéal, ce pays où des dirigeants communistes pouvaient affirmer à propos des homosexuels : « Ce n'est pas le genre d'hommes que nous voulons », ce pays où Fidel pouvait désigner impunément les homosexuels à la vindicte populaire en se moquant de leur façon de s'habiller ou de marcher – les faisant même enfermer dans des camps de travail et de rééducation – est désormais un endroit où les homosexuels du monde entier ont acquis droit de cité. Sous la protection de Mariela, ils organisent même réunions et défilés tout à fait officiels.

Le fils de Raúl, Alejandro Castro Espín, est lui aussi promis à un bel avenir. Né en 1965, il a suivi la voie tracée par son père. Extrêmement discret jusqu'à très récemment encore, il combat en Angola, lors des guerres menées entre 1975 et 1988 par le corps expéditionnaire cubain. Alejandro y perd d'ailleurs un œil. Du fait de ses bons et loyaux services, il a occupé un poste stratégique dans l'organigramme du pouvoir : celui de directeur des services de renseignement du ministère de l'Intérieur. Ainsi, Raúl a verrouillé ce secteur fondamental dans un État régi par la surveillance et la délation, et paré à d'éventuelles conspirations contre son pouvoir et celui de son aîné. À présent, Alejandro est en charge de la lutte contre la corruption, ce qui lui permet d'écarter quiconque prétendrait s'enrichir un peu trop et acquérir une position trop influente au sein de la nomenklatura. Alejandro est placé en orbite pour la succession, même s'il ne s'agit encore que d'une éventualité. Il ne fait guère de doute que le seul moyen pour conserver les « acquis » de la révolution et pour ne pas la voir trahie, c'est que le pouvoir demeure au sein de la famille. Aujourd'hui, Raúl incarne et exerce le pouvoir. Une forme de revanche sur Fidel. À l'extérieur du pays, on ne connaissait que l'image du géant barbu. C'est à présent au tour de Raúl Castro – et plus tard, peut-être, de sa progéniture – d'occuper le devant de la scène.

Deux « Doc » pour Haïti…

Par Catherine Ève Roupert

« Patrie exquise et décevante où trônent le printemps, l'amour et l'épouvante », Haïti est la première dictature héréditaire des Caraïbes. François Duvalier y prend le pouvoir en 1957, deux ans avant son voisin cubain, Fidel Castro. Président « à vie », Duvalier qui se fait appeler « Papa Doc » reste à la tête du pays près de quatorze ans, jusqu'à sa mort. Il y instaure un régime de terreur en s'appuyant sur la milice des Tontons Macoutes. Son fils, Jean-Claude, lui succède alors qu'il n'a pas 20 ans. Il sera « Baby Doc » et continuera l'œuvre dévastatrice de son père pendant près de quinze ans. À sa chute en 1986, Haïti est un pays ruiné : les élites ont fui et les caisses sont vides.

Dans le cercueil gît François Duvalier serré dans son éternel costume noir, égayé pour la circonstance de ses rubans, sautoirs et multiples décorations. Le président à vie d'Haïti, « Grand Électrificateur des Âmes », prophète vaudou et tyran taciturne n'a plus que la peau et les os sous la vitre qui protège l'assistance de sa dépouille en ce printemps 1971, le 21 avril. Son visage émacié disparaît derrière d'énormes lunettes aux verres en cul de bouteille qui semblent scruter l'au-delà.

Boudiné dans un frac, Jean-Claude Duvalier, son fils unique de 19 ans, jette sur le corps en bière de son père l'ombre portée de sa grosse silhouette d'enfant gâté ; c'est « Baby Doc », comme l'appellent désormais les Haïtiens. À ses côtés, sa mère, Simone Ovide Duvalier, est fichée en terre comme une longue chandelle faite de voiles noirs. Les trois belles Mulâtresses en grand deuil, endimanchées de feutre et de crêpe sont ses trois filles : Marie-Denise, Nicole et Simone. Elles sont cernées par les casquettes, visières, épaulettes et lunettes noires des militaires en uniforme et des Tontons Macoutes en rangs serrés.

« Maman Simone » n'a pas lésiné sur la dépense en commandant un solide mausolée à une entreprise française pour l'époux qu'elle conduit enfin en terre. Adepte du vaudou comme son défunt mari, elle sait qu'il faut bien l'enfermer entre béton et parpaings pour qu'il ne revienne pas hanter les vivants : rien ne doit être volé du corps du vieil épouvantail à des fins de magie noire. Il faut faire vite ; demain est un 22, le chiffre fétiche des Duvalier depuis que Papa Doc a été élu président, un beau jour de septembre 1957, le 22 précisément. Le temps presse pour une transition préparée depuis plusieurs mois : la liste des ministres et des hommes clefs a été déterminée par le vieux Doc lui-même au seuil de la tombe. Subsiste une interrogation de taille : qui va lui succéder ? Marie-Denise, une belle trentenaire ou Jean-Claude, un vieil adolescent ? Marie-Denise est l'aînée des quatre enfants, Jean-Claude le petit dernier, le seul mâle de la lignée. Si Jean-Claude est né dans le satin en 1951, il n'en est pas de même de ses trois sœurs, dans la décennie qui a précédé. Dix ans pour quatre enfants ; dix ans pour passer de la crasse au satin.

De François Duvalier à Papa Doc

Leur père, François Duvalier est né en 1907 dans le quartier « Bas-peu-de-chose » de la capitale Port-au-Prince. Il est le fils de Duval Duvalier, le petit-fils de Florestal Duvalier, des Français de Martinique originaires du bourg du Lorrain. Professeur des écoles, le père de François est révoqué par son administration au motif qu'il est français de droit, précipitant sa famille de la petite bourgeoisie à la misère. François Duvalier poursuit néanmoins des études secondaires, travaille dur et sort diplômé de l'école de médecine. Sa carrière commence en 1934 comme médecin itinérant ; le citadin qu'il est acquiert là une connaissance intime du pays profond et des Haïtiens des campagnes.

Simone Ovide, leur mère, a des origines plus obscures. Née vers 1913, elle est la fille illégitime de Jules Faine, un Mulâtre, marchand aisé de Léogane, et de l'une de ses servantes. Confiée à un orphelinat des quartiers aisés de la capitale, Simone Ovide est infirmière lorsqu'elle rencontre le docteur François Duvalier. Fallait-il qu'elle soit belle pour qu'en 1939 il condescende à un mariage qui ne lui apporte aucune avancée sociale ! Elle a un visage sculpté d'Amérindienne et surtout la peau claire, ce qui lui donne presque une particule dans ce pays où la peau blanche est gage de noblesse. Elle a un port de reine, ce qu'elle rêve de devenir, et elle domine François de quelque vingt centimètres. Il a l'ambition chevillée au corps et elle a des revanches à prendre : ils sont faits l'un pour l'autre, à défaut d'être physiquement assortis.

François Duvalier est intégré à un programme d'éradication des maladies de l'extrême pauvreté qui sévissent en Haïti, programme soutenu par les États-Unis, et envoyé à l'université de Michigan de 1944 à 1945. Une année pour être marqué au fer rouge par la morgue des étudiants et par le racisme des Américains ; une blessure dont il ne guérira jamais, mais dont il va faire une arme.

De retour au pays, il défend l'idée qu'en Haïti la lutte des classes s'illustre par la lutte entre les Noirs et les Mulâtres. Il se rapproche des militants de la cause noire, se passionne d'ethnologie et commence à écrire dans des revues nationalistes. En 1946, il participe à la fondation du Mouvement des ouvriers paysans. Auréolé de ses réussites sur le terrain, notamment dans sa lutte contre une épidémie de pian, le désormais « Bon Papa Doc » est un atout pour le gouvernement grâce à la connaissance intime qu'il a du pays, de sa culture et du vaudou. Sa popularité le fait rapidement repérer du président Dumarsais Estimé qui le nomme directeur de la Santé publique ; enfin en 1949, il devient ministre de la Santé et du Travail.

À l'ombre des jupons

C'est dans ce nid douillet que naît Jean-Claude, entouré du caquetage de sa mère et de ses trois sœurs, les quatre premières femmes de sa vie qui le dorlotent, le choient, le gâtent, s'amusent de lui comme un poupon vivant et l'enferment dans le carcan de leur amour de mantes religieuses. Papa Doc ne vivant pas vraiment avec sa famille, Marie-Denise, en fille aînée et femme de caractère, occupe l'espace laissé libre par son père : elle est très protectrice à l'égard de Baby Doc pour lequel elle a beaucoup d'affection.

Son père, Jean-Claude le voit rarement ; et quand il est là, sa mère ne cesse de se plaindre et lui réclame toujours plus. Combien d'années se sont-ils empoignés pour cette machine à laver que Simone Ovide voulait comme la reconnaissance d'un statut ? Papa Doc n'a pas le coffre de lui répondre avec sa voix sourde et son souffle court ; alors il la frappe. Pas étonnant que Jean-Claude soit terrorisé par son père que ce benêt de fils déçoit.

En 1957, Jean-Claude a 6 ans et son papa est président. Sitôt élu avec 69,1 % des voix, François Duvalier décolore ses cheveux noirs pour qu'ils deviennent blancs et gagner ainsi en respectabilité. Jean-Claude a l'impression d'avoir troqué un père pour un grand-père. Les murs du palais national où ils demeurent désormais se font plus que jamais l'écho des violentes empoignades du couple présidentiel : car si maman crie, papa cogne. Les disputes de ses parents ont maintenant plus d'espace pour retentir et plus d'oreilles pour les entendre. Mais il n'est plus question de machine à laver : Simone Ovide veut sa part du gâteau.

Pour l'instruction de Jean-Claude, c'est finalement Maman Simone qui l'emporte : il est inscrit chez les méthodistes dans le prestigieux Nouveau Collège Bird. Les jeux de billes dans les caniveaux ne sont pas pour lui : il est toujours vêtu de frais dans des vêtements de prix qu'il s'efforce de garder propres pour plaire à maman. Avec ses trois sœurs, il va à l'école en voiture de fonction, entouré de gardes du corps.

Un fils unique comme un zombi

Mai 1959, Papa Doc vient d'être fauché par sa première attaque cardiaque. Il a survécu aux rumeurs sur son illégitimité de président au motif qu'il serait français d'origine, à la tentative de coup d'État de Clément Jumelle de 1958 ainsi qu'à l'état de siège qu'il a instauré en s'arrogeant les pleins pouvoirs. À cette date, il termine la création de la milice des Tontons Macoutes. Le crâne qu'il a volé dans le cercueil de Clément Jumelle lui a servi à conjurer les mauvais esprits dans une cérémonie vaudou dont les battements de tambours ont fait vibrer les murs du palais national ; mais ce larcin n'a pas suffi à le prémunir contre les coups de boutoirs de la maladie.

Jean-Claude va sur ses 8 ans. Le petit garçon ne comprend rien à la violence qui suinte des lambris du palais national. Il est pétrifié et entend sans entendre. Pour se protéger, il se blinde, mange et grossit. Comme manger le rassure, il se gave, avale tout ce qu'il trouve et épaissit chaque jour un peu plus.

En 1961, Jean-Claude figure pour la première fois sur une photo officielle. Il a 10 ans. Le crâne ras, la mine bouffie, le ventre tendu sous une chemise qui flotte, il a le regard vide au milieu de militaires en uniformes et à côté de Papa Doc, l'arme au poing. Personne ne voit le gamin ni ne le regarde ; il n'existe pas. En 1964, à 13 ans, pour la photo du second mandat de son président de père, il est un joli petit monsieur tout de blanc vêtu aux côtés de sa sœur Nicole. Un *teenager* balourd et mal dégrossi qu'on a trop gâté, qu'on a oublié d'élever. Abasourdi, égaré, ailleurs. À cette époque, sa sœur, Marie-Denise, n'est plus là pour le rassurer, le soutenir avec cette force dont il a tant besoin ; elle va de bras en bras et préfère ceux d'un capitaine de l'armée qu'elle veut faire divorcer afin de l'épouser. Jean-Claude est seul et désormais il boit. Le whisky lui donne l'assurance qu'il n'a pas et trompe son ennui. Les femmes qu'on lui amène et les éphèbes qu'on lui offre défilent sans qu'il s'en souvienne et trompent son angoisse. Il est énorme et sans forme, tout bardé de lard et grand comme une armoire.

À 19 ans, Jean-Claude n'a toujours rien d'un Duvalier : ni la figure de cariatide amérindienne de sa mère ni le corps vif et noueux de son petit teigneux de père. Jean-Claude, c'est une grande silhouette bonasse à la démarche gauche, à la voix sourde et mâchée. Il a depuis longtemps passé le quintal et pourrait presque faire peur s'il n'avait ce regard vide, ces traits mornes. Les affaires de l'État ne l'intéressent pas, il le sait : il baigne dedans depuis qu'il a 6 ans.

Marie-Denise, l'homme de la famille

Le 12 novembre 1970, avec cette nouvelle crise cardiaque, Papa Doc a un pied dans la tombe. À présent, il se sait perdu. La décision de sa succession devient urgente et il y travaille avec ses dernières forces. Va-t-il jeter un pavé dans la mer des Caraïbes et donner à l'Amérique latine sa première femme dictateur ?

Marie-Denise, sa fille préférée, c'est l'homme de la famille. Elle est bâtie en force comme sa mère avec le caractère trempé de son père ; gironde avec un tempérament de feu, elle se permet de goûter aux hommes que Papa Doc attire au pays pour y faire des affaires. « Regardez Marie-Denise, c'est elle qui tient les rênes ! » répond Papa Doc quand un journaliste ose lui parler de succession.

Intelligente et intrépide, Marie-Denise a la confiance totale du vieux Doc. Elle est tout à la fois généreuse et coriace ; des qualités qui manquent à Maman Simone pour se substituer à Duvalier dont la santé ne cesse de décliner. Elle n'a aucune formation politique et ne connaît rien des manigances du vieux Doc, mais possède un caractère trempé comme le sien. Elle s'est conciliée la famille et tous les fidèles. Elle a même réussi à décrocher pour Jean-Claude, qui rêvait de fuir la vie confinée du palais national, un voyage à travers l'Europe avec la bénédiction paternelle !

Mais Marie-Denise a toutefois un handicap de taille : elle est une femme… Et Haïti est un pays de mâles dominants. À leurs yeux, pour que vive le duvaliérisme, seul un homme à la tête du pays ferait l'affaire ! Brisé par la maladie, Papa Doc n'a plus la force d'imposer sa fille. Alors, qui pour succéder au vieux tyran ? Duvalier ne pense qu'aux siens : si ça n'est pas Marie-Denise, il ne reste plus guère que son fils unique, le petit dernier dont nul n'entend jamais parler, sauf pour s'en moquer.

Le palais de l'épouvante

Papa Doc lui répétait souvent : « Je suis parti de rien, de la crasse, de la chiennaille ». Mais lui, Jean-Claude, ne connaît que le palais national. Il a grandi dans cette grosse meringue immaculée de trois étages, labyrinthe inextricable de lieux mal éclairés et de salles hermétiquement fermées et il ne s'y plaît guère : il y croise des courtisans cauteleux qui font le siège de Maman Simone dans l'espoir de décrocher une faveur, et les inquiétants visiteurs de son père. Un ballet incessant de servantes balaie et pourchasse la moindre toile d'araignée tant Papa Doc est maniaque de propreté, lustrant tout de la salle du conseil des ministres à la salle des bustes – où la tête de tous les dirigeants du pays a été coulée dans le bronze –, jusqu'à la salle des glaces située dans l'aile nord du bâtiment – dont les volets demeurent fermés. François Duvalier y reçoit ceux dont il veut percer les pensées sécrètes. Cette salle est contiguë à la grande salle de bain. Jean-Claude sait, quand il sent flotter une odeur de cigare, que son père est dans sa baignoire aux robinets d'or et qu'il fume le havane quotidien qu'il s'accorde, seule concession à son voisin de Cuba. Papa Doc y passe des heures à tremper et à réfléchir, le téléphone à portée de main. Pour ne pas être totalement nu ce qui nuirait, selon lui, à sa dignité, il a sur la tête un chapeau haut-de-forme noir qu'il fait commander deux fois par an chez un chapelier parisien.

Mais c'est le bureau de son père, ou plutôt l'antre où il travaille, qui fait tout particulièrement peur à Jean-Claude, moins pour le vertige que donnent les immenses cartes d'Haïti et du monde toutes en couleurs criardes que pour le crâne de Clément Jumelle, l'opposant d'hier. Il trône sur une table de style Louis XV à côté d'un gros revolver et d'un téléphone au fil démesuré, le plus long de toute la Caraïbe et peut-être même du continent américain, afin que le combiné puisse être transporté dans toutes les pièces, même dans les toilettes.

Au rez-de-jardin, se trouve la chambre du sosie de son père qu'on surnomme « l'autre lui-même » et, au sous-sol, les salles d'interrogatoires que Papa Doc a fait installer et d'où montent au cœur de la nuit des hurlements et des supplications qui glacent le sang de Jean-Claude. Les Tontons Macoutes y abandonnent leurs prisonniers. Des brancardiers se faufilent avant l'aube derrière le sergent de garde pour évacuer les cadavres de ceux qui ont été « interrogés ». Papa Doc tient à ce que tout le monde sache que l'on torture les opposants dans le palais.

Dans cette atmosphère sombre et confinée qui sent l'hôpital et le médicament, Jean-Claude redoute de croiser le vieux Doc dont la santé chancelle entre hypertension, diabète et crises cardiaques. Le président hante les lieux comme un démon, vêtu de son immuable costume trois-pièces et de sa cravate de deuil sur une chemise de soie blanche, un chapeau de croque-mort lui tombant au ras des lunettes. Papa Doc aime cultiver sa ressemblance avec Baron Samedi, le gardien vaudou des cimetières. Le croiser épouvante Jean-Claude. Derrière lui, trottine comme son ombre, Fidélio, son valet en tenue chamarrée, un plateau à la main avec un verre d'eau et des boîtes contenant les médicaments. Comme Papa Doc sort rarement, les Haïtiens ignorent ses syncopes. Jean-Claude, lui, voit tout, mais il ne peut rien dire. Notamment cette paralysie qui empêche parfois son père d'articuler un mot et met des heures à se dissiper.

« *Tête de panier* »

Les week-ends, la famille gagne une de ses villas sur les hauteurs dans les beaux quartiers de Port-au-Prince ou hors de la ville, dont elle change régulièrement pour des raisons de sécurité. Jean-Claude a la sienne qui est voisine de la résidence de l'ambassadeur des États-Unis. Il y retrouve ses copains et organise des fêtes bien arrosées. Il se passionne pour la batterie ; il aime aussi les alcools forts, les belles filles, les jolis garçons, les concours de tir et les voitures de course italiennes. Il en a plusieurs que son père lui a offertes. Quand l'envie lui vient, il monte dans un de ses bolides. Le ministre de l'Intérieur fait alors dégager les abords, l'avenue Jean-Jacques Dessalines qui traverse la capitale de part en part, les artères adjacentes ; policiers et Tontons Macoutes dispersent la foule à coups de crosse ou de tirs en l'air pour dissuader les curieux. Jean-Claude peut atteindre 200 km/h en quelques secondes en traversant la ville jusqu'à la belle route du Nord où Papa Doc a fait asphalter quelques kilomètres de la piste pleine de nids-de-poule qui conduit jusqu'à Cap-Haïtien, deuxième ville de la République.

Toute l'audace de Jean-Claude passe au volant de ses voitures ; le reste du temps, il est introverti, timide et silencieux. Pourtant, il ne manque pas de courage. Ainsi en 1962, il n'a pas 11 ans quand il sauve un copain de classe d'un terrible interrogatoire au palais en allant le défendre auprès de Papa Doc ; le gamin avait imprudemment repris des propos entendus à la maison, critiquant Haïti. Un an plus tard, Jean-Claude est victime avec sa sœur d'une tentative d'enlèvement devant le Nouveau Collège Bird. Le chauffeur et trois gardes du corps sont tués sous ses yeux, mais sa sœur et lui sont saufs. Cette tentative déclenche une terrible colère de Papa Doc qui lance une vague d'assassinats, d'enlèvements et le massacre de nombreux officiers de l'armée, soupçonnés d'être des opposants. Plutôt que vivre tétanisé par la peur, Jean-Claude préfère ne pas y penser.

À 15 ans, il a sa carrure d'adulte et ose s'opposer physiquement à ce père tyrannique qui fait trembler tout un peuple en réalisant l'impensable : un jour, il l'empêche de battre sa mère en l'enfermant à clef pendant plusieurs heures dans une pièce avant de le libérer. Après l'attentat de 1963 au Nouveau Collège Bird, Jean-Claude est inscrit à l'Institut des frères de l'instruction chrétienne. Mais les études l'ennuient. Il comprend lentement, retient mal, parle peu ; sa silhouette d'haltérophile soufflé au beurre de cacahuète le gêne et ses copains le moquent. « Tête de panier » le surnomment-ils. Ses notes médiocres sont revues et corrigées par ses professeurs à l'aune de ce que son président de père attend ; elles le conduisent au seuil de l'université. « Tu dois connaître le droit », décide Papa Doc. Jean-Claude reçoit des cours particuliers des meilleurs juristes d'Haïti au palais, durant lesquels il s'assoupit. Qu'importe ; Jean-Claude trempe depuis son enfance dans le duvaliérisme. Sa phraséologie, ses arcanes sont l'air qu'il respire ; il a été élevé dans une machine parfaitement huilée. Pour une transition bien orchestrée, il n'aura qu'à se laisser porter… Le choix de Papa Doc est fait.

Haïti sans Papa Doc

Le 18 novembre 1970, pour la fête anniversaire de la bataille de Vertières, victoire décisive des esclaves révoltés sur les troupes coloniales françaises en 1803, Papa Doc s'efface derrière Jean-Claude. Celui-ci reçoit pour la première fois le salut militaire des forces armées d'Haïti. Le 2 janvier 1971, François Duvalier peut désigner son fils comme successeur officiel. Dans un tour de passe-passe constitutionnel, il a fait amender la Constitution, notamment pour ramener l'âge d'éligibilité de 40 à 18 ans avant de la faire ratifier par le peuple le 31 du même mois, lors d'un référendum qui lui donne 2 391 916 voix pour et zéro contre… Jean-Claude est ficelé, au pied du mur, et il prête serment le 22 avril 1971 ; il n'a pas encore 20 ans et il est désormais le plus jeune chef d'État au monde.

En héritage, il reçoit un pays muselé par la terreur et la « graisse des ténèbres », une armée sans tête après les innombrables purges qui l'ont privée des meilleurs officiers exterminés par Papa Doc, et une milice toute-puissante, les tristement célèbres Tontons Macoutes qui terrorisent et rançonnent le pays. Les élites qui ne se sont pas enfuies sont décimées. Les quatre grandes familles de la mafia américaine sont solidement implantées et les trafics de toutes natures prospèrent.

Devenir président à vie dans ce pays qui sent les geôles et le sang séché des chambres de torture, et reprendre le travail là où son père l'a laissé alors qu'il en ignore tout ? Jean-Claude refuse tout net. Il n'a jamais vraiment travaillé et ça n'est pas maintenant qu'il va commencer ! Pendant trois jours, il s'enferme dans ses appartements avec des bouteilles de whisky pour seule compagnie ; il ne veut pas être président à vie ! L'enjeu est de taille pour les duvaliéristes qui tremblent.

« Marie-Denise sera à côté de toi ! » l'assure Maman Simone. Elle-même s'occupera de tout avec ce cher Luckner Cambronne, le ministre de l'Intérieur. Toute la vieille garde duvaliériste de Papa Doc est là. « Luc Désyr reste ! », rajoute-t-elle. Comment se passer d'un si bon tortionnaire à la police secrète ? Gracia Jacques reste aussi, à la garde présidentielle, et surtout Adolphine conserve la tête des Tontons Macoutes. « Rien ne change. Tu n'auras qu'à faire ce qu'on te commandera. Maintenant, lis le discours qu'on a préparé pour toi. » Ânonner cette dernière envolée lyrique de son père pour continuer de vivre comme avant est dans ses cordes et Baby Doc revient à la raison. Dépourvu du charisme trouble de son père, Baby Doc jouit du bénéfice du doute. Il est jeune, sans passé, et, par son silence, il laisse la place à tous les fantasmes : Haïti se prend à espérer. Encore sonné de ce qui lui arrive, Baby Doc est docile et se conforme aux volontés de sa mère. Elle a compris que la peur du communisme qui faisait tant recette à quelques encablures des côtes nord-américaines, qui permettait toutes les exactions et donnait tous les blancs-seings appartient au passé ; l'avenir est à l'exploitation de la jeunesse de Jean-Claude qui passe brutalement de l'ombre à la pleine lumière.

Un mirage de démocratie

« Mon père a fait la révolution politique... », commence-t-il à lire devant la foule. La période qui s'ouvre serait-elle une seconde phase de la révolution duvaliériste ? « Je ferai la révolution économique ! » termine-t-il, invitant les exilés au retour pour construire une nouvelle Haïti. Baby Doc surprend et il se met à l'œuvre. Il puise des conseillers dans ses anciens camarades d'école les plus brillants, tente une libéralisation et signe des réformes économiques et judiciaires : réouverture de l'Académie militaire, libération de prisonniers politiques, levée d'une censure des médias, rétablissement des relations avec les États-Unis et avec la République dominicaine. Une parenthèse dorée s'ouvre, dopée par la confiance des pays étrangers. L'économie repart, le tourisme décolle. Haïti devient fréquentable et l'aide internationale reprenant, les capitaux affluent.

Les États-Unis offrent à Baby Doc la formation par les Marines d'un corps d'élite qu'il baptise « les Léopards » et qui remise les Tontons Macoutes au second rang ; les Américains en profitent pour reprendre leurs livraisons de matériel aux forces armées. Baby Doc maigrit, parade en treillis militaire aux côtés de cette nouvelle garde prétorienne. Il s'affirme, gagne en virilité, en autonomie et en 1977 il fonde son parti, le Conajec. « Duvalier » est un mot à éviter ; les Haïtiens sont désormais « Jean-Claudistes ». Baby Doc peut même s'offrir le luxe de repousser l'éventualité d'une renonciation à la présidence à vie ; il se prend au jeu.

Il a appris son métier, est moins malléable, plus adroit en politique. Il rallie des libéraux, ouvre le pays aux étrangers, se ménage les Mulâtres, détenteurs de la puissance économique du pays. Il interdit les exactions policières, les internements arbitraires, muselle la censure au bénéfice d'un droit de réponse. Le salaire minimum est augmenté, des droits sont consentis aux travailleurs. L'opposition se laisse séduire, la presse se permet des audaces et ose la critique sans encourir de retour de bâton. Haïti est le pays au monde à recevoir le plus de subsides étrangers par habitant ; plus même que le montant des recettes propres du budget national. L'aide internationale est considérable ; l'assistance bilatérale – Haïti a des accords spécifiques avec certains pays (les États-Unis, le Venezuela, etc.), ce qui lui rapporte également – ne l'est pas moins. Le zèle des groupes missionnaires religieux en est décuplé. Un embryon de décollage s'amorce. Les Haïtiens semblent déterminés à s'en sortir.

« *Pitit tig, sé tig* »

En 1977, la famine sévit dans le département du Nord-Ouest. La sécheresse a tout carbonisé et les aides d'urgence des bailleurs internationaux sont détournées. Pour Baby Doc, c'est une sale affaire. Désormais la rapacité de Maman

Simone qui remplit sa cassette privée en siphonant les recettes de l'État fait désordre ; il l'écarte avec les honneurs et la fossilise en « gardienne de la révolution duvaliériste ».

Mais s'ils sont réels, les changements restent ténus ; le retard économique, administratif et social d'Haïti est immense et l'impatience du pays ne l'est pas moins. L'État haïtien se révèle incapable de coordonner les aides, l'action gouvernementale est incohérente et les principaux pays donateurs dénoncent la faiblesse de l'administration, la corruption, le désintérêt des élites pour le relèvement du pays. Les besoins du peuple ne sont pas satisfaits et des manifestations se multiplient, des grèves s'organisent. Baby Doc n'a pas initié de politique économique véritable ni d'axe de développement. Comment gérer le réveil d'un pays si longtemps anesthésié, auquel l'ouverture donne des envies de démocratie ? S'il a su libéraliser et lâcher du lest, Baby Doc est désormais incapable de gérer son pays qui lui échappe.

En 1980, Baby Doc et ses proches sentiraient-ils l'imminence d'un changement ? Ils prélèvent pas moins de 36 % des recettes fiscales du pays. Toute cette manne venue du monde entier qui se déverse sur le pays... Comment y résister ? Le pillage officiel s'intensifie. Vingt millions de dollars prêtés par le FMI s'évaporent deux jours après leur octroi sans laisser de trace. C'est le début de la curée. Une villa au Luxembourg, un champ de courses, des voitures de sport et des motos, un yacht... Baby Doc laisse libre court à sa gloutonnerie et le pactole prend le chemin de près de trois cents comptes spéciaux aux États-Unis, en Suisse et au Luxembourg alors que la famine sévit. Haïti devient un pays en perdition que les Haïtiens quittent en se jetant à la mer pour gagner toute terre alentour qui voudra bien les accueillir. En 1981, Baby Doc achète un château en France, un appartement à Monaco, un autre à Paris. On estime à deux cent cinquante millions de dollars les sommes ainsi extraites du budget d'Haïti à des fins personnelles.

Décidé à reprendre les rênes du pays que les pays bailleurs internationaux sont en train de lui ravir en mettant leur nez dans la gestion des fonds octroyés, Baby Doc sent Haïti lui glisser des doigts. Il annonce pourtant qu'il garde la main : « Pitit tig, sé tig », « le petit du tigre reste un tigre ». Il paraît sincère quand il affirme : « Je voudrais pouvoir me présenter devant le tribunal de l'Histoire comme celui qui a fondé [...] la démocratie en Haïti » ; mais il ajoute : « Les modèles inspirés des rives du Potomac, de la Tamise et de la Seine n'intéressent pas le pays. » Papa Doc n'est pas loin. Jean-Claude réveille les vieux démons, reprend les méthodes qu'il a vues à l'œuvre pendant toute son enfance et il donne le feu vert aux Tontons Macoutes pour remettre de l'ordre en procédant à un remaniement ministériel dont tous les postes sont confiés à la vieille garde de son père. Pourra-t-il renfermer Haïti dans le vase clos que Papa Doc avait forgé pour son pays, se passer de la manne financière des bailleurs internationaux et échapper à ceux qui lui demandent des comptes ?

Femmes fatales

En 1980, Baby Doc a 29 ans et il est amoureux. L'heureuse élue est une ancienne copine de classe, Michèle Bennett ; sa peau est si claire qu'on la dirait blanche. Elle est aussi la fille d'un riche homme d'affaires mulâtre de la bourgeoisie protestante haïtienne. Mariée, elle a déjà deux fils, mais la perspective de devenir Première dame accélère le divorce et le mariage est célébré en majesté dans la cathédrale de Port-au-Prince, pour la modique somme de deux millions de dollars ! Avec Michèle aux côtés de Jean-Claude, Maman Simone et la vieille garde noire n'ont plus qu'à céder la place au clan mulâtre des Bennett, pour un affairisme forcené et un autoritarisme à façade libérale. Deux enfants, Nicolas et Anya, naissent de leur union. Le destin de Jean-Claude est scellé.

Si Jean-Claude a beaucoup appris sur l'art de gouverner par le biais de Papa Doc, de la vielle garde duvaliériste et de sa mère, qu'a-t-il appris sur les femmes ? Il ne connaît que les proies dont il s'est amusé, et les merveilleux jupons à l'ombre desquels il a grandi. Il n'a pour modèle de vie de couple que les rossées de Papa Doc à Simone Ovide et les unions furtives que son père entretenait au seuil de la vieillesse avec France Saint-Victor, sa secrétaire particulière, son démon de midi. Si Baby Doc est envoûté par la beauté de sa femme, Michèle est, elle, déterminée : son mariage avec ce grand boxeur flasque doit lui ménager un retour sur investissement à la mesure du sacrifice qu'elle consent. Sa rapacité ne connaît pas de limite.

En 1983, le pape Jean-Paul II fait halte à Port-au-Prince quelques heures, le temps d'une mise en garde : « Il faut que les choses changent dans ce pays ! » C'est le signal : aussitôt les curés retroussent leurs soutanes et les *ti léglises* – mot créole pour les « petites églises » –, des communautés de base des Haïtiens les plus modestes, s'organisent dans tout le pays avec le huis clos que le clergé ménage aux réunions politiques. Les évêques exigent de Baby Doc qu'il fasse cesser les persécutions et le vol des fonds distribués par l'aide internationale sur des comptes privés.

Le coup de grâce est porté par les États-Unis, la France et le Canada alliés pour l'occasion : le 30 janvier 1986, l'aide bilatérale des États-Unis est suspendue avec comme ultimatum des élections libres sous contrôle international et le départ de Baby Doc pour une sortie honorable. La France accepte de le recevoir en transit sur son sol avant qu'il ne gagne un autre pays. L'Amérique fournit un avion de la base américaine de Guantánamo et le 7 février 1986, Jean-Claude, Michèle et vingt et un membres de leurs deux familles, avec armes et valises diplomatiques bourrées de billets de banque quittent enfin Haïti.

Cavale dorée pour un retour à la poussière

La cavale dorée commence dans un palace, sur les bords du lac d'Annecy ; la proximité de la Suisse permet les norias de bijoux et d'espèces sans trop se fatiguer vers des comptes numérotés. Mais Baby Doc n'a jamais appris à payer et les factures s'accumulent : il est prié de s'installer ailleurs et vogue vers Mougins, à quelques kilomètres de Cannes, où il élit domicile avec Michèle, leurs deux enfants et la vieille Simone Ovide dans une luxueuse villa. Mais il est à nouveau obligé de la quitter : Michèle l'a surpris en compagnie d'un éphèbe, et elle a obtenu le divorce après être passée chez les Américains et chez les Helvètes pour s'approprier les comptes numérotés de son exilé de mari. La voilà riche avec ses quatre enfants, et lui désargenté ; il doit déménager. Des dizaines de pays sont sollicités, des plus accueillants aux moins recommandables mais pas un ne veut accorder l'asile à la dynastie Duvalier. Simone Ovide remonte à Paris pour s'éteindre misérablement en 1997 dans une obscure maison de retraite de banlieue où personne ne sait qui elle est et, sacrilège pour une vaudouisante, elle est incinérée... pour éviter les frais d'obsèques. Jean-Claude qui frôle l'indigence est hébergé par Véronique Roy, une accorte Française qui l'a pris en compassion et paye ses ardoises.

2010, le 12 janvier : Port-au-Prince, le cœur du régime, le berceau de toutes les tyrannies et de toutes les misères, tremble jusqu'à 7,3 sur l'échelle de Richter, engloutissant sous les décombres 300 000 Haïtiens aux yeux du monde interloqué ; la compassion est universelle, les dons arrivent de toute la planète et l'aide internationale s'organise.

Voilà une vague sur laquelle Baby Doc, qui vit dans un petit trois pièces du nord de Paris, sans papiers et sans statut depuis vingt-quatre ans pourrait utilement surfer pour faire un *come-back*. Nul ne s'émeut de son départ de

France et les autorités françaises de Martinique détournent le regard quand Jean-Claude y transite pour gagner Port-au-Prince. Vient-il pour rafler cette manne financière qui arrive de partout ou pour prendre enfin possession de « ses » millions de dollars gelés en Suisse ? Millions qu'on lui conteste et que des arguties juridiques et un passage en Haïti sans être arrêté par les autorités haïtiennes lui permettraient de recouvrer ? L'idée n'est pas de lui, mais de Véronique Roy, passée sur le billard pour se faire une belle tête de future éventuelle Première dame. Mais dans la précipitation, l'opération est loupée et Véronique a du mal à sourire avec ses deux limaces gonflées au silicone et des lunettes noires cachent à peine le désastre.

Le 16 janvier 2011, Baby Doc qui la suit pas à pas comme un poisson-pilote est accueilli à l'aéroport Toussaint-Louverture par une foule en liesse. Il y a là des jeunes Haïtiens sans mémoire et sans Histoire qui crient sans savoir, et des parangons de l'ordre à la trique, proches du troisième et du quatrième âge, sortis de vieux livres d'horreur et qui ont ranimé le PUN (Parti unité nationale) créé en 1957 pour assurer l'élection de François Duvalier. Chenu, terne, maladif, Baby Doc a encore la force de jouer sa partie : il s'agenouille et baise le tarmac de l'aéroport, un goudron américain qui sert de linceul à la terre haïtienne.

Mais Baby Doc est vite rattrapé par ses anciennes victimes qui avaient « oublié » de porter plainte dans l'euphorie de son départ, vingt-cinq ans plus tôt. Il faut revisiter rapidement le passé, trouver quelques courageux en hermine et robe pourpre pour que « les bourreaux disent "je regrette" ou leurs descendants disent "j'ai honte" ». Les ennuis commencent pour Baby Doc par une interdiction de quitter Haïti ; puis il est inculpé pour corruption, détournement de fonds et association de malfaiteurs, et des plaintes sont déposées pour de graves violations contre les droits humains et pour crimes contre l'humanité. Mais la justice a ses lenteurs et des papiers se seraient « égarés ».

C'est le moment que choisit le fils de Baby Doc, Nicolas Duvalier, « Baby Nick », pour une entrée en scène de choix : il débarque à son tour à Port-au-Prince, tout de blanc vêtu dans la poussière des décombres, avec son beau bronzage de la Côte d'Azur. Sa mère, qui y est installée depuis plus de vingt ans dans l'opulence sans jamais avoir été inquiétée par quiconque, lui a suggéré de reprendre les affaires de papa et le voilà, du haut de ses 19 ans, qui harangue la foule en avril 2013, un 22, bien sûr ! Il vante les mérites de Papa Doc, son grand-père, qu'il n'a jamais connu et de son régime d'ordre, oubliant les 30 000 à 50 000 vies fauchées aux os brisés, aux bouches remplies de terre...

Le couperet de la justice pénale internationale

Nous sommes en mai 2013. Le fauteuil de la juge étant mal équilibré à cause de ses pieds trop courts, l'oreille de la magistrate penche plus vers Baby Doc – qu'elle entend mieux – que vers les victimes, un brin plus éloignées de ses esgourdes. Mais Amnesty International veille et Human Rights Watch surveille ; la cour d'appel de Port-au-Prince elle, fait du zèle, traîne, lambine et se délecte à plaisir d'arcanes de procédures. Michel Martelly, le nouveau président d'Haïti qui ne songe qu'à une réconciliation, en oublie qu'elle ne saurait fleurir sans que la vérité soit rétablie et les réparations dûment payées. Il préfère les fleurs éphémères et investit à millions dans les fêtes du carnaval. Baby Doc est bien assigné à résidence à Port-au-Prince, mais si la porte de devant est gardée, celle de derrière est grande ouverte : le 1er janvier 2014, Baby Doc célèbre l'Indépendance d'Haïti à une cérémonie d'État aux Gonaïves et, en mars, il préside l'inauguration du premier bureau du PUN à Jacmel.

Mais justice doit être faite ! Le 3 juin 2014, la Coalition pour la Cour pénale internationale adresse une lettre au président de la République l'appelant à ratifier le statut de Rome ; Port-au-Prince avait omis de le signer. Les Nations unies insistent : « La violation des droits de l'homme est en Haïti plus facile du fait de la faiblesse de l'État de droit. » Le président de la République se prépare-t-il à dévisser son encrier pour enfin ratifier le statut de Rome ? Il engagerait ainsi Haïti dans un processus de stabilisation et contribuerait à la restauration d'une société fondée sur la prééminence du droit. Baby Doc pourrait dès lors sortir de l'enfance et Jean-Claude Duvalier entrer dans ce prétoire de l'Histoire pour y être jugé. En février 2014, une instruction supplémentaire a en effet été ouverte contre lui, qui pourrait aboutir à une mise en examen pour crime contre l'humanité. Quoique... En Haïti où « l'impossible est possible et le possible impossible [...] vous ne vous étonnerez de rien, ou plutôt vous vous étonnerez qu'on puisse encore s'étonner de quelque chose » ; l'histoire des Duvalier, deux et pourquoi pas trois Doc pour un malheureux pays, n'est pas terminée...

L'INTERMINABLE ERRANCE DES ENFANTS DU SHAH

PAR JEAN DES CARS

Mohammed Reza Pahlavi, né en 1919, succède en 1941 à son père, Reza Shah, contraint d'abdiquer en raison de ses sympathies pour le IIIe Reich. Élevé à l'occidentale, ce dernier se rapproche progressivement des États-Unis qui s'intéressent de près à l'Iran pour son pétrole mais aussi pour sa position géostratégique à l'heure de la guerre froide. En 1953, il est d'ailleurs replacé sur le trône par la CIA et les services secrets britanniques après avoir dû fuir le pays à la suite du coup d'état de son Premier ministre Mossadegh. Il entreprend une politique d'évolution sociale et économique de l'Iran mais en l'associant à un gouvernement despotique réprimant toute opposition. Sa police politique, la Savak, créée en 1957, avec l'assistance de la CIA et du Mossad, arrête, torture et emprisonne. Ses agents secrets surveillent aussi de près les Iraniens à l'étranger – notamment les étudiants. En janvier 1979, l'opposition islamique triomphe cependant et le shah doit s'enfuir du pays pour ne plus y revenir. L'impératrice Farah l'accompagne ainsi que leurs quatre enfants qui, après les fastes du régime, vont connaître les affres de l'exil. Le 1er février 1979, l'ayatollah Khomeyni fait son entrée à Téhéran. « L'Occident me regrettera », dira le shah peu de temps avant sa mort, en 1980.

« Le chagrin me broie le cœur, intense, intact, quand je me remémore ce matin de janvier 1979. Un silence angoissant s'était abattu sur Téhéran, comme si notre capitale, à feu et à sang depuis des mois, retenait soudain son souffle. Ce 16 janvier, nous partions, nous quittions le pays estimant que le retrait momentané du roi contribuerait à calmer l'insurrection. » C'est ainsi que, dans ses *Mémoires* (publiées en 2003 chez XO Éditions), la shabanou raconte le moment où sa vie, celle du shah et, bien sûr, celle de leurs enfants ont basculé dans l'inconnu. Les enfants, justement, leur bonheur, leur fierté et l'avenir de la dynastie assuré…

Un couple royal comblé

Mohammed Reza Pahlavi, est né en 1919. Il épouse en 1939 la princesse Fawzieh d'Égypte, sœur du roi Farouk. Ils ont une fille mais le couple divorce en 1948. En 1949, Mohammed Reza Pahlavi monte sur le trône. Deux ans plus tard, il épouse en secondes noces la belle princesse aux yeux verts, Soraya Esfendiari. Ils sont follement amoureux, mais elle ne peut lui donner d'héritier. Soraya est répudiée en mars 1958. C'est en France, lors d'un voyage officiel en 1959, que le shah rencontre, au cours d'une réception à l'ambassade d'Iran, celle qui va devenir sa troisième épouse. La très jolie Farah Diba, étudiante en architecture au quartier Latin, a 20 ans. Le shah organise une nouvelle rencontre à Téhéran, où elle est venue pour ses vacances, et lui demande si elle accepte de l'épouser. Le mariage, fastueux, a lieu à Téhéran, le 21 décembre 1959, au palais de Marbre. La jeune mariée est éblouissante dans une robe Dior, signée du tout jeune Yves Saint Laurent. Elle est coiffée d'une tiare de chez Harry Winston qui, pour elle, n'a qu'un inconvénient : elle pèse 2 kilos !

Le couple est très épris. Avec une aisance exceptionnelle, Farah se coule dans son rôle de reine. Très vite, elle va donner au souverain l'héritier tant espéré, Reza, le 31 octobre 1960. « En quelques semaines, j'ai vu le roi se métamorphoser. Lui si pudique, si réservé, ne cherchait pas à cacher la tendresse et l'émotion que lui inspirait son fils », peut-on lire dans les *Mémoires* de la shabanou. La famille va rapidement s'agrandir : une fille, Farahnaz, naîtra le 12 mars 1963, suivie d'un second fils, Ali Reza, le 28 avril 1966. Un an plus tard, le 26 octobre 1967, jour anniversaire du roi qui a alors 48 ans, lors des fastueuses cérémonies du sacre, le shah couronne lui-même Farah, geste spectaculaire de reconnaissance. Celle qu'on appelle désormais l'impératrice a le sentiment que, ce jour-là, le shah couronne toutes les femmes d'Iran en même temps qu'elle. La naissance d'une deuxième fille, Leila, le 27 mars 1970, précède les extraordinaires fêtes de Persépolis, le 12 octobre 1971. Le couple royal est comblé : il souhaitait quatre enfants.

Le shah veut que les yeux du monde se tournent vers l'Iran, pays en plein essor économique, démographique et social. Le prétexte des fêtes de Persépolis est de célébrer la fondation de l'Empire perse par Cyrus le Grand, vingt-cinq siècles plus tôt. C'est l'apogée du règne du shah et les plus hautes personnalités internationales y assistent. Avec ces fêtes grandioses, devant le tombeau de Cyrus le Grand et en présence de chefs d'État et de têtes couronnées du monde entier (qui trouvent alors le régime très fréquentable), le shah entend signifier qu'il rejoint la lignée des empereurs de Perse et qu'il en est le successeur légitime, loin du coup d'état qui a installé son père au pouvoir. Le peuple d'Iran a été soigneusement tenu à l'écart des festivités et n'a pu suivre les cérémonies qu'à la télévision. Quant aux énormes sommes ainsi dépensées, elles vont alimenter les critiques d'une opposition islamiste qui commence à croître dans le pays.

Les enfants du couple reçoivent une éducation privilégiée et pleine d'amour. Dès que le prince héritier Reza atteint l'âge de 3 ans, ses parents réalisent que, malgré leur désir, ce serait une folie de le mettre à l'école publique. En effet, le prince est l'objet d'une telle ferveur et d'une telle curiosité que sa vie d'enfant en serait perturbée. Une école est donc installée au sein du palais, accueillant le petit prince et ses cousins ainsi que quelques autres enfants proches de la famille. Les trois autres, Farahnaz, Ali Reza et Leila, bénéficient du même enseignement.

Tous sont élevés par des gouvernantes, mais voient quotidiennement leurs parents avec lesquels ils entretiennent des liens très forts. Et surtout, ils partagent leurs vacances que l'impératrice décrit comme « des escales miraculeuses au milieu d'un océan constamment déchaîné » : dans le petit palais de Babol à Nowshahr sur la mer Caspienne pour le nouvel an iranien, le 21 mars ; l'été, toujours à Nowshahr, mais dans une maison sur pilotis, très simple, où la famille partage les joies des baignades et du ski nautique, sport qu'ils pratiquent tous. Plus tard, leur refuge estival sera l'île de Kish dans le golfe Persique ; les enfants, plus grands, y découvrent les plaisirs de la plongée sous-marine dans des eaux transparentes et poissonneuses. Le roi, grand cavalier, transmet sa passion équestre à Reza et à Farahnaz. Les vacances d'hiver les voient skier, le plus souvent, dans les montagnes dominant Téhéran et parfois à Saint-Moritz.

Quand ils sont à Téhéran, outre leur programme scolaire, ils sont adeptes du scoutisme que Farah a pratiqué dans sa jeunesse. Mais ce qui enchante l'héritier Reza, c'est l'aviation. Très tôt, il prend des leçons de pilotage et, à 13 ans, il effectue son premier vol en solo sur un Beechcraft ; à 16 ans, il est aux commandes d'un avion de chasse américain et il obtient ses brevets de pilote sur Boeing 707, 737 et 727. À une excellente éducation classique, s'ajoute également la formation technologique d'un futur souverain du XXe siècle. Son frère, Ali Reza, est tout aussi exalté par l'aviation ; Farahnaz, elle, adore les animaux, les chiens, bien sûr, mais aussi des… souris, élevées dans sa salle de bains, les vaches dans le parc du palais et même un petit lion, venu de la réserve africaine française de Thoiry. La famille est très soudée, le plus souvent possible réunie, mais jamais assez, compte tenu des obligations de leurs parents.

Le retour de Khomeyni

À la fin de l'année 1977, des revendications pour davantage d'ouverture et de libéralisation du régime se multiplient. Mais, en fait, la révolution viendra des extrémistes religieux hostiles à une certaine laïcisation de l'État et à l'émancipation des femmes – elles ont obtenu le droit de vote. Le propagateur le plus farouche est un exilé devenu célèbre, l'ayatollah Khomeyni. Depuis son refuge de Neauphle-le-Château, en région parisienne, il est l'animateur de la révolution islamique car il n'admet pas que le shah ait rendu hommage, à travers Cyrus le Grand, à la Perse d'avant l'islam.

Les premières émeutes éclatent à Quom, ville sainte et fief de l'ayatollah Khomeyni, en janvier 1978. Les troubles se multiplient, atteignant leur paroxysme à Ispahan, au mois d'août où un cinéma, sacrilège occidental, est brûlé par les manifestants, faisant 400 victimes. À ce moment-là, Reza, l'héritier du trône, est au Texas où il suit une formation de pilote de chasse. À Noël, sa sœur Farahnaz le rejoint pour les vacances. Ils sont à Hawaï – avec l'ambassadeur d'Iran aux États-Unis – au moment où leurs parents sont contraints de quitter l'Iran, en pleine révolution. Le 15 janvier 1979, les deux plus jeunes enfants, Ali Reza et Leila, partent pour les États-Unis, accompagnés par leur grand-mère, Mme Diba, ainsi que leur gouvernante et un officier de sécurité. Le lendemain, le shah et Farah quittent Téhéran sans savoir qu'ils ne reviendront jamais.

Il est important de souligner que, malgré les événements, le shah n'abdique pas et ne le fera jamais.

Le couple est accueilli en Égypte, à Assouan, par le président Sadate et son épouse qui leur offrent une généreuse et rare hospitalité. Au drame de l'exil s'ajoute la très grave maladie dont souffre le souverain. En effet, dans le plus grand secret, le shah est traité depuis 1973 par des spécialistes français pour la maladie de Waldenström, une forme de cancer du sang. Son épouse n'en est informée que depuis le printemps 1977. Quant aux enfants, ils en ignorent encore tout... À l'hôtel Oberoi d'Assouan, le shah est soigné dans la plus grande discrétion. De là, le couple reçoit des messages constants de leurs enfants, très inquiets de l'hostilité qu'ils perçoivent aux États-Unis à leur égard. Le shah et Farah ne restent qu'une semaine en Égypte car un autre souverain accepte de les recevoir, le roi Hassan II du Maroc. Le 22 janvier 1979, ils gagnent Marrakech. C'est là qu'ils apprennent le retour triomphal de l'ayatollah Khomeyni dans un avion d'Air France, le 11 février 1979.

Une sourde menace

Seul réconfort, leurs quatre enfants les rejoignent à Marrakech, puis la famille tout entière s'installe à Rabat, dans un palais mis à sa disposition par le roi. Mais le cauchemar va bientôt commencer. Alexandre de Marenches, le patron des services secrets français, vient informer le shah que leur présence au Maroc fait courir des risques au roi Hassan II. L'ayatollah Khomeyni projette en effet d'enlever des membres de la famille royale marocaine comme monnaie d'échange contre le shah et l'impératrice eux-mêmes. La famille doit donc quitter le Maroc. Mais pour aller où ? La France du président Giscard d'Estaing s'estime incapable d'assurer la protection des Pahlavi. Le Royaume-Uni de même. C'est grâce aux efforts d'Henry Kissinger et de David Rockefeller que les exilés ont finalement la possibilité de gagner les Bahamas.

Le 30 mars 1979, ils s'installent dans une villa de Nassau en louant, à prix d'or, des bungalows pour les enfants. Farah se souvient que « désormais, au seul énoncé de notre nom, tous les prix allaient être multipliés par cinq voire par dix ». Farah vit un véritable calvaire en tant que mère et qu'épouse. Elle fait tout pour que ses enfants pâtissent le moins possible d'une situation intenable et se désespère de l'état de santé de son mari : « Jour et nuit, l'anxiété me serrait le cœur et je sentais que le roi, bien qu'il ne se plaigne jamais, traversait le même calvaire. Voir cet homme si actif toute sa vie essayer de survivre à la moiteur étouffante et silencieuse des jours… Sa maladie l'épuisait. »

Malgré et peut-être à cause de l'amour de leurs parents, on peut imaginer que la vie des enfants ne devait pas être facile en ces tristes circonstances. Reza va avoir 18 ans, Farahnaz 15 ans, Ali Reza 12 ans et Leila 9 ans. Coupés de leurs amis, de toute vie normale, sentant une sourde menace autour d'eux et devant affronter l'image d'un père malade et affaibli alors qu'ils l'ont toujours vu dynamique, en monarque adulé et respecté. Ils sont très marqués, surtout les deux cadets, plus fragiles en raison de leur âge. Un traumatisme ineffaçable qui pèse sur leur existence. Ils ont le sentiment que le monde entier les abandonne. Une nouvelle preuve leur en est donnée : trois jours avant l'expiration de leurs visas, les autorités des Bahamas leur font savoir qu'ils ne seront pas renouvelés…

Une fois de plus, Henry Kissinger, l'ami fidèle, obtient du président du Mexique qu'ils puissent y séjourner. Farah note : « Nous eûmes aussi le sentiment que le Mexique n'était pas mécontent de donner, à cette occasion, une leçon d'éthique politique aux États-Unis. » La famille atterrit donc, le 10 juin 1979, à Cuernavaca, au sud de Mexico. L'ambiance est différente : la maison est vaste, entourée d'un magnifique jardin tropical. Toutefois, elle est rongée d'humidité, ce dont le shah, curieusement, ne semble pas se préoccuper. Après la claustration des Bahamas, il a l'impression de revivre.

La vie des enfants va pouvoir se stabiliser : en septembre 1979, Reza commence des études de sciences politiques et de littérature anglaise au William's College du Massachusetts ; les trois autres sont installés à New York avec leur grand-mère qui, après beaucoup de difficultés, est parvenue à les inscrire dans des écoles de qualité. Plusieurs établissements ont en effet refusé de les accueillir… Ils se rendent à Cuernavaca pour les vacances. C'est là que l'impératrice leur révèle l'extrême gravité de l'état de santé de leur père. Effectivement, la situation médicale qui empire oblige le couple à envisager une opération délicate. Après de multiples interrogations et négociations, l'intervention n'a pas lieu à Mexico mais bien à New York où le couple arrive le 23 octobre 1979. Le shah est opéré le 25. Il souffre beaucoup. L'hôpital est entouré de manifestants hurlant : « Mort au shah ! » Dans cette tourmente, Farah s'inquiète pour ses enfants. Reza écrit une lettre pleine d'amour et de respect, avec des vœux de rétablissement, à son père. Et les deux plus jeunes ? Se rendent-ils compte de la réalité si hostile à leur égard et à celle de leur famille ? Leur mère espère que non… En revanche, Farahnaz, pensionnaire dans une excellente institution, vit très mal d'être séparée de sa famille et les piques qu'on ne manque pas de lui lancer la font beaucoup souffrir.

Plus de tranquillité nulle part

Le 4 novembre 1979, alors que le shah est toujours hospitalisé, quelque 400 étudiants islamistes encadrés de *pasdarans* – les gardiens de la révolution islamiste – prennent d'assaut l'ambassade des États-Unis à Téhéran. Le tout est orchestré par la tendance dure de ce régime – l'ayatollah Khalkhali. Les bâtiments de l'ambassade sont saccagés. Cinquante-six Américains, tous qualifiés d'espions, sont pris en otage. En échange de leur libération, l'ayatollah Khomeyni demande l'extradition du shah pour qu'il puisse être livré à la « justice islamique » – il va jusqu'à mettre en doute la réalité de son cancer. Un chantage international et une situation incroyable pour le clan exilé. La tension monte. Farah, au comble du désespoir, écrit dans ses *Mémoires* : « Maintenant je sais que jusqu'à la fin de mes jours, il n'y aura plus nulle part de tranquillité pour nous. La maladie de mon mari est peut-être en train de provoquer une troisième guerre mondiale. »

Le président Jimmy Carter fait une déclaration dans laquelle il annonce que l'Amérique ne cédera pas au chantage de la prise d'otages et que le shah est libre de partir dès que sa santé le lui permettra. Début novembre, les médecins estiment que le souverain chassé de son pays peut quitter l'hôpital et regagner le Mexique. Mais cette fois, le Mexique s'y oppose. On voit dans ce refus l'influence de Fidel Castro. Le temps de trouver une nouvelle résidence, la Maison-Blanche décide d'expédier le couple vers une base aérienne proche de San Antonio (Texas). Par sécurité, même leurs enfants ne doivent pas en être informés. La petite Leila ne comprend pas comment sa maman a pu partir sans l'embrasser ni lui dire au revoir. Le shah et son épouse passent quinze jours de véritable résidence surveillée avant qu'on ne vienne leur annoncer que le Panama est prêt à les accueillir. L'ambassadeur du Panama à Washington leur prête sa résidence située sur l'île de Contadora, à une trentaine de minutes par avion de Panama City.

Le couple y arrive à la mi-décembre. La chaleur est étouffante, l'humidité accablante. De plus, il va falloir de nouveau opérer le shah, pour une ablation de la rate cette fois. Les enfants rejoignent leurs parents pour les fêtes de Noël avec leur grand-mère. C'est une douce parenthèse dans cette nouvelle étape de leur interminable errance. Rapidement, ils ne se sentent plus en sécurité au Panama : le président du pays, le général Torrijos, joue en effet un double jeu. D'abord disposé à accueillir les souverains déchus – certainement pour soutenir son ami le président Carter à qui il doit la restitution du canal à l'État panaméen – il change finalement de position et ne verrait pas d'objection à négocier une extradition. Une trahison de plus... Informée, Farah appelle l'épouse du président Sadate. Elle lui expose l'état gravissime de son mari, qui n'est toujours pas opéré, et lui annonce qu'ils doivent quitter le Panama au plus vite – elle ne donne pas plus de détails : leur ligne est sur écoute.

Les Sadate répondent présents de nouveau. Ils proposent de leur envoyer immédiatement l'avion présidentiel égyptien. Entre-temps, le président Carter téléphone à Anouar el-Sadate pour le dissuader de recevoir le shah et sa famille. Le président égyptien aurait répondu : « *Jimmy, I want the shah here and alive.* » (« Jimmy, je veux le shah ici et vivant »). Le 23 mars 1980, le shah quitte l'île de Contadora à bord d'un avion qu'il a loué. L'appareil fait une escale aux Açores en pleine nuit. Quatre heures d'attente, extrêmement angoissantes : le shah est au plus mal. Il y a des tentatives pour intercepter l'avion et le contraindre à revenir au Panama où l'attend une demande d'extradition. Finalement, les exilés errants atteignent Le Caire le 24 mars. Sadate les installe dans le palais Kubbeh, entouré d'un parc qui les protège de la bruyante et intense activité cairote. Le shah est rapidement conduit à l'hôpital militaire Maadi ; et les enfants rejoignent enfin leurs parents. Farah se souvient : « Pour la première fois depuis les temps lointains et heureux de Téhéran, nous nous retrouvâmes en famille sans crainte d'être chassés du jour au lendemain. » Farah décide de s'installer au Caire et d'inscrire Ali Reza et Leila au collège Américain de la capitale, les aînés devant continuer leurs études aux États-Unis.

Le shah Reza II

Le shah subit enfin son opération de la rate mais elle est inutile car les médecins ont découvert des métastases dans le foie. Une nouvelle intervention chirurgicale est pourtant effectuée car le shah souffre aussi d'un abcès au poumon. Il semble se remettre et récupère si bien que, le 26 juillet, Farah envoie les trois plus jeunes enfants à Alexandrie pour les éloigner de cette atmosphère d'hôpital. Mais l'état du shah s'aggrave en quelques heures.

D'urgence, on rappelle les enfants. Les deux plus jeunes n'assistent pas à l'agonie de leur père mais Reza et Farahnaz sont auprès de lui jusqu'au bout avec Farah et la sœur jumelle du shah, la princesse Ashraf. Le shah s'éteint le 27 juillet 1980. Il avait 60 ans. Ses obsèques ont lieu le 29 juillet. Farah raconte : « Nous étions en tête du cortège ; sur ma droite, marchaient Leila en robe blanche, Farahnaz et Ali Reza. Sur ma gauche, Richard Nixon et mon fils Reza, le président égyptien et les trois frères du roi. » Sa dépouille est descendue dans un caveau particulier de la mosquée el-Rifay. La journée, brûlante, est très pénible. Farah dira encore : « Les enfants avaient forcé mon admiration, ils avaient vécu chaque instant avec dignité, retenant leurs larmes, les cachant. »

Le shah n'ayant pas abdiqué, le processus dynastique se poursuit pour la monarchie en exil. Mais le prince héritier Reza n'est pas encore majeur (la majorité constitutionnelle est fixée à 20 ans, âge qu'il n'atteindra que trois mois plus tard), Farah se retrouve donc régente. Pendant ce délai, c'est elle qui va entretenir des liens avec les réseaux de résistance iraniens dispersés dans le monde entier et particulièrement en France, aux États-Unis et au Royaume-Uni. Elle reçoit, en compagnie de son fils aîné, de nombreuses personnalités.

Au palais Kubbeh, au Caire, le 31 octobre 1980, le jeune Reza célèbre ses 20 ans et donc son accession, symbolique, à la succession de son père. Pour les monarchistes iraniens, il est désormais Reza II. Il prononce un discours d'espoir à l'égard du peuple iranien. Mais pour sa mère comme pour lui, commence l'épreuve du choix des collaborateurs. C'est un moment délicat : en effet, les divers clans tentent d'influencer le fils et d'éloigner la veuve du shah. Reza décide de quitter Le Caire avec son entourage pour s'installer au Maroc où le roi Hassan II lui accorde son affectueuse hospitalité. Farah souffre mais elle comprend.

L'impératrice choisit dans un premier temps de rester au Caire. Mais l'assassinat, le 6 octobre 1981, du président Sadate la plonge dans le désespoir. Elle commence à se sentir menacée au palais Kubbeh. Par ailleurs, l'élection à la présidence américaine de Ronald Reagan, en janvier 1981, entraîne enfin la libération des cinquante-deux derniers otages encore retenus à l'ambassade des États-Unis à Téhéran. Le nouveau président fait savoir à Farah qu'elle est donc la bienvenue aux États-Unis. Dieu sait si le souvenir, horrible, de son dernier séjour avec le shah dans ce pays lui est douloureux. Elle choisit, néanmoins, de s'installer à Williamstown, petite ville universitaire à trois heures de New York. Farahnaz entre au Benington College du New Hampshire. Ali Reza et Leila poursuivent leurs études, lui dans un collège public, elle dans une école privée. Reza reste pour sa part au Maroc.

Mais l'isolement de Williamstown pesant sur Farah, elle préfère déménager à Greenwich, dans le Connecticut. Leila change d'établissement tandis qu'Ali Reza entre à la célèbre université de Princeton pour y étudier l'histoire de la musique, sa passion. Farahnaz s'inscrit à l'université de Columbia pour des études de psychologie. Enfin, Reza, revenu lui aussi aux États-Unis, se rapproche de sa mère et lui présente la jeune fille qu'il souhaite épouser, Yasmine Etemad-Amini, une ravissante Iranienne dont la famille est également exilée aux États-Unis. Leur mariage est célébré le 12 juin 1986. La paix s'installe dans la famille, Reza assumant totalement son rôle politique tout en confiant à sa mère une mission d'ambassadrice des intérêts de l'Iran. Le prétendant au trône et son épouse auront trois filles : la princesse Noor Pahlavi, née en 1992 ; la princesse Iman Pahlavi, née en 1993 et enfin la princesse Farah, née en 2004.

De nouveaux drames et l'espoir

Si les deux aînés du shah et de la shabanou semblent avoir dominé un passé douloureux – la tragédie de l'exil et la mort, traumatisante et prématurée, de leur père – il n'en est pas de même, hélas, pour les deux plus jeunes. La jolie Leila, la petite fille chérie de son père, si gaie et si facétieuse, souffre de dépression et d'anorexie ; elle n'a jamais pu donner un sens à sa vie. Elle est retrouvée morte, le 10 juin 2001, dans sa chambre de l'hôtel Léonard, à Londres, après avoir absorbé une dose excessive de barbituriques. Elle venait de fêter ses 31 ans. Effondrée, Farah écrit à son sujet dans ses *Mémoires* : « [...] Elle ne trouvait pas sa voie... Elle souffrait, j'essayais de l'aider – c'était si pénible de la voir se battre toute seule contre un mal qu'aucun médecin ne réussissait à identifier ! Tous ces maux, toute cette douleur, c'était son malheur d'enfant qu'elle traînait comme un fardeau, je le devinai mais elle ne supportait pas qu'on le lui dise. » La disparition de Leila suscite une émotion considérable chez les Iraniens exilés et même en Iran. Elle est enterrée à Paris, comme sa grand-mère qu'elle aimait tant, Mme Diba, qui s'est beaucoup occupée d'elle lors des premiers temps de l'exil.

Dix ans plus tard, un autre drame frappe la famille. Après une licence d'histoire de la musique à Princeton et un master de politique internationale à Columbia, Ali Reza, le fils cadet, travaille à Harvard pour préparer un doctorat de philosophie et d'histoire des civilisations iraniennes préislamiques. Les études sont devenues son refuge. Mais, comme sa sœur disparue Leila, il est profondément dépressif. Il vit avec une jeune Iranienne, Raha Didevar. Il met fin à ses jours le 4 janvier 2011, dans sa maison de Boston, en se tirant une balle dans la tête. Âgé de 44 ans, il ne laisse pas de lettre expliquant son geste de désespoir. Son frère aîné, Reza II, déclare dans un communiqué : « Comme des millions de jeunes Iraniens, il était profondément perturbé par les tourments de son pays bien-aimé et le fardeau de la perte prématurée d'un père et d'une sœur. »

Or la jeune femme qui partageait la vie d'Ali Reza était enceinte de quelques semaines quand il s'est donné la mort ; le prince ne le savait probablement pas encore. Une petite fille, Iryana Leila, naît le 26 juillet 2011, enfant posthume d'Ali Reza. Elle est le portrait vivant de son père. C'est Reza II qui annonce l'heureuse nouvelle, ce qui montre la solidarité du clan autour de la jeune mère et du nouveau-né qu'il considère comme faisant partie de la famille Pahlavi. C'est ce que confirme Farah dans un entretien accordé au journaliste Vincent Meylan dans *Point de Vue*, le 16 novembre 2011 : « Madame, votre fils le prince Ali Reza et Raha Didevar n'étaient pas mariés. Quel est le nom et le titre de cette petite-fille ? » Réponse : « Elle porte le même nom et le même titre que ses cousines Noor, Iman et Farah, les filles de mon fils aîné Reza. Elle se nomme Iryana Pahlavi, elle est princesse. »

On se souvient que Reza II et son épouse ont eu trois filles. En cas d'un éventuel – et incertain – retour de la monarchie en Iran, l'aînée peut-elle être considérée comme une héritière ? Cette question a été posée par le même journaliste lors d'un entretien accordé par l'impératrice en 2013, pour ses 75 ans. Réponse de Farah : « Tout cela est très hypothétique mais on ne se sait jamais. Elle est en tout cas l'aînée de mon fils aîné qui est actuellement le prétendant au trône. Si jamais une monarchie constitutionnelle était rétablie en Iran, ce serait évidemment un symbole très fort, surtout après tout ce que les femmes iraniennes ont enduré depuis des années, qu'une femme soit désignée comme héritière de son père et de la Couronne. Exactement comme cela se passe aujourd'hui en Suède, aux Pays-Bas ou en Belgique. D'ailleurs, ce ne serait pas une si grande innovation, il y a des précédents dans notre histoire. Nous avons déjà eu des reines régnantes. »

L'impératrice Farah sait bien de quoi elle parle lorsqu'elle décrit le sort actuel des femmes en Iran : il suffit de voir ses photos, en jupette et bras nus, capitaine de basket de l'équipe de Téhéran, vers l'âge de 10-12 ans. Une tenue aujourd'hui impensable à Téhéran. La dynastie Pahlavi, exilée, durement touchée par le malheur, continue d'espérer. Pour elle, pour tous les Iraniens exilés à travers le monde et pour tout le peuple iranien.

La dynastie Kim

Par Arnaud Duval

À tous points de vue, la Corée du Nord est une énigme. Depuis sa création en 1948, le pays impose avec arrogance une dérangeante singularité à la communauté internationale défiant la simple logique de l'Histoire. Mis sur le devant de la scène par les Soviétiques dès la fin de la Seconde Guerre mondiale, Kim Il-sung s'impose rapidement dans un espace traumatisé par quatre décennies de joug japonais. Il devient le héros de la lutte contre l'impérialisme nippon, leader charismatique d'une cause révolutionnaire communiste et d'un pouvoir se renforçant sans cesse. Après quarante-six ans de règne effectif, une guerre fratricide qui laisse le pays ravagé, meurtri, le pouvoir se radicalise. Kim Il-sung réussit le pari insensé de pérenniser un régime népotique, devenu aujourd'hui dynastique, et d'imposer à son peuple comme successeur Kim Jong-il, un fils distant, secret et dénué de ce magnétisme qui soulève les foules. Son petit-fils, Kim Jong-un, arrivé au pouvoir en 2012 suite à la mort de son père, saura-t-il aujourd'hui retrouver le charisme originel et relancer la ferveur révolutionnaire ?

Viatskoïe, petit village de pêcheur russe situé sur la rive orientale du fleuve Amour au cœur de la Sibérie orientale. C'est là que se replie pendant l'hiver 1940-1941 une division en déroute de résistants coréens avec, à ses trousses, l'armée régulière japonaise. L'occupant nippon a décidé d'en finir avec la guérilla communiste coréenne. Renseigné par les captifs, il se lance sans merci en Mandchourie à la poursuite des derniers partisans. Son chef de guerre mort au combat, Kim Il-sung se trouve propulsé à la tête du bataillon en retraite venu aider une unité internationale de l'Armée rouge. Sa femme, Kim Jong-suk, le suit depuis la Mandchourie. Elle partage sa vie de militant engagé depuis la disparition de sa propre mère, liquidée par les forces d'occupation japonaises. Enceinte au cœur de l'hiver sibérien, dans l'Extrême-Orient russe isolé et glacial, elle accouche le 16 février 1941 de Youri Irsenovitch Kim, premier enfant de la famille qu'elle nommera tout simplement Youri.

De Youri à Kim Jong-il

L'enfant passe ses premières années dans un refuge en bois, au cœur de la forêt, à quelques encablures du fleuve Amour. L'été, les plages bordant le cours d'eau font le bonheur de Youri et de ses camarades de jeu. Son père, désormais commandant de bataillon dans la 88e brigade soviétique, s'active à renforcer une unité combattante avec des militants chinois et coréens, préoccupé avant tout par son militantisme indépendantiste plutôt que par ses nouvelles responsabilités familiales. Le petit Youri est pris en charge par sa mère et d'autres femmes de combattants, loin d'un père qui par deux fois – en 1943 et 1944 – viendra plaider la cause nationale auprès de Staline à Moscou. La famille ne tarde pourtant pas à s'agrandir avec la venue d'un second fils, Alexander, de son nom coréen Kim Pyong-il, qui répondra au diminutif de Shura.

La fin de la guerre et la capitulation japonaise sonnent le glas de l'occupation nippone en Corée. Les forces soviétiques investissent rapidement la Mandchourie puis le Nord de la Corée avec le soutien des troupes américaines qui prennent, elles, position dans le Sud du pays. Pour les Américains, il s'agit de respecter le partage de la péninsule concédé au moment de l'entrée en guerre tardive de l'Union soviétique contre un Japon impérialiste en pleine déroute. Pour Kim Il-sung, nommé à l'été 1945 par les Soviétiques comme représentant au Nord de la péninsule, il est temps de plier bagages et de rentrer au pays. Sa famille suit un autre chemin et ne rejoint Pyongyang qu'à la fin de l'année, une fois assuré le contrôle de l'organisation politique par Kim Il-sung.

Le début d'une autre vie commence alors pour Youri et son frère Shura. La famille s'installe dans une des résidences officielles de Pyongyang. Les enfants voient défiler en flux continu un cortège d'officiels et de courtisans venus négocier une affectation ou défendre une orientation.

Factions communistes chinoises, russes et coréennes s'affrontent sans merci pour le nouveau pouvoir. C'est dans ce contexte de forte tension que Kim Il-sung apprend la naissance de son troisième enfant, une fille, prénommée Kyong Hui. Elle étudiera l'économie politique à l'université Kim-Il-sung et commencera sa carrière politique dès 1971. Elle prendra au fil des années une place prépondérante au sein du Parti. Nommée général en 2010, en même temps que son neveu Kim Jong-un, elle sera également l'assistante personnelle de son frère tout au long de son règne.

L'euphorie des premiers mois à Pyongyang retombe vite. D'autant que Youri subit coup sur coup drames et tragédies personnelles qui forgent son caractère et détruisent la vie de sa famille. Ainsi, en 1947, il joue avec son jeune frère Shura autour d'un bassin quand ce dernier se noie dans les eaux troubles de l'étang. Les circonstances de sa mort demeurent obscures, le rôle et la responsabilité de Youri ne seront jamais élucidés. Dans une société fortement imprégnée de confucianisme où la place du frère aîné est centrale, le traumatisme est d'autant plus marquant pour Youri qui n'a pas su protéger son cadet. Deux ans plus tard, fin septembre 1949, sa mère, la pasionaria du nouveau régime, fidèle compagnon de route des années de clandestinité et mère attentive à défaut d'être câline, disparaît à son tour brutalement des suites d'une grossesse extra-utérine.

Youri est fortement marqué. De son côté, Kim Il-sung ne vacille pas, tout accaparé qu'il est par son destin nationaliste et conforté dans son rôle de dirigeant après la proclamation – dans les jours suivant la mort de sa femme – de la République populaire et démocratique de Corée. Il prépare avec une obsession frénétique l'assaut des forces armées contre les renégats du Sud. Au même moment, Mao Tsé-toung célèbre sur la place Tian'anmen la réunification de la Chine et la proclamation de la République populaire de Chine. Renforcé certainement par le succès des troupes communistes chinoises, Kim Il-sung se rend même à Moscou arracher à Staline le droit à la lutte armée pour la réunification de la Corée.

Dans ses Mémoires, *With the Century* (« Avec le siècle »), Kim Il-sung note que son fils « *a grandi dans des vêtements imprégnés de l'odeur de la poudre* ». C'est pourtant à l'écart, loin des champs de bataille, dans les provinces du Nord-Ouest montagneuses et peu accessibles qu'il déplace sa famille. Tout d'abord dans la province de Jagang, l'une des régions les plus pauvres du pays où les fermiers pratiquent encore l'agriculture sur brûlis ; puis, lorsque les combats s'intensifient et se rapprochent dangereusement, de l'autre côté de la frontière chinoise, vers la province de Jilin où vit depuis longtemps une importante minorité coréenne. Kim Il-sung place alors ses deux enfants sous la stricte protection d'un fidèle compagnon de lutte originaire de la région, le camarade Ri Ul-sol. Celui-ci jouera un rôle de tuteur pour Kim Jong-il et sa sœur, un véritable père de remplacement. Il deviendra plus tard l'un des hommes de confiance les plus respectés de Kim Jong-il tout au long de sa carrière politique. Ri Ul-sol finira sa carrière comme commandeur de la Garde.

Cependant rien ni personne ne remplace un père, fut-il maréchal. Youri se morfond profondément loin de tout, des siens comme des zones de combats, dans une région au climat d'une rigueur extrême où l'hiver n'est que glace et neige, une immensité blanche enfouissant toute couleur, et où l'été n'est que pierre et boue. Cette terre n'a rien de maternelle, les temps non plus. Orphelin de mère, déchiré par la perte d'un frère complice, loin d'un père chef de guerre qui mène ailleurs ses armées au carnage, l'enfant est perturbé, agité. Depuis la Chine où il a été scolarisé avec sa sœur pendant trois longues années, il suit avec frustration le mouvement de yo-yo des armées nord-coréennes battant en retraite vers la frontière chinoise alors qu'une horde de « volontaires » chinois s'apprête à venir à la rescousse défendre chèrement l'avant-garde des positions communistes en Extrême-Orient. Trois longues années d'isolement et d'attente, loin du magma militaire dans lequel s'englue toute la péninsule coréenne.

Youri et sa sœur quittent sans regret l'endroit d'où l'on ne revient pas avec comme seuls souvenirs intenses la solitude et l'immensité. Mais ils retrouvent Pyongyang avec effroi au lendemain des accords d'armistice signés en 1953. La « capitale des saules », saluée au début du XXe siècle par les premiers voyageurs occidentaux émerveillés, est en effet méconnaissable, dévastée, personne ne sait plus où finissent les rues ni où commencent les immeubles et les maisons d'habitation, les voies sont jonchées de décombres. Un mélange puant et fuligineux de poussières de charbon et de débris plane en épais nuage sur la ville. Youri retrouve son père, devenu Premier ministre de la Corée du Nord. Mais il retrouve également – et avec une profonde amertume – la nouvelle épouse de celui-ci, Kim Song-ae, qui a été l'aide de sa défunte mère et avec laquelle les relations sont d'emblée tendues. Trois enfants naîtront de cette nouvelle union, renforçant le sentiment de rejet et d'abandon des deux aînés. À 14 ans, Youri comprend vite, dans un contexte général de tensions et de règlements de comptes, que la venue d'un autre fils prénommé Pyong-il constitue une réelle menace, le révélateur d'une situation qui lui échappe inéluctablement. Quelle blessure et souffrance pour le jeune homme d'apprendre que le nouveau-né est affublé du même prénom coréen que son frère disparu, d'entendre à longueur de journée résonner ce patronyme comme un cri de désespoir. Face au vide existentiel qu'il redoute et qui le ronge, le respect de la filiation et le sang paternel sont sa meilleure carte d'identité. Il est temps pour Youri de prendre son destin en main, de rejoindre son père dans l'arène politique, d'endosser les habits neufs d'un personnage sorti d'une fable historique. Kim Jong-il efface Youri et fait irruption dans l'histoire politique nord-coréenne.

Kim contre Kim, une lutte fratricide s'annonce

Après des études secondaires au lycée Mangyongdae, réservé aux enfants des révolutionnaires, suivies de cours d'économie politique à l'université Kim-Il-sung, le jeune homme fait son entrée dès 1964 au Comité central du Parti, comme directeur du bureau d'organisation. Il a alors 23 ans. Déterminé, ambitieux, Kim Jong-il cherche les faveurs d'un père qui prend dans le même temps ses distances tant avec les nouvelles idées révisionnistes de Khrouchtchev qu'avec celles, plus violentes et imprévisibles, de Mao en Chine. Il vient de proclamer le *Juche* comme doctrine officielle : une pensée hybride, sorte d'alchimie à base de confucianisme, de nationalisme teinté de valeurs traditionnelles coréennes et de marxisme-léninisme. Kim Jong-il, nommé à 28 ans sous-chef du bureau « de la propagande et de l'agitation », comprend très vite l'intérêt qu'il aurait à prendre le relais idéologique de son père dans l'édification de la nouvelle vision révolutionnaire. Sa belle-mère, avec laquelle les relations restent empreintes de jalousie et de méfiance, accroît parallèlement sa propre visibilité sur la scène publique. Elle devient vice-présidente du Comité central de l'Association des femmes nord-coréennes dont elle prendra la présidence l'année suivante. Quant au jeune Pyong-il, il est ambitieux et doué. Désormais diplômé de l'université Kim-Il-sung, il embrasse la carrière militaire et intègre la prestigieuse académie militaire qui porte aussi le nom de son père. La menace s'organise, les couteaux s'aiguisent pour une lutte fratricide programmée.

Durant les années 1970, la rivalité s'intensifie entre les deux clans rivaux pendant que Kim Il-sung se cherche déjà un successeur. Kim Song-ae, désormais présentée comme Première dame du pays, multiplie les apparitions et les voyages aux côtés de son mari. À l'occasion du 5e Congrès du Parti, elle obtient un poste honorifique au Comité central puis un siège au Praesidium de l'assemblée du Peuple ; elle élargit sa sphère d'influence dans l'appareil de l'État, prépare avec minutie l'ascension de son fils, favori dans la succession du père. Celui-ci n'a encore que 20 ans et s'attire déjà les encouragements appuyés de ses proches.

Pour Kim Il-sung, le pouvoir suprême ne peut qu'être héréditaire, une distinction singulière pour un pays d'inspiration communiste. Le très officiel *Dictionnaire des terminologies politiques de Pyongyang* mentionne pourtant dans son édition de 1970 que la filiation héréditaire du pouvoir relève d'un « archaïsme issu des sociétés féodales où les seigneurs transmettaient leurs trônes à leurs descendants ». Cette mention ne sera définitivement retirée que quelques années plus tard. À cette époque, Kim Il-sung se satisfait donc de cette dualité entre ses fils, il envisage même un temps de les associer à l'avenir dans l'exercice du pouvoir : à Kim Jong-il l'appareil politique, le Parti, à Kim Pyong-il le contrôle des armées et des opérations militaires.

La menace se précise pour Kim Jong-il, désormais pleinement engagé dans la lutte pour le pouvoir. Face à la rivalité de son demi-frère qui ne cesse de s'affirmer, le premier dauphin redouble de présence auprès d'un père omnipotent et omniscient dont il quête constamment et avec zèle la considération. Il cherche à se rendre indispensable. Ainsi s'érige-t-il en maître de la communication du pouvoir officiel et parvient graduellement à occuper le devant de la scène des arts et des lettres. Nommé secrétaire du Parti à la Propagande en 1973, il occupe par la suite et avec éclat la fonction de ministre de la Culture. Musique, opéra, cinéma, livres : rien n'échappe dorénavant à son contrôle et à ses directives. Le nouveau « génie des arts » trouve là, à 35 ans, une tribune d'expression exceptionnelle qu'il occupe de manière omniprésente. Il s'approprie la théorie du *Juche* : comme elle est la justification théorique du pouvoir absolu de Kim Il-sung, on peut la considérer comme une version institutionnalisée du culte de la personnalité. Dans le même temps, son père consolide un pouvoir autoritaire et renforce le système répressif. Tout est en place pour susciter l'enthousiasme des foules et mobiliser l'opinion derrière la philosophie et la politique du Grand Leader.

De son côté, Kim Pyong-il organise des soirées très en vue dans le Tout-Pyongyang et savoure régulièrement la clameur de ses invités : « Longue vie à Kim Pyong-il ! », un élan de glorification personnelle qui éveille progressivement doute et suspicion auprès de son père.

Les habits neufs de Kim Jong-il

Sous la baguette de Kim Jong-il, le discours officiel prend un accent universaliste tendance messianique à la gloire de Kim Il-sung. Le Père de la Nation est présenté comme l'alpha et l'oméga du régime, l'immortalité et la transcendance personnifiées. Il est désormais annoncé comme protégé par « un mandat du ciel » (*ch'onmgong*), doté de pouvoirs magiques et miraculeux, transformant un jour « les pommes de pin en munitions et les grains de sable en riz », franchissant de larges rivières « assis sur des feuilles mortes ». On lui invente des ancêtres patriotiques, des histoires mystiques lui attribuent cent mille batailles et autant de victoires.

Pendant que Kim Pyong-il consume dans des soirées tapageuses le crédit personnel qu'il a accumulé, Kim Jong-il maintient une distance discrète avec son père et orchestre, avec une bonne dose de manichéisme, le culte de la personnalité du Grand Leader. Appréciant sa loyauté et son sens de la mise en scène, celui-ci convie plus régulièrement son fils aîné à ses côtés et l'invite à participer aux nombreuses tournées d'inspection et d'orientation politique qui illustrent le rôle omniprésent et la nature paternaliste du pouvoir. Au sein des unités de travail, chaque décision doit obtenir l'aval des instances internes du Parti. Kim Jong-il s'immisce lentement et sûrement dans le fonctionnement du pays, donne ses premières directives, et apparaît rapidement comme le bras droit opérationnel et le principal collaborateur de son père.

L'adoubement ne tarde pas. Au cours du 8e Congrès général du 5e Comité central du Parti des travailleurs de février 1974, Kim Jong-il est nommé membre du bureau politique du Comité central et, l'année suivante, obtient le titre très honorable de « Cher Leader » à l'unanimité. Il exulte : voici enfin la reconnaissance suprême, celle d'un père autoritaire, exigeant, jadis distant. Son baptême d'accession au pouvoir va prendre une forme définitive en 1980 lorsque Kim Il-sung le désigne comme son successeur légitime. Il peut enfin suivre les traces de son père, accéder lui aussi à une dimension surnaturelle : la légende est en marche. Dès sa nomination, selon la version officielle, « l'explosion de joie du peuple coréen déclencha des acclamations qui ébranlèrent le ciel et la terre, les regards tournés vers cette étoile brillante qui désormais les guiderait au côté du Soleil bienveillant ».

Exit le petit Youri, Kim Jong-il change de peau, il réinvente son enfance, réécrit sa propre histoire. Le voilà né dans un *milyong* (« camp secret ») sur le mont Paektu, montagne sacrée et trésor vénéré de la nature coréenne. Sa biographie officielle, *Kim Jong-il, dirigeant du peuple*, mentionne qu'un double arc-en-ciel est apparu dans le ciel le jour de sa naissance. Rien n'est trop parfait pour le « Fils du Ciel ». Son histoire se juxtapose avec celle de son père dont il suit évidemment les traces quotidiennement depuis son enfance. Ses premiers pas ? À trois semaines. Ses premiers mots ? À huit... À 4 ans, il renverse un pot d'encre sur une carte du Japon, à l'endroit précis qui sera ravagé par un ouragan peu de temps après. Plus tard, au cours de trois années d'université, il écrit de quoi remplir une bibliothèque avec mille cinq cents œuvres à son actif...

Comme la vérité religieuse, le discours officiel n'a pas la moindre prétention à l'objectivité ni à la rationalité : nous voici dans le domaine du surnaturel et du divin. En quelques années, Kim Jong-il est l'instigateur d'un opéra d'État et le concepteur d'un État d'opérette. Face à vingt-quatre millions de citoyens sans destin, si ce n'est collectif, il forge le sien, grandiloquent, quasi surnaturel. Il veille à ne pas laisser échapper son héritage, celui de premier descendant. « Une étoile brille maintenant au côté du Soleil », claironne la propagande officielle.

À 40 ans à peine, Kim Jong-il est entré au panthéon nord-coréen quand son demi-frère est relégué hors de la scène publique. Avec femme et bagages, ce dernier est envoyé en semi-exil dans les pays d'Europe de l'Est, attaché militaire à Belgrade dès 1979, puis tour à tour ambassadeur très discret en Bulgarie, en Finlande, et enfin en Pologne, où il est encore en poste aujourd'hui. Il ne reviendra plus, la menace est définitivement balayée. Kim Il-sung et Kim Jong-il sont enfin unis comme les deux faces d'une même médaille, fusionnés dans un même destin ; l'un homme d'action, brillant héros militaire et Père de la Nation, l'autre théoricien « de génie », Père de l'Idée révolutionnaire qui relègue le marxisme-léninisme au rang de cas particulier de la nouvelle théorie du *Juche.* Aux murs, les Nord-Coréens prennent à présent l'habitude d'accrocher côte à côte les portraits des deux leaders, deux visages distincts pour deux encadrements, deux espaces réunis pourtant dans un même sourire énigmatique, mi-sévère mi-bonhomme. Ils sont le symbole déroutant, obsédant, de ce Parti-État à double visage unique. Et s'il n'y avait une évidente différence d'âge, on se prendrait même à les croire vrais jumeaux, visages semblables d'enfants joufflus, dont l'un serait prématurément vieilli et l'autre exagérément rajeuni, un effet rendu possible par une coloration excessive de la photographie. L'impression d'irréalité qui se dégage de ces portraits officiels, entretient, s'il en était encore nécessaire, le mystère sur la nature même des dirigeants. Diaboliques, angéliques, paternalistes ?

Pendant plus de vingt ans, les Kim vont ainsi administrer de concert la société nord-coréenne devenue le temple du nationalisme étatique. Vingt ans d'une communion apparente, sans faille, qui ne laisse aucune place à d'autres héros populaires. Plus rien n'échappe désormais à la dynastie régnante. Elle veille avec force et autorité sur le sort de vingt-quatre millions de sujets, une population officiellement répartie en trois classes bien distinctes : les « idéologiquement purs », les « utiles » et les « hostiles » ou les « sangs impurs ».

À l'ombre du Soleil

Pendant que son père parade et impose à son peuple un charisme paternel, Kim Jong-il se distingue très tôt dans des opérations secrètes, foncièrement tortueuses. Il orchestre avec brio des actions d'éclat hors des frontières, multipliant les opérations commando aux visées largement utopistes. Il fomente par exemple les enlèvements du réalisateur sud-coréen Shin Sang-ok et de son ancienne épouse avec l'espoir de développer la création cinématographique locale ainsi que l'enlèvement de jeunes japonais destinés au début des années 1980 à former un réseau d'espions japonisants. En 1983, il orchestre l'assassinat de quatre ministres sud-coréens lors d'une visite à Rangoon. Il est également à l'origine de l'attentat à la bombe en 1987 contre un Boeing de la Korean Airline. L'explosion en vol de l'avion tue les 115 passagers. L'un des deux hommes arrêtés, Kim Hyon-Hui, reconnaît dans une confession publique en 1988 avoir déposé la bombe sur ordre personnel de Kim Jong-il. Enfin, ce dernier crée l'obscur « bureau 39 » qui gère des opérations de contrebande avec l'étranger.

À travers ces opérations gérées personnellement, Kim Jong-il révèle la nature froidement psychopathe d'un caractère profondément antisocial, une personnalité à la fois schizoïde, paranoïaque et narcissique, marquée par une manifeste absence de remords. Une étude menée par les Américains Frederick Coolidge et Daniel Segal présente Kim Jong-il avec les mêmes troubles de la personnalité caractérisés (appelés les « big six ») qu'Adolf Hitler, Joseph Staline ou Saddam Hussein. Comment aurait-il pu finalement en être autrement pour quelqu'un qui a vécu depuis sa plus tendre enfance caché, reclus, ultraprotégé par des services de sécurité, qui s'est construit dans un climat permanent de suspicion et de terreur où terrorisme et violence ne sont pas des crimes ? Derrière des lunettes de soleil singulières, Kim Jong-il entretient un secret pesant alimenté par des rumeurs les plus extravagantes. Sa paranoïa le pousse à organiser une garde très rapprochée aux abords de ses luxueuses villas, à superviser personnellement leur entraînement intensif, à entretenir un climat de tension autour de son personnage. Il modèle la Corée du Nord à coup de slogans guerriers, lance le mouvement du « drapeau rouge des Trois révolutions » (idéologique, technique et culturelle) qui devient la ligne générale du Parti, puis celui des « Cent batailles » pour dynamiser une économie atone, et entretient perfidement un état de guerre où tout est permis. On ne naît pas dictateur, certes, mais en Corée du Nord, on est prédestiné à le devenir par filiation.

Kim Jong-il est une énigme, à l'image de son pays. En trente-cinq ans de vie publique, il ne prononce aucun discours en public hormis les quelques mots platement protocolaires formulés en 1992 au cours d'un défilé militaire à l'occasion des 80 ans de son père. Pas tribun pour un sou, ni doué d'un charisme renversant, il ne doit son aura exceptionnelle qu'à la propagande officielle. Tout comme Staline, il souffre d'une phobie de l'avion qui l'oblige à ne se déplacer qu'en train blindé spécialement aménagé pour et sous sa supervision.

Kim Il-sung succombe en juillet 1994 à une crise cardiaque. La dynastie vacille, à l'image du pays qui connaît des revers de fortune. Depuis quelques années, la Corée du Nord doit en effet faire face à un enchaînement d'événements gravement défavorables : famines – près de 10 % de la population mourra de faim –, chute du bloc soviétique, isolement international, crise économique. Ces événements gangrènent petit à petit le système totalitaire, apportent leur lot de corruption, de perte de foi révolutionnaire, de désertion, lézardent la cohésion d'ensemble en encourageant la débrouillardise, les trafics et le marché noir, bousculent les blocs de certitudes et l'homogénéité de la société. L'époque glorieuse et exaltante, celle des héros historiques, s'achève définitivement avec la disparition du Père fondateur. Kim Jong-il doit reprendre le flambeau du pouvoir au moment où la flamme du romantisme révolutionnaire s'étiole.

Le voilà en première ligne. Après trois longues années de deuil officiel, il récupère progressivement tous les mandats de son père et impose à son pays la révolution « *Songun* » donnant la priorité absolue à l'armée. Loin de vouloir définitivement « tuer » le père, celui-ci est rapidement élevé par le nouveau maître des lieux au titre de « Président éternel ». Cet acte décidément confucianiste de piété filiale (*byo*) vise à figer de façon définitive l'ordre établi et à renforcer le culte du bâtisseur. Ainsi, en dehors de la commémoration des dates anniversaires de Kim Il-sung et Kim Jong-il, la fête coréenne de *Chuseok*, en l'honneur des ancêtres, est la seule célébrée officiellement en Corée du Nord. Le père continue à diriger le pays de sa tombe et son fils n'est en quelque sorte que le porte-parole de l'âme du défunt, son exécuteur testamentaire. De même, depuis l'accession au pouvoir de Kim Jong-un en 2011, son père, Kim Jong-il, a acquis à son tour une dimension intemporelle avec le titre de « Secrétaire général éternel ». « Le culte d'un dieu mort relève de la nécrophilie », clamait pourtant le camarade Lénine en son temps.

Mon père était dictateur, mon fils sera dictateur

Pendant dix-sept ans, Kim Jong-il administre sans partage la Corée du Nord, mettant en application le slogan bolchévique inscrit sur les portes des camps de sa Sibérie natale : « Nous mènerons d'une main de fer l'humanité vers le bonheur. » Il cultive toute sa vie un personnage énigmatique, lointain et chimérique pour le commun des Nord-Coréens. Pourtant, il est aussi omniprésent et obnubilant qu'une apparition dans leur vie quotidienne. Son entrée en scène prend parfois même des allures miraculeuses et divines lors des impressionnants spectacles de masse qu'il organise.

En 2008, victime d'une attaque cérébrale, Kim Jong-il doit soudainement penser à assurer sa propre succession. Son fils aîné, Kim Jong-nam, 37 ans, le seul en âge pour l'exercice du pouvoir, s'est lui-même décrédibilisé en se faisant refouler du Japon où il voyageait sous une fausse identité – il voulait visiter Disneyland à Tokyo. C'est finalement son troisième fils, son préféré, Kim Jong-un, né en 1983 d'une union non officialisée avec une danseuse étoile et élevé dans le secret des montagnes suisses, qui est désigné pour revêtir les habits du pouvoir. Kim Jong-il décède le 17 décembre 2011 à 69 ans. Kim Jong-un, surnommé « le roi de l'étoile du matin » par sa mère, succède alors à son père et hérite d'un pays ermite dont la structure politique et le positionnement international sont restés dangereusement figés dans un contexte géopolitique profondément transformé. Kim Jong-un reprend le flambeau dictatorial, en poussant peut-être plus loin encore la théâtralité du pouvoir, trinquant d'une main sans vergogne avec le basketteur Denis Rodman, précipitant de l'autre l'élimination de son oncle et mentor au cours d'une réunion publique. L'exercice du pouvoir est pour lui avant tout un serment d'allégeance permanent a ses ancêtres éternels au point de commencer son premier grand discours télévisé lors des vœux de 2013 par adresser ses « vœux de bonne année aux éminents Président Kim Il-sung et Dirigeant Kim Jong-il »... L'éternité, c'est long, surtout vers la fin.

La nombreuse progéniture Bokassa

Par Jean-Pierre Langellier

Jean-Bedel Bokassa (1921-1996) a été président de la République centrafricaine pendant dix ans, de 1966 à 1976, puis empereur autoproclamé sous le nom de Bokassa 1er. Arrivé au pouvoir lors d'un putsch, il est renversé lors de l'opération Barracuda, une intervention militaire française, le 20 septembre 1979. Jugé à Bangui en 1987, il est condamné à mort ; sa peine sera commuée en détention à vie. Il est libéré en 1993 et meurt dans son pays en 1996. Avec près d'une vingtaine d'épouses, il est officiellement le père de trente-six enfants, mais il en revendique vingt de plus.

La nuit vient de tomber sur Bangui, en ce dimanche 10 janvier 1971. Sur le tarmac de l'aéroport, Jean-Bedel Bokassa s'avance, sous une pluie battante, vers l'échelle de coupée où deux menues silhouettes féminines descendent avec précaution. Le président – futur maréchal et empereur – de Centrafrique étreint l'une et l'autre avant de les présenter à ses ministres : « Voici Martine, ma fille aînée ! Et Nguyen-Thi-Hué, ma première épouse. » Sa conjointe en titre, la belle Catherine, jette sur la scène des regards hostiles en serrant les dents. Elle a 21 ans, et sa « nouvelle » belle-fille, bientôt 18. Ces retrouvailles familiales sont le point d'orgue d'une affaire rocambolesque, à la fois conte de fées, canular et roman d'espionnage, dont le premier épisode s'est ouvert, deux décennies plus tôt, loin de l'Afrique.

Les deux Martine

En septembre 1950, l'adjudant Bokassa – qui a été sergent dans les Forces françaises libres pendant la Seconde Guerre mondiale et qui servira vingt-trois ans dans l'armée française – débarque en Indochine. Il y restera trente et un mois. À Hanoï, il rencontre sa *banho*, sa « petite dame », Nguyen-Thi-Hué. Il la fait venir à Saigon, où il l'épouse « selon le droit local ». Elle n'a que 19 ans lorsqu'elle lui donne une fille, Martine, le 30 janvier 1953. En quittant le Vietnam, Jean-Bedel laisse derrière lui la jeune mère et son bébé. Le 13 août 1960, la République centrafricaine accède à l'indépendance. Cinq ans et demi plus tard, Bokassa, désormais colonel et chef d'état-major, prend de force la place de son « petit-cousin », le président David Dacko, lors du putsch de la Saint-Sylvestre, le 31 décembre 1965.

Les années passent. Bokassa s'est mis en tête de retrouver la trace de sa fille vietnamienne. En novembre 1970, le consulat général de France à Saigon prétend avoir découvert Martine et sa mère. Mais c'est faux et Bokassa l'ignore. Il accueille les deux femmes à Bangui par Bokassa le 26 novembre, en pleine nuit, et en fanfare. Quelques jours plus tard, elles sont les héroïnes de la fête nationale. Très vite, c'est le coup de théâtre. Un journal de Saigon dévoile l'imposture, preuves à l'appui : la véritable mère de l'enfant, restée au Vietnam, a produit des photos de jeunesse et des extraits de naissance irréfutables ; ceux de la fausse mère sont apocryphes. Comment les a-t-elle obtenus ? Manipulation des services français ? Coup tordu de la CIA ? Incompétence des autorités vietnamiennes ? Bokassa est accablé, ridiculisé.

L'arrivée de la « vraie » Martine et de sa mère deux mois plus tard lui remet du baume au cœur. « Je n'aurais jamais cru, confiait Nguyen-Thi-Hué avant de quitter Saigon, que mon Jean se souviendrait de moi après tant d'années de séparation. » Quelques jours après, on aperçoit les deux Martine se faisant photographier dans les rues de Bangui, en se tenant par la main, sans rancune. Mais que faire de la « fausse » Martine ? Bokassa envisage de la remettre publiquement à l'ambassadeur de France. Ce dernier, Albert de Schonen, l'en dissuade de justesse. Presque chaque jour, Bokassa convoque le diplomate pour lui parler des Martine. « Remontant son pantalon et soulevant les longues robes de la seconde Martine, se souvient l'ancien ambassadeur, il me disait : "Voyez, elle a mes jambes !" » Et le Français d'ajouter : « La coloration africaine » de la jeune fille « ne laissait guère de doute sur ses réelles origines paternelles. » Finalement, Bokassa pardonne et adopte même la « fausse » Martine. Le 30 janvier 1973, la vraie et la fausse Martine épousent respectivement le médecin Jean-Bruno Dédéavode et le commandant de l'armée de l'Air Fidèle Obrou. Elles posent pour les photographes, côte à côte et tout de blanc vêtues. En février 1976, Obrou jette une grenade dans les jambes de Bokassa, qui n'explose pas. Après un procès expéditif, il est fusillé, en même temps que sept conjurés. Un an plus tard, sa veuve, la « fausse » Martine, est étranglée par deux gardes du corps de Bokassa et son cadavre enterré près de la route de l'aéroport.

Dix-neuf épouses

Sans cesse à l'affût d'une proie féminine, Bokassa séduit beaucoup et convole souvent, en noces plus ou moins légales, au gré du droit coutumier. À Saigon, en février 1952, il s'est marié avec Hué selon les rites bouddhistes et en présence de notables locaux. « Avant », racontera-t-il à *Jeune Afrique,* au soir de sa vie, et prétendument assagi, « quand une femme était belle, je l'épousais tout de suite. À présent, j'ai lu la Bible... Et je ne prendrai plus qu'une femme ou deux. » Polygame ? N'est-ce pas, rappelle-t-il, « une coutume africaine » ? « Si vous saviez ce que d'autres chefs d'État africains ont comme femmes. Ils en ont plus que moi. Ils les cachent. Moi, je suis plus français que tous ceux-là ! Je ne cache rien, à quoi bon ? » Bokassa affirme avoir eu dix-sept conjointes. Depuis Annette Van Helst, une Belge rencontrée à la fin de la Seconde Guerre mondiale jusqu'à l'ultime épouse, Zara Victorine, une Tunisienne. En passant notamment par Marguerite Green Boyanga, la mère de son fils aîné Georges, une Anglo-Cabindaise (province de l'Angola) qui meurt en 1959 à Fréjus lors de la catastrophe du barrage de Malpasset ; Jacqueline, une Vietnamienne qu'il « vole » à Marseille, en son absence, à un compatriote et frère d'armes – la mère de deux de ses fils les plus proches, Jean-Charles et Saint-Cyr ; la Gabonaise Marie-Joëlle, cinq fois mère. Et bien sûr, Catherine, l'impératrice, qui donne à Bokassa sept enfants.

Les femmes, il les veut jeunes, très jeunes, et vierges le plus souvent. Astrid, une Française, a tout juste 17 ans lorsque Bokassa l'épouse ; Marie-Joëlle, 15 ans ; et Catherine ne les a pas encore, comme l'atteste l'acte de mariage établi à la mairie de Bangui. Toutes sont encore lycéennes. Pour parvenir à ses fins, Bokassa abuse d'elles, si besoin. « Maman m'a toujours dit qu'elle n'était pas amoureuse de Bokassa. Il l'avait prise de force », confie Reine, la fille aînée de Catherine, à Géraldine Faes et Stephen Smith, auteurs de l'excellente biographie *Bokassa Ier, un empereur français* (Calmann-Lévy, 2000). En matière conjugale, Bokassa est très cosmopolite. Épouser une étrangère lui évite des démêlés avec les familles de ses conquêtes. Ainsi, parmi ses dix-neuf conjointes, on trouve treize nationalités différentes. Au fil des décennies, on mentionne, à Bangui, entre autres, « l'Angolaise », « la Chinoise », « la Soudanaise », « l'Allemande », « la Libanaise », ou « la Camerounaise ». Les voyages officiels à l'étranger lui fournissent l'occasion de renouveler ou d'élargir son harem. « C'est vrai, déclare-t-il à *Jeune Afrique,* je les choisissais parmi les hôtesses qui m'accueillaient à l'aéroport. Mais je le faisais avec le consentement du gouvernement local. » Lors d'une visite en 1975 dans la Roumanie de Nicolae Ceauşescu, la danseuse de ballet Gabriella Dimbri tape dans l'œil de Bokassa. Il la fait venir à Bangui, moyennant quelques plaquettes de diamants offertes au dictateur roumain et l'installe dans son palais de Berengo, où règne déjà Catherine.

Excessif en tout, versatile, irascible, Bokassa est un grand caractériel. Férocement jaloux jusqu'à la paranoïa, il espionne et cloître ses femmes. Pire, il les bat comme plâtre. C'est un buveur invétéré et l'alcool l'entraîne dans des colères sauvages. « Je ne suis pas souvent en colère » déclare-t-il, l'œil matois, dans un entretien pour l'émission d'Antenne 2, *Cartes sur Table,* juste avant d'être sacré empereur en décembre 1977, « mais c'est dangereux ! » La jeune Astrid paiera de plusieurs fausses couches les coups reçus. En 1977, trois amants supposés de Gabriella sont emprisonnés avant d'être mis à mort, l'année suivante, à coup de chaînes. La Roumaine retourne alors dans son pays. Mais elle doit laisser à Bangui sa fille Anne, surnommée « Titina ». De son côté, Bokassa s'offre bien sûr toutes les libertés. Il trompe ses compagnes, les délaisse ou les abandonne au gré de son humeur.

Gosses de riches

Patriarche africain assumé, libertin et machiste incorrigible, Jean-Bedel Bokassa gouverne, de près ou de loin, une abondante tribu familiale. Il attend de sa descendance, foisonnante et « bien éduquée », qu'elle lui obéisse, l'honore et le soutienne dans ses vieux jours. Mais ni lui ni personne ne peut établir avec une totale exactitude la généalogie de ses rejetons : ceux reconnus officiellement de « même père, même mère », comme on dit en Afrique, ou, ceux bien plus nombreux, nés hors mariage. Ses enfants, il en conviendra, sont « éparpillés un peu partout », et quatre au moins sont adoptés. Le 4 décembre 1977, jour de son sacre impérial, il en rassemble trente et un autour de lui, quatorze garçons et dix-sept filles. Ce jour-là, toute sa progéniture pose aux côtés du patriarche, héros et bouffon d'une cérémonie délirante, pantalonnade capricieuse et mégalomaniaque, à laquelle aucun chef d'État africain n'a osé venir assister. Le plus jeune enfant, Jean-Bedel junior, à peine âgé de 4 ans, est l'héritier du trône. Avant sa mort en novembre 1996, l'empereur déchu revendiquera cinquante-six enfants. Le fisc français, chargé de liquider sa succession, recense trente-six héritiers ayant pu produire leurs actes de naissance.

Bokassa affuble sa nombreuse progéniture de prénoms qui fleurent bon la vieille France : Reine, Dieu-Béni, Marguerite,

Jean-Parfait, Marie-Laure, Marie-Anne, Marie-Éléonore, Marie-France, ou encore Jean-le-Grand, Jean-Bertrand, Nicaise, Diane, Marie-Reine. Comment ne pas s'emmêler au milieu de tous ces gamins ? Dans ses *Mémoires*, l'ancien président Valéry Giscard d'Estaing raconte qu'en 1973, lors d'un passage à Bangui, où il est reçu au palais de Bokassa, celui-ci lui présente sa descendance, « une troupe d'enfants gais et vifs comme tous les enfants africains, les yeux écarquillés par la timidité, qu'il avait fait aligner le long du chemin d'entrée. Vu leur nombre, il s'embrouillait dans leurs prénoms. Eux-mêmes intervenaient, pour rectifier ses erreurs ! »

Imprévisible avec ses enfants, Bokassa alterne les démonstrations d'affection et les accès d'extrême sévérité. Il contrôle personnellement les bulletins scolaires de certains de ses fils, envoyés dans de lointains et stricts internats, en Suisse ou en France. Il décide de leurs permissions de sortie, fixe les dates de leurs vacances et les réprimande pour leurs mauvais résultats. À Bangui, c'est pire. « Lorsque l'un de ses fils rata son bac, il le mit au cachot », rappelle Marie-Joëlle, l'une des épouses de Bokassa, dans un entretien à *Africa International*. Jean-Charles, pourtant l'un des fils favoris du dictateur centrafricain, raconte à Géraldine Faes et Stephen Smith comment son père les a punis pour leur manque d'assiduité scolaire, lui et son frère Saint-Cyr, qui ne pensaient qu'à faire la fête avec les filles : « On sortait beaucoup et mon père était furieux. Un jour, il nous convoque et nous engueule. Dans la foulée, il demande à sa sécurité de nous embarquer. On nous met dans des voitures d'escorte et on nous place à l'infirmerie de la prison de Ngaragba. Au bout de cinq jours, mon père appelle. Je lui raccroche au nez en lui disant que, puisqu'il nous a envoyés en prison, on y reste. » Ils finiront par en sortir, après la médiation de Catherine.

Comment les enfants de Bokassa ne se comporteraient-ils pas en « gosses de riches » faisant les quatre cents coups ? Avec un père qui gaspille sans compter, qui dépense l'argent public comme s'il était le sien propre, qui transforme ses courses dans des magasins de luxe parisiens en véritables razzias, et qui achète généreusement sa famille et ses ministres à coup de billets. Reine se souvient : « Papa nous donnait des liasses de billets en cachette de maman, qui avait horreur de ça. Une fois, Junior en a même mis un dans la poubelle : il avait 3 ans... »

Au sein de la nombreuse tribu des descendants de Bokassa, quelques-uns ont des velléités artistiques ou littéraires. Marie-Ange, dite « Kiki », de mère libanaise, est peintre. Elle vit aujourd'hui à Beyrouth, écrit des livres pour enfants et parraine des projets culturels. Il en va de même pour Marie Yokowo, qui vit aux États-Unis où elle a publié plusieurs recueils de poésie. C'est l'une des plus jeunes filles de Bokassa, qu'il a eue avec une Angolaise. Il lui a donné le prénom de sa propre mère. Cette dernière s'est suicidée de désespoir en 1927 après que son mari, et père du futur président, a été « tué par les Français » pour avoir libéré des villageois, selon lui injustement jetés en prison. Ce double drame a fait du petit Jean-Bedel un orphelin, dès l'âge de 5 ans. Quant à Georges, le fils aîné de Bokassa, il vit en France mais prétend vaguement vouloir jouer un rôle politique en Centrafrique. Il déclare en septembre 2013 à un journal de Bangui, *Centrafrique Libre* : « Je suis en train d'écrire un bouquin sur la situation et les perspectives d'avenir de notre pays. Au moment venu, je le soumettrai au peuple pour avoir son approbation. » Aux dernières nouvelles, ce « bouquin » n'a pas encore vu le jour.

Pour trouver le plus prolixe des héritiers de Bokassa, il faut sauter à la génération suivante : Jean-Barthélemy, le fils aîné de Martine, le premier petit-fils du défunt président. Né à Bangui il y a quarante ans, il est le plus en vue de tous les rejetons, celui pour qui porter le nom de Bokassa est plus un atout qu'un handicap, à l'inverse de la plupart d'entre eux. « Chez nous, le premier descendant est toujours un garçon », a lancé Bokassa à sa fille enceinte. « Mon grand-père n'avait pas toujours raison, mais dans le cas présent, si ! » commente Jean-Barthélemy. « Je suis né le 30 août 1974, dans la zone réservée à la famille présidentielle, à l'hôpital de Bangui. Le prénom de Barthélemy m'est donné en hommage au fondateur de la Centrafrique, mon arrière-grand-oncle. » À savoir, Barthélemy Boganda, président du conseil de gouvernement de l'Oubangui-Chari, mort en mars 1959, dans un mystérieux accident d'avion, un an et demi avant l'indépendance. Parisien d'adoption, oiseau de nuit à l'aise parmi la jet-set, Jean-Barthélemy, un rien m'as-tu vu, est un étudiant aisé qui se comporte en odieux gosse de riches : « Je n'allais pas en cours lorsqu'il pleuvait, car je détestais cela. J'allais à la fac à Dauphine en taxi car, pour moi, marcher était une souffrance. » Aujourd'hui, il dit « devoir se contenter d'un appartement de 110 m² derrière le Louvre ». Et son patronyme ? « Beaucoup faisaient la part des choses entre moi, le petit-fils, vivant loin du monde politique, et mon grand-père. Et avoir un petit-fils d'empereur à sa table en honorait plus d'un. Au-delà des *a priori*, que je le veuille ou non, mon nom m'ouvrait des portes. Ma boîte aux lettres regorgeait de cartons d'invitation. Soirée privée dans un hôtel particulier, sur un yacht, chez une célébrité... Bien sûr, je m'y rendais. À 20 ans, ça impressionne ! » Lors d'une émission télévisée, à l'humoriste Guy Bedos qui lui lance : « Cela ne vous gêne pas de porter le nom de Bokassa ? », Jean-Barthélemy répond du tac au tac : « Si je m'étais appelé Mamadou, croyez-vous que j'aurais été invité ce soir ? »

En janvier 2014, il pose pour *Paris Match*, chemise et pantalon blancs, panama sur la tête et fume-cigarette à la main, dans l'appartement très chic d'un grand collectionneur d'objets napoléoniens. Napoléon, le héros et modèle de son grand-père empereur. Jean-Barthélemy tient un blog très épisodique, Bokassa.info, qui a pour sous-titre : « Ses soirées mondaines et people, ses livres (ceux qu'il écrit et ceux qu'il aime), ses coups de cœur et ses coups de griffe... » Car Jean-Barthélemy écrit des livres : un roman, un « essai humoristique » – *Comment épouser un(e) millionnaire* – et surtout un récit familial, *Les Diamants de la trahison* (Pharos, 2006).

De Saigon à Bangui

C'est ici qu'on retrouve Martine. Elle est au centre du livre de Jean-Barthélemy, et sa principale source d'information. Martine confie à son fils un témoignage précieux, car unique, sur la vie familiale chez les Bokassa, côté scène et surtout côté coulisses. Cette jeune fille métisse, surgie de si loin, dans le temps et l'espace, devient celle de ses enfants dont l'empereur se sent le plus proche. Elle est la seule à partager sans interruption pendant plusieurs années l'intimité de Bokassa. Au début, son père, qui maîtrise à peu près le vietnamien de base, n'échange avec elle que dans cette langue, la seule qu'elle connaît. À la différence de ses demi-frères et sœurs, Martine n'a pas passé son enfance dans une « cage dorée », mais dans la vie réelle, et souvent rude du Vietnam en guerre. À Saigon, une fois sa mère remariée, Martine est en butte à son beau-père alcoolique qui la moleste et la bat. Un jour, il la menace d'un couteau, si bien qu'il est chassé définitivement du foyer. À peine adolescente, Martine est contrainte d'aider sa mère en faisant des petits boulots, souvent pénibles. Elle livre du poisson, élève des poulets ou transporte des sacs de ciment, tout en continuant à apprendre les leçons que lui envoie un maître d'école compréhensif. Forte de la présence aimante de sa mère, elle développe une intelligence relationnelle qui lui est fort utile une fois catapultée en Afrique, à 17 ans. Au palais présidentiel de Berengo, en effet, Martine se heurte à l'hostilité de plus en plus ouverte d'un « trio infernal » : Catherine, sa jeune belle-mère, qui règne en maîtresse absolue, Georges, le fils aîné de Bokassa, et Jeanne-Marie, une nièce du président. Ces trois-là multiplient à son égard moqueries, vexations et larcins. Ainsi Catherine détourne-t-elle à son profit les sommes d'argent destinées à confectionner la garde-robe de Martine. Et ce n'est qu'un exemple parmi d'autres. Pour rompre son isolement, une fois sa mère repartie à Saigon, Martine apprend en cachette le français et le sango, la langue de Centrafrique. Le trio médusé découvre tardivement que « la Chinoise » est désormais en mesure de se faire respecter.

En 1972, Bokassa décide d'emmener Martine avec lui en voyage diplomatique. Appréciant sa sagacité, il lui répète : « Dommage que tu ne sois pas un garçon, car je t'aurais formé aux métiers de la politique. » Aux côtés de son père, elle renoue avec ses racines africaines, en Somalie, au Cameroun, au Rwanda, au Sénégal, en Côte d'Ivoire ou au Maroc. Elle découvre aussi la Chine et l'Union soviétique. À 19 ans, elle a pratiquement fait le tour du monde. L'année suivante, son mariage – ainsi que celui de l'ex-fausse Martine – est l'objet d'un véritable appel d'offres auquel répondent plusieurs centaines de prétendants. C'est l'occasion pour Martine d'affirmer sa forte personnalité aux yeux de son père. Ce dernier choisit en effet parmi les prétendants le fils d'une riche famille locale, au physique de play-boy. Mais Martine refuse, devinant d'instinct chez lui le séducteur qui la rendra malheureuse. Après beaucoup d'autres refus, elle tombe sous le charme de Jean-Bruno. L'heureux élu est un jeune médecin. Le meilleur choix pour Martine, même si elle n'arrive pas à oublier ce qu'une voyante lui a un jour prédit à Saigon : « Tu deviendras princesse dans un pays lointain. Mais évite de te marier, sous peine de mort pour ton mari. »

Pas question en tout cas de jouer les femmes au foyer. Très vite, Martine ouvre un restaurant vietnamien, Thanh Mi, idéalement situé entre les bureaux, les commerces et les ambassades, et qui ne désemplit pas. Une Bokassa qui travaille ? Voilà de l'inédit. Commerçante habile, elle réinvestit ses bénéfices dans d'autres secteurs d'activité. Elle amasse bientôt une petite fortune, gagnée par son seul mérite, ce qui ne manque pas d'impressionner son père. Il la prend parfois pour confidente, lui raconte son dernier voyage, évoque les secrets d'alcôve des hommes d'État occidentaux, leurs enfants cachés, leurs comptes bancaires à l'étranger : « Ils sont comme les politiciens africains. Ils ont des maîtresses et nous des concubines ! » lance Bokassa en riant. Martine a de l'influence sur son père : à peine se plaint-elle de Catherine ironisant trop souvent sur les « enfants bâtards » de Bokassa – parmi lesquels elle range Martine – que l'épouse favorite paye sa médisance d'une mise en quarantaine à la villa Kolongo, une immense demeure en pleine brousse.

Le 4 décembre 1977, Bokassa est sacré empereur. Dès lors, Martine devient « princesse ». Une princesse africaine et bouddhiste. La première prédiction de la voyante se réalise. La seconde, hélas, s'accomplit également. En 1978, Jean-Bruno devient ministre de la Santé, au grand désarroi de Martine. Elle en veut à son père d'avoir offert à son mari ce qu'elle considère comme un cadeau empoisonné, et ne se gêne pas pour le lui dire. Mais le drame qui attend la jeune femme, et qui restera longtemps secret, s'est noué deux ans plus tôt, à son insu. Le 23 février 1976, Jean-Bruno assassine le petit-fils de Bokassa, l'enfant – alors âgé de neuf jours – de la « fausse » Martine et de Fidèle Obrou. Le gendre du président injecte au nourrisson une dose mortelle de tranquillisants. Il reconnaît son crime en 1980, lors du premier procès par contumace de Bokassa – un procès bâclé, un an après sa chute. Jean-Bruno, qui n'a pas voulu quitter le pays, est exécuté le 24 janvier 1981. Serait-ce Bokassa qui a ordonné l'infanticide ? Lors de son second procès, en 1987, l'ex-empereur est acquitté de ce forfait, faute de preuves. Trente ans après les faits, Jean-Barthélemy, son petit-fils, s'interroge toujours : « Un médecin formé à l'école française, ministre et tueur d'enfant ? Un bébé, tellement menaçant qu'il faudrait le supprimer ? Une vengeance, à cause de parents félons et sur un innocent ? Est-on seulement certain de la cause du décès ? Où est le rapport d'autopsie ? Où sont les témoins ? Sont-ce ces ministres pressés de servir le nouveau régime comme ils ont servi l'ancien ? Mon père a-t-il avoué, et si oui, dans quelles conditions ? Pourquoi est-il l'unique politique à payer de sa vie la chute de l'empire ? »

À la toute fin de son règne, Bokassa trouve en Martine une confidente privilégiée. Un soir, il s'invite discrètement dans son restaurant pour lui parler politique. D'humeur sombre, il lui expose ses doutes, ses craintes et cherche à se disculper. Un an plus tôt, le gouvernement a décrété une mesure fortement impopulaire : obliger les écoliers à porter un uniforme. C'est un achat trop coûteux pour les familles. Des manifestations sont réprimées par l'armée, et vingt-six jeunes meurent en prison. Sa fille l'interroge sur les rafles de jeunes, et les sévices commis par l'armée. Réponse, sans vergogne, de Bokassa : « Écoute ma fille, en treize ans de pouvoir, je n'ai jamais pris la moindre mesure qui puisse directement ou non causer le moindre tort à un seul enfant de Centrafrique. »

Quand cela tourne mal

Georges, le fils aîné de Bokassa, partage avec Martine une affinité involontaire importante : il ne fait la connaissance de son père qu'au seuil de l'âge adulte. Il naît le 24 décembre 1949. Trois mois plus tard, Bokassa part pour l'Indochine. Lorsque la mère de Georges refait sa vie au Congo avec un Français, ce dernier ne supporte pas la présence de l'enfant et de son frère cadet. Les deux garçons sont alors expédiés dans des familles d'accueil où ils passent leur jeunesse, au Gabon, au Togo et au Bénin. En 1967, Bokassa fait rechercher son fils : « C'est le président [gabonais] Bongo qui m'a retrouvé à Libreville, chez ma mère et m'a envoyé à Bangui », explique Georges, aussitôt envoyé en pensionnat en Sologne pour achever sa scolarité. Il ne rentre au pays que pour les grandes vacances. Il y séduit une métisse de 16 ans, Evelyn Durieux. Le couple se marie en 1975 en présence de deux mille invités. De son père, Georges a hérité un instinct de violence. Dans son livre paru en 1992, *Princesse aux pieds nus,* (Cerf, Michel

Lafon), la jeune épouse raconte que Georges la gifle dès le lendemain des noces, et en présence de ses parents. Plus tard, il l'engrosse et la menace de mort.

Terrorisé par son père, Georges vit en perpétuel conflit avec lui, craignant sa disgrâce à tout moment. Bokassa le renie et le prive de ses droits filiaux en 1977, l'absout lors du sacre, l'expulse à nouveau avec sa famille en 1978, le déshérite en 1979, sentence confirmée par écrit en 1982. Leur querelle est parfois bassement matérielle. En 1978, elle tient à une rivalité sur le contrôle du commerce de l'ivoire. Avant d'être chassé par son père vers la France, où il demande l'asile politique, Georges passe dix-sept jours en « résidence surveillée », avec pour seule nourriture des bananes et un cochon. En exil, Georges a souvent affaire à la police. C'est un habitué des prisons françaises pour de petites escroqueries ou des rixes qui tournent mal. En 1982, il s'installe au château de Mézy-sur-Seine, dans les Yvelines, l'une des propriétés de son père, et contre la volonté de ce dernier. En 1990, il fait l'objet d'un mandat d'amener en Suisse pour « usage de fausse monnaie ». Puis il est condamné pour falsification de documents administratifs et non-paiement de la pension alimentaire de sa femme, dont il a divorcé. En décembre 1998, il écope de trois ans de prison pour vols de chéquiers, qu'il purge à la maison d'arrêt de Fleury-Mérogis. Il vit encore aujourd'hui au château de Mézy où il est menacé d'expropriation.

Il n'est pas toujours facile pour les enfants de Bokassa de vivre auprès d'un père aussi colérique et méfiant.

Jean-Charles, se souvient par exemple du jour où son père prend le pouvoir – il avait 7 ans alors. Une fois le putsch réussi, au petit matin, « il nous a serrés dans les bras en murmurant : "C'est fini !" Il était très, très content. Il est tout de suite reparti. » Les enfants assistent parfois aux scènes de ménage. Ainsi, Reine, la fille aînée de Catherine, raconte à Géraldine Faes et Stephen Smith les exploits de la Roumaine Gabriella : « Elle lui jetait des assiettes à la figure et papa nous demandait de ne pas en parler à maman. Elle était hystérique. De temps à autre, il nous emmenait chez elle, en cachette de ma mère qui ne supportait pas que nous allions chez d'autres femmes. Elle ouvrait sa penderie pleine de bijoux et nous demandait si notre mère avait les mêmes. » Un jour, Bokassa, l'alcool aidant, dirige personnellement au palais la bastonnade de trois hommes menottés, deux étudiants et un enseignant, arrêtés pour avoir distribué des tracts dénonçant « l'An pire ». « Jetés à terre, dépouillés de leurs vêtements, les malheureux crient de douleur, témoigne Evelyn Durieux. Nous voyons couler le sang sur leurs corps. Coups de crosse et coups de rangers pleuvent aveuglément. » Il faut alors faire vite pour éviter la vue du sang aux enfants. Ces derniers savent également à quel point leur père peut être cupide et kleptomane. Jean-Charles se souvient : « Comme chef d'état-major, il devait arrêter les clandestins qui ramassaient le diamant illégalement : il leur laissait la liberté en échange des pierres saisies. Il rangeait les diamants dans des bouteilles. »

En Centrafrique, la menace d'un coup d'État plane en permanence. Bokassa a une telle obsession de sa propre sécurité, qu'en dépit des multiples précautions d'usage – il fait notamment goûter tout ce qu'il prévoit de manger et de boire –, il se méfie de chacun et même des membres de sa famille. Atteint d'espionnite, il fait mettre sur écoutes ses diverses « épouses » suspectées d'adultère. C'est le cas de Catherine, par exemple, qu'il soupçonne de coucher avec ses propres fils Georges, Jean-Charles ou Saint-Cyr : Bokassa s'estime en effet en état de rivalité amoureuse avec eux. À cause d'une sombre « histoire de filles » de ce genre, Nicaise, emprisonné pendant plusieurs mois par son père, est le seul enfant absent à la cérémonie du sacre.

L'opération Barracuda, un traumatisme

En septembre 1979, l'opération Barracuda, organisée par la France, renverse Bokassa et remet au pouvoir David Dacko que Bokassa avait lui même renversé en 1965. L'armée française intervient notamment car depuis quelque temps Bokassa se rapproche de plus en plus de Kadhafi dont la politique au Tchad est en contradiction complète avec les intérêts français. Cette opération est un séisme pour les enfants de Bokassa. Les trois cents gardes du palais présidentiel sont sous les ordres de Saint-Cyr ce jour-là. Ils se laissent désarmer, leur chef est arrêté. Les plus jeunes, enfants ou petits-enfants, sont traumatisés. Jean-Barthélemy n'a que 5 ans. Il restera incapable de parler correctement pendant un an. Tout le monde se retrouve en exil, soit au château d'Hardricourt dans les Yvelines, autour de Catherine, soit à Abidjan, dans le « petit palais » prêté à l'empereur déchu par Félix Houphouët-Boigny, le président de la Côte d'Ivoire. Jean-Charles y revoit son père, remâchant son amertume, une bouteille de Chivas à la main. En décembre 1983, Bokassa débarque à son tour en France avec quinze de ses enfants et sa compagne de l'époque, Augustine. Il s'installe à Hardricourt. En octobre 1986, il rentre de son plein gré à Bangui, avec Augustine et leurs cinq enfants, s'attendant à un accueil triomphal. Ce n'est pas le cas. Arrêté, il est jugé en juin 1987, et condamné à mort par contumace en Centrafrique. Une peine commuée en prison à vie, puis réduite à dix ans de détention lorsqu'il retourne à Bangui en 1986. Il en accomplit six avant d'être amnistié en 1993.

Ruiné, malade, solitaire, il survit dans sa villa désertée. Deux de ses filles, encore très jeunes, Anne et Marie-Yokowo, l'aident à domicile. Un jour, il placarde un avis interdisant à « l'enfant Jean-Paul Bokassa », seul descendant en permanence auprès de lui, de quitter la villa. Bokassa meurt le 3 novembre 1996 des suites d'une congestion cérébrale, à l'âge de 75 ans. Ses enfants sont maintenant disséminés aux quatre coins du monde. Certains ont su tirer leur épingle du jeu, comme Martine qui tient un restaurant vietnamien, le Tam Tam Saigon, à l'île Rousse, en Corse ; Marie-Ange qui peint et écrit à Beyrouth ou Jean-Charles installé avec sa famille à Abidjan. D'autres vivent moins bien leur lourde hérédité : Georges s'est ainsi mis sa famille à dos en se prétendant « légataire universel » de son père. D'autres encore sont morts, comme Saint-Cyr, empoisonné à 37 ans, en juillet 1996, par une quintuple dose de chloroquine. Assassinat ? Suicide ? Mais la fin la plus triste est bien celle de Charlemagne, l'un des fils de la Gabonaise, Marie-Joëlle. Toxicomane et sans abri, passant ses nuits dans le métro ou les jardins parisiens, un photographe de l'AFP l'identifie par hasard à la gare de Lyon en 1999. Il meurt dans la misère en 2001, à l'âge de 31 ans.

Mobutu, l'amère rumba des orphelins du Léopard

Par Vincent Hugeux

Fils de cuisinier, Joseph-Désiré Mobutu voit le jour le 14 octobre 1930. L'habileté de ce Machiavel tropical, tour à tour soldat de l'armée coloniale belge, comptable puis journaliste, lui vaut de se hisser dès l'indépendance auprès du très « progressiste » Patrice Lumumba, qu'il neutralise au grand soulagement de Bruxelles, Washington et Paris, tout comme il supplante en 1965 Joseph Kasa-Vubu, premier chef d'État du Congo indépendant. La rente géopolitique de cet allié empressé de l'Occident – lequel ferme les yeux sur sa cruelle dérive autocratique et prébendière – s'étiole quand chute le mur de Berlin. Au point que celui qui s'est rebaptisé Mobutu Sese Seko, en butte à la rancœur populaire, doit alors avaliser à reculons l'avènement du multipartisme. Huit ans plus tard, c'est son régime vermoulu qui s'effondre sous les coups de boutoir d'une rébellion armée téléguidée par le Rwanda voisin. À sa mort, le 7 septembre 1997 à Rabat (Maroc), le « Roi du Zaïre », titre d'un documentaire édifiant du cinéaste Thierry Michel, laisse dans son sillage un colosse exsangue, une fortune personnelle de quatre à cinq milliards d'euros, soit près de la moitié de la dette publique, et une descendance déchirée.

À première vue, une telle affaire n'a pas vocation à quitter la rubrique des faits divers de l'agglomération toulousaine. Dans la nuit du 15 au 16 avril 2014, une Renault Mégane percute un platane non loin du pont des Catalans, au cœur de la Ville rose. Alertés, les sapeurs-pompiers installent dans leur ambulance l'unique occupant de la voiture, maîtrisant à grand-peine ce robuste gaillard de 1,91 m passablement agité. Les sauveteurs le croient apaisé quand le colosse trentenaire, tee-shirt blanc et survêtement gris, bondit de sa couchette, se glisse hors du véhicule de secours, enjambe le parapet du pont et saute dans les eaux de la Garonne, à une douzaine de mètres en contrebas. Les recherches, déclenchées aussitôt, resteront infructueuses. Un hélicoptère survole en vain les abords de l'ouvrage ; et c'est sans plus de succès que des hommes-grenouilles sondent les berges du fleuve. Intérimaire dans l'industrie pharmaceutique, père de trois enfants et basketteur chevronné, le disparu se nomme Raphaël Mobutu. Mobutu, du nom de son père, l'illustre Léopard suprême Mobutu Sese Seko, celui-là même qui a régné en patriarche implacable et munificent sur l'ex-Congo belge – rebaptisé Zaïre en 1971 – durant plus de trois décennies, avant de rendre l'âme en son exil marocain, terrassé par un cancer de la prostate, le 7 septembre 1997. Soit quinze semaines après que la rébellion armée venue de l'est et conduite par Laurent-Désiré Kabila l'a évincé de son trône.

Une noyade ? La police écarte l'hypothèse. Quant à la famille de Raphaël, elle s'accroche à l'espoir d'un accès d'amnésie, sillonne ses quartiers fétiches, placarde des affichettes à son effigie et lance des appels à témoins via la rédaction locale de *La Dépêche de Toulouse*. « Sans doute a-t-il perdu connaissance, hasarde une sœur. Il doit être quelque part, mais ne sait plus qui il est ni où il habite. »

Fruit de la liaison entre le maréchal-président et la benjamine des veuves de son frère aîné, Mama Movoto, encore surnommée Mama 41, recueillie à la mort de son époux conformément aux usages de la tribu ngbandi, ce garçon figure bel et bien dans la descendance pléthorique de celui qui, au nom de l'impératif d'« authenticité », troque en 1971 son prénom chrétien – Joseph-Désiré – contre le patronyme plus viril de Mobutu Sese Seko Kuku Ngbendu wa Za Banga. Soit en langue lingala « le guerrier qui, grâce à son endurance et à son inflexible volonté, vole de victoire en victoire ». Même si, dans une acception plus triviale, la formule renvoie aussi semble-t-il au « coq qui veille sur toutes les poules ».

De fait, le roi de la cour congolaise, que celle-ci fut haute ou basse, n'a jamais été chiche de sa vitalité. Recenser les ayants droit légitimes et reconnus nés de ses œuvres n'est pas chose aisée. Avec le concours précieux d'une poignée d'initiés, le généalogiste d'occasion qu'est l'auteur de ces lignes a identifié, sauf erreur ou omission, dix-neuf enfants, nés de quatre épouses et dont au moins cinq ont quitté ce monde pour rejoindre le village des ancêtres. Dispersés, les rescapés d'une galaxie déchirée par d'âpres rivalités et de tenaces ressentiments gravitent pour l'essentiel, en nomades à l'abri du besoin, entre la Belgique, la France, le Maroc, les États-Unis, la Suisse et la terre natale. Se disputant l'héritage politique et financier de leur géniteur. Si certains, tels Nywa et Kongulu hier, Ngawali ou Nzanga aujourd'hui, ont arpenté les allées du pouvoir, goûtant à ses délices comme à ses poisons, d'autres ont opté pour l'effacement, voire un anonymat plus ou moins doré. « Pauvre Mobutu, raille parfois la *vox populi*, de Kinshasa à Gbadolite, fief familial de la province de l'Équateur, il n'a pas enfanté de léopard... » « La mobutuité est malade », soupire en écho un journaliste congolais de la diaspora. Une évidence : le spectre du despote à la toque légendaire et à la canne ouvragée flotte aussi sur la République démocratique du Congo (RDC), pays-continent aux mains, depuis 2001, de Joseph Kabila, le fils de son tombeur. Au point que l'hypothétique rapatriement de sa dépouille – inhumée pour l'heure dans le cimetière chrétien de Rabat –, objet d'intenses palabres et de joutes parlementaires, s'apparente à une affaire d'État. « Le retour du corps à Gbadolite ne me semble pas à l'ordre du jour, nuance un homme du sérail. La famille craint une tentative de récupération politicienne du régime en place dont, par ailleurs, la télévision injurie tous les jours la mémoire du maréchal, accusé d'avoir ruiné le pays. Et elle redoute la profanation, plus ou moins orchestrée, de l'éventuel mausolée. »

Le sortilège des frères

Avant même d'emporter le *pater familias*, la mort s'est acharnée sur les mâles de la première fratrie. Étrange malédiction : si leurs quatre sœurs ont survécu, les cinq garçons nés de l'union entre Mobutu, alors sous-officier de la Force publique – l'armée coloniale belge –, et Marie-Antoinette Gbiatibwa Gogbe Yetene ont tous péri, vaincus pour la plupart par le sida. En 1955, lorsqu'elle épouse le fringant sergent alors prénommé Joseph-Désiré, la future Mama Sese, tout juste âgée de 14 ans, est déjà enceinte de Jean-Paul. Lequel devient Nywa à l'ère de la « zaïrianisation », au temps où Papa Mobutu ordonne le port de l' « abacost » – pour « À bas le costume ! » – uniforme à l'austérité toute maoïste censé supplanter la garde-robe impérialiste. Privilège de la primogéniture ? Ce fils premier né passe pour le rejeton préféré du père. « Pas au point d'apparaître comme son dauphin, précise un ex-ambassadeur familier du clan. Là est le drame du maréchal : il n'avait pas d'héritier politique et se refusait à en désigner un. »

Reste qu'après avoir comme papa jadis tâté du journalisme – les vétérans du quotidien *Le Soir de Bruxelles* se souviennent d'un stagiaire « sympa et plutôt réservé » –, Nywa se voit investi de missions de confiance. Le voilà tour à tour ambassadeur itinérant, conseiller diplomatique puis membre du gouvernement, en qualité de secrétaire d'État puis de ministre de la Coopération. Carrière prometteuse, brutalement abrégée par la maladie : le 17 septembre 1994, l'aîné, pas même quadragénaire, s'éteint à l'hôpital Bichat, dans le 18e arrondissement de Paris. Il repose depuis lors en la chapelle Sainte-Marie-de-Miséricorde de Gbadolite, le « Versailles dans la jungle » mobutiste, au côté de sa maman, décédée en 1977, à l'âge de 36 ans, et de deux de ses frères. Fils du défunt, Zemanga, alias Koko Ze, accède en vertu là encore de la tradition au statut de figure de proue de la jeune génération. « Diplômé en droit international de l'Université libre de Bruxelles (ULB) et d'une fac parisienne, Zemanga se considère comme tel, confirme un témoin privilégié, jadis intime du maréchal. Il est vrai que ses tantes le mettent volontiers en avant, lui attribuant le rôle du rassembleur. » Bon courage à lui...

Sœur cadette de Nywa et fille aînée de « l'Aigle de Kawele » – l'un des innombrables surnoms de Mobutu –, Ngombo s'acquitte pour sa part de ses devoirs de mère de famille en sa résidence cossue des Sept-Fontaines de Braine-l'Alleud, enclave huppée du Brabant wallon connue pour sa quiétude et ses coquets parcours de golf. De quoi effacer les stigmates d'une vie conjugale chaotique. Il faut dire que son mariage avec le fils du maire de Limete – commune indocile de Kinshasa et fief de l'opposant historique Étienne Tshisekedi –, futur conseiller à la présidence et secrétaire d'État, apparaît comme un cuisant échec. Au point que la rumeur prête à Ngombo une tentative de suicide. « Faux, corrige un familier. Il s'agissait en fait d'un incendie domestique, rançon d'une cigarette mal éteinte. »

Après ce bref intermède féminin, retour à la lignée des mâles. Né en Belgique en 1959, Manda suit le parcours commun à la plupart des garçons du premier lit : scolarité outre-Quiévrain, études en Europe et aux États-Unis, puis apprentissage du métier des armes à l'École des officiers de Kananga, dans la province centrale du Kasaï occidental, d'où le cadet sort en 1986 avec le grade de sous-lieutenant. Réputé lucide quant aux outrances de la kleptocratie que régente Mobutu senior, Manda tente bientôt de s'émanciper de l'étouffant magistère paternel. D'abord via les affaires, quitte à commercer avec l'Afrique du Sud de l'apartheid et à s'adonner à divers trafics, des espèces animales protégées – tel l'okapi – au diamant. Puis, après la mort du « patron », sur l'échiquier politique. C'est ainsi qu'il crée en 1999 le Rassemblement national populaire, formation supposée renouer avec l'élan patriotique qu'avait orchestré son père dans les années 1970. Aventure vouée à l'échec. D'autant que Manda n'échappe pas au sortilège des fils : il rend l'âme en novembre 2004, à 44 ans. Après les funérailles, célébrées en l'église Saint-Honoré d'Eylau, dans le 16e arrondissement de Paris, son cercueil est convoyé pour inhumation au cimetière du Montparnasse.

De deux ans son cadet, le dénommé Konga a vu quant à lui se pencher sur son berceau un parrain hors-norme : Joseph Kasa-Vubu, chef d'État de 1960 à 1965 d'un Congo tout juste affranchi des fers de la colonisation. Patronage ambigu, puisque Mobutu évince son glorieux aîné après l'avoir servi ; et qui ne sera que d'un médiocre secours au jeune officier au naturel mesuré, formé lui aussi sous les drapeaux de l'Académie de Kananga, où il cueille ses galons de lieutenant. Marié à une Française, le discret Konga passe de vie à trépas dès 1992 en Belgique.

La fille chérie et le gendre en rupture de ban

Si Nywa a été côté masculin le favori de Papa Mobutu, Ngawali peut à bon droit revendiquer la dignité de fille élue. Un signe : c'est elle qui, à la mort de l'aîné de la bande, lui succède au poste de conseillère diplomatique. Fonction occupée jusqu'en 1997, quand sonnent le glas du régime et l'heure de la fuite. Diplômée en relations internationales d'un institut genevois et d'une université américaine, cette femme de tête et d'entregent parvient, avec le concours d'Édouard Mokolo, l'une des éminences grises du Grand Léopard, et de l'avocat Robert Bourgi, l'insubmersible marabout de la Françafrique, à tisser un dense faisceau de contacts, notamment au sein de la droite hexagonale. D'autant que Ngawali, amie de l'ex-« impératrice » centrafricaine Catherine Bokassa, occupe en ce temps-là un luxueux appartement des bords de Seine. « Elle connaît excellemment ce marigot, insiste l'un des piliers de son entourage. Et n'est pas étrangère au maintien, du vivant de son père, d'un axe Kinshasa-Washington-Paris-Bruxelles. » Dans un ouvrage de référence – *Ces Messieurs Afrique, Des réseaux aux lobbies* (Calmann-Lévy, 1997) –, Antoine Glaser et Stephen Smith avancent que l'intéressée, aidée en cela par Me Bourgi, pilote à distance l'intendance de son père. Séparée du businessman ivoirien Serge M'Bayia Blé, fils d'un ex-ministre des Forces armées de Félix Houphouët-Boigny, la plus politique des filles

Mobutu navigue désormais entre Rabat, Paris et Malabo, en Guinée équatoriale, où elle séjourne parfois pour affaires. Son carnet d'adresses, son influence et sa science du contact lui valent en 2009 de se voir offrir un maroquin de ministre ou une ambassade ; offre aussitôt déclinée. Reste que de tels atouts la conduisent aujourd'hui à jouer un rôle moteur dans les laborieuses négociations sur le retour au pays de la sépulture du maréchal. C'est elle que l'on voit, de Kinshasa à Bruxelles, orchestrer les pourparlers avec l'ancien Premier ministre et actuel président du Sénat Léon Kengo wa Dondo, d'ethnie ngbandi lui aussi. De même, Ngawali et son aînée Ngombo bataillent depuis des lustres sur le front de la restitution des biens confisqués comme des avoirs gelés, en Suisse ou ailleurs, du patriarche et des siens. Campagne parfois couronnée de succès : en 2010, la famille récupère ainsi le fameux immeuble Kin Mazière à Kinshasa, autrefois propriété de Marie-Antoinette.

La destinée d'une autre cadette mérite le détour. Moins pour elle-même au demeurant que du fait de la charge éditoriale à laquelle s'est livré son ex-époux, sujet du royaume de Belgique. Le 4 juillet 1992, à Gbadolite, Yakpwa convole en grand arroi avec un certain Pierre Janssen, fils de la bourgeoisie de Courtrai. « Moitié play-boy, moitié aventurier », grommelle un intime du père. Épousailles somptueuses. Une flottille aérienne achemine invités et victuailles, pièce montée glacée Lenôtre comprise, jusqu'au cœur de la forêt équatoriale. Exceptionnel ? Pas vraiment : il arrive à beau-papa de faire venir de Zeebruges des moules congelées, que l'on arrose *in situ* de pétrus ou de château-cheval-blanc. Cette brève union – moins de cinq années – offre à Monsieur Gendre une vie de nabab et la matière à un réquisitoire intitulé *À la cour de Mobutu*, recueil de « fracassantes révélations » publié en 1997 chez Michel-Lafon. Un ouvrage un rien racoleur et truffé d'erreurs factuelles, dans lequel l'auteur flétrit les travers d'une camarilla dépeinte comme avide, clinquante et superficielle, mais dont lui-même a omis de bouder les largesses. Au passage, Janssen tente de se tailler un costume à la mesure de ses ambitions, qu'attestent quelques projets farfelus. On le voit ainsi prétendre mettre de l'ordre dans les comptes du « royaume » – tâche herculéenne il est vrai –, œuvrer à la privatisation d'un trust minier du Katanga ou à la relance d'une raffinerie pétrolière en *joint-venture* avec la Libye de Muammar Kadhafi, alors sous embargo, courtiser des investisseurs en invoquant le titre de « consul du Zaïre à Monaco » et solliciter l'émir du Qatar.

La loyauté du prétorien

Moins romanesque, la trajectoire du martial Kongulu s'avère plus chaotique, sa brutalité et ses escapades dans le monde arabe lui valant le sobriquet de « Saddam Hussein », référence au tyran irakien. Formé à l'instar de deux de ses frangins à l'École d'officiers de Kananga, ce gaillard trapu, barbu, accro aux bolides, aux jeux d'argent et aux jolies filles a opéré « en électron libre » – dixit un fidèle du premier cercle paternel – dans divers organes des Forces armées zaïroises (Faz). Notamment auprès du général Bolozi Gbudu, beau-frère de Mobutu, au sein du Service d'action et de renseignement militaire (Sarm), au sommet de la Division spéciale présidentielle, ou DSP, garde prétorienne du maréchal, voire sous la bannière de l'énigmatique société Hyochade, suspectée de couvrir des activités d'extorsion, de propagande et de flicage d'opposants.

Au moins Kongulu a-t-il eu, en sa qualité de patron de la protection rapprochée de papa, le courage de rester au côté du souverain aux abois jusqu'à son exfiltration, lorsque vient l'heure de décoller à la hâte vers le Maroc, via Gbadolite, le Togo, la Suisse et la France. Si l'on ne prête qu'aux riches et aux puissants, c'est à tort que le caïd de la fratrie est accusé d'avoir assassiné à la mi-mai 1997, dans l'enceinte du camp Tshatshi et sur fond de débâcle, le général Marc Mahele, ministre de la Défense et chef d'état-major des Faz, accusé de « trahison ». Il faut dire que ce saint-cyrien, soucieux d'éviter un bain de sang dans la capitale, a alors le tort de prôner le dialogue avec les forces rebelles de Kabila senior. « En vérité, assure un témoin de la scène, Mahele a été abattu par un membre du dernier carré de la DSP. Kongulu, qui le connaissait comme tous ses frères et sœurs, n'est arrivé sur les lieux qu'un bon quart d'heure plus tard. Donc trop tard. » Avant cet épilogue, reflet d'une indéniable loyauté filiale, l'intéressé a lui aussi cédé aux sirènes du business, du fret maritime au négoce illégal d'or vers le Ghana, via l'import-export et la musique populaire. Et il est arrivé aux relations père-fils de traverser de sévères zones de turbulences. Reste que

Kongulu, miné lui aussi par le sida, survit à peine plus d'un an à l'auteur de ses jours : c'est en son exil monégasque qu'il rend l'âme le 24 septembre 1998.

Veuf de Marie-Antoinette depuis 1977, le maréchal-président invente trois années plus tard une figure de style conjugale inédite : la bigamie gémellaire consentie. Il épouse le 1er mai 1980 sa maîtresse quasi institutionnelle Bobi Ladawa, laquelle a étoffé sa descendance bien avant l'échange des alliances. Ce qui ne le dissuade nullement d'entretenir une liaison régulière avec la sœur jumelle de celle-ci, prénommée Kosia. À l'heure du trépas du potentat, seule la première, institutrice de formation, a droit au statut de veuve. Âgée de soixante-dix printemps, Bobi régit en reine mère, depuis son exil doré de Rabat, la deuxième fratrie née du Léopard suprême. « Je n'ai jamais fait de politique du vivant de mon mari, soutient-elle en novembre 2012 dans les colonnes de l'hebdomadaire *Jeune Afrique.* Ce n'est pas aujourd'hui que je vais commencer. » Et de confier alors qu'elle ne caresse d'autre rêve que de rentrer au pays pour s'adonner à l'agriculture dans sa ferme de Goloma, dans le Nord.

Sus au « traître »

Est-ce si simple ? Pas sûr. D'autant que si cette femme replète aux tresses arachnéennes prétend déserter l'arène du pouvoir, les deux fils aînés qu'elle eut – hors des liens du mariage – de Sa Majesté Mobutu 1er l'ont beaucoup sillonnée. Pour preuve, le parcours de Nzanga, venu au monde sous le prénom de François-Joseph le 24 mars 1970. Scolarisé à Saint-Vincent de Soignies, collège chic niché entre Bruxelles et Mons, il s'initie au commerce et aux relations internationales à Montréal puis à l'université américaine de Paris. Nul tropisme militariste chez lui : on le retrouve dès 1991 à la tête du conseil d'administration de la Société zaïroise de banque. Ce qui ne l'empêche pas d'endosser le costume inconfortable de conseiller et de porte-parole de son père durant la déroute finale. Mission que Nzanga assume encore au Maroc, terminus de la brève errance de Mobutu, où il fonde une agence de communication. Si une partie de sa famille vit à Washington, le premier-né de Bobi Ladawa vogue pour l'essentiel entre le royaume chérifien, son port d'attache, et celui des Belges ; du moins depuis la faillite de la tumultueuse croisade politique menée au pays.

À la faveur du scrutin présidentiel de 2006, Nzanga défie en effet, avec le soutien de maman, le sortant Joseph Kabila, mais aussi son beau-frère et rival Jean-Pierre Bemba, futur et éphémère vice-président, à qui il dispute l'Équateur, cœur du « Mobutuland ». C'est que Nzanga a épousé Olofio, fille du patron des patrons zaïrois et baron fortuné de l'ancien régime Jeannot Bemba Saolona, disparu en 2009, et sœur d'un Jean-Pierre aujourd'hui logé dans une cellule de Scheveningen, centre pénitentiaire de la Cour pénale internationale de La Haye, où il comparaît depuis juillet 2008 pour les exactions commises en Centrafrique par les soudards de sa milice. Verdict des urnes : 4,77 % des voix, score suffisamment honorable pour inciter le vainqueur Kabila junior, en quête de caution équatoriale, à le courtiser. Au grand dépit de la « tribu » du premier lit, l'outsider négocie le ralliement de son Union des démocrates mobutistes (Udemo) à la nébuleuse présidentielle, obtenant en contrepartie en février 2007 le portefeuille de l'Agriculture dans le gouvernement d'Antoine Gizenga. « Domaine dont il ignorait tout », ironise un diplomate européen, alors en poste à Kinshasa. « À ceci près qu'il s'est investi sur le front environnemental, nuance un ex-ambassadeur de France. Je me souviens d'un homme affable, jovial, ouvert et tout en rondeur, nullement inhibé par son hérédité et convaincu que le moment était venu de solder le legs de l'ère Mobutu Sese Seko. Mais aussi épris de gadgets technologiques, d'Internet au GPS, au point de se plonger à maintes reprises dans son smartphone pendant un déjeuner. »

Pour la famille, le transfuge commet là une inexpiable traîtrise. « On lui avait *a minima* conseillé de déléguer au gouvernement un de ses lieutenants de l'Udemo, soupire un des gardiens du temple paternel. Peine perdue. » De fait, Nzanga persiste. Le voilà propulsé l'année suivante au rang de vice-Premier ministre en charge des Besoins sociaux de base au sein du cabinet d'Adolphe Muzito, puis, à la faveur du remaniement de février 2010, titulaire du maroquin de l'Emploi, du Travail et de la Prévoyance sociale. Le mariage de la carpe kabiliste et du lapin mobutiste se brise en mars 2011 ; d'autant que Nzanga, coupable d'absentéisme chronique, a disparu de « Kin » des mois durant. Révoqué, il brigue de nouveau la magistrature suprême en novembre de la même année. Un fiasco : 1,57 % des suffrages exprimés. « Normal, assène un vieux complice du défunt maréchal : il n'avait rien fait pour sa région d'origine. »

Chasse au trésor

En vertu d'un schéma éprouvé, le vigoureux contentieux politique, dont témoigne dès 2006 un communiqué réprobateur cosigné par les filles du premier lit – Ngawali, Yakpwa, Yango et la très effacée Ndagbia, qui coule des jours paisibles en Belgique après s'être essayée à la restauration – ainsi que par leur neveu Zemanga, s'envenime de querelles d'héritiers. « Même si, s'amuse notre ambassadeur, Nzanga répétait à l'envi combien les rescapés de la dynastie souffraient de pauvreté et à quel point étaient infondées les rumeurs courant sur la fortune planquée de son fondateur. À l'en croire, il n'en reste rien, Mobutu ayant tout distribué de son vivant. » Thèse endossée au risque du paradoxe par un fidèle du défunt Léopard. « Contrairement à un mythe tenace, le maréchal n'était pas un homme d'argent. Il en a vu passer beaucoup ? Soit, mais la quasi-totalité a été engloutie par la constitution de son patrimoine immobilier. » Et d'énumérer les joyaux de celui-ci : le site pharaonique de Gbadolite ; le château de Fond'Roy à Uccle, commune huppée du Grand Bruxelles ; le refuge princier de l'avenue Foch, à Paris ; la villa del Mar de Cap-Martin, dans les Alpes-Maritimes, théâtre de scintillantes fiestas familiales ; le château helvète de Savigny, cédé aux enchères en 2001 à un colon belge rongé par la nostalgie, ou l'immense domaine portugais de Faro, dans l'Algarve, aujourd'hui propriété de la *mater familias* Bobi Ladawa. Autre litige récurrent, déjà évoqué : les modalités du transfert du corps du patriarche, Ngawali et Koko Ze récusant un arrangement négocié par leur demi-frère et avalisé par le parlement.

Suspicions tous azimuts, donc. Nzanga sera accusé à mots à peine voilés de captation d'héritage. « Lui-même, ajoute une "zaïrologue" aguerrie, soupçonnant Jean-Pierre Bemba d'avoir abusé de la confiance d'un Mobutu qui le traitait comme son véritable fils, ce qu'il est peut-être au demeurant, pour détourner à son profit une partie des avoirs du vieux. » Éclairage d'un vétéran des intrigues claniques : « Les enfants du premier lit considèrent que c'est à eux et à eux seuls que doit échoir le produit de la revente des biens immobiliers de Marie-Antoinette. Alors que les autres jugent qu'il doit être réparti entre les dix-neuf successeurs identifiés... » Pour autant, est-il exact, comme le soutient un pilier de la diaspora congolaise de France, qu'en 2004, à l'heure des obsèques de Manda, Bobi Ladawa et sa progéniture ont été tenus à l'écart du cercueil, au milieu des huées ? « J'y étais, et je n'ai aucun souvenir d'une telle scène », esquive notre témoin.

Reconversion ? Installé au Maroc, où, hormis lors de la messe de requiem annuelle commémorant chaque 7 septembre en la cathédrale de Rabat le décès du père, lui et sa demi-sœur Ngawali s'évitent, Nzanga délaisse les jeux du cirque politique et consacre son énergie aux affaires, entre Nouveau Monde et Vieille Europe. Il a d'ailleurs cédé les rênes de l'Udemo à son cadet Giala, député de… Gbadolite et chef de file du maigre groupe parlementaire néomobutiste. Tout sauf une sinécure : formé à l'administration des affaires en Grande-Bretagne, celui-ci a été, avec son aîné, poursuivi en justice en juin 2012 pour défaut de paiement des loyers et des factures d'eau et d'électricité de l'ancien siège kinois du parti, logé un temps avenue Pumbu, dans la commune de la Gombe.

Seule fille du tandem Mobutu-Bobi, la prénommée Toku vit pour sa part entre la France, où elle anime un temps une agence de communication à l'enseigne de T-Time Studio, logée rue de Rennes à Paris, et les États-Unis. Quant au troisième garçon, Ndokula, il a navigué entre Espagne et Maroc, où il s'est éteint en novembre 2011.

L'œil était dans la tombe

Une compagne, on l'a vu, peut en cacher une autre. Et quand, de plus, la reine officielle et la semi-clandestine se ressemblent comme deux gouttes de *tangawisi*, boisson médicinale traditionnelle de l'ex-Zaïre… Des années durant, et sans psychodrame apparent, le « coq » Mobutu a donc partagé ses faveurs entre Bobi et sa *mapasa* – « jumelle » en lingala –, choyant l'une et l'autre à coups de parures d'or et de diamants. De sa retraite madrilène, Kosia veille sur sa postérité. À savoir trois filles, Ya-Litho, Tende et Ayessa, établies en Espagne, auprès de maman, ou au Maroc. Mais que l'on peut aussi croiser, en vertu de la coutume dynastique, en Belgique ou dans l'Hexagone.

Cette troisième tribu est-elle bien la dernière ? Que nenni. En rester là serait faire peu de cas des enfants de Mama 41, mentionnée plus haut, que ceux-ci aient eu ou non pour géniteur le maréchal-président. Premier d'une lignée qui s'est choisie pour terre d'adoption le Sud de la France : Senghor, ainsi baptisé car il a vu le jour au Sénégal, patrie de l'illustre homme d'État et de lettres Léopold Sedar Senghor. Serait-il né, comme le veut la légende, à bord d'un avion survolant le pays de la Teranga – « hospitalité » en langue wolof ? « Certainement pas, s'esclaffe un familier. Une de ces rumeurs fantaisistes parmi tant d'autres. » Sauf homonymie, Senghor Mobutu a élu domicile à Gradignan, en Gironde. Quant à sa cadette Dongo Yemo, elle aurait tout comme deux autres garçons, dont Raphaël, le disparu du pont des Catalans, bourlingué entre Pau et Toulouse. Des eaux limoneuses du majestueux fleuve Congo à celles, tantôt impétueuses, tantôt languides, de la Garonne, retour à la case départ.

« Et ramène à toi, Père très aimant, tous tes enfants dispersés. » Pour le dernier Roi-Soleil d'Afrique, cet astre éteint, la supplique de la liturgie catholique garde, *post mortem* comme hier ici-bas, l'aigre saveur des missions impossibles.

Les Pinochet, une fratrie en ordre dispersé

Par Jean-Pierre Langellier

Augusto Pinochet (1915-2006) a été général, chef de la junte militaire et président de la République chilienne (1973-1990) puis commandant en chef de l'armée (1990-1998). Il arrive au pouvoir le 11 septembre 1973, lors d'un coup d'État qui renverse le président socialiste Salvador Allende. Pinochet dirige le pays pendant dix-sept ans. Son régime de dictature militaire est marqué par les exécutions sommaires, les « disparitions » et la torture. Il est arrêté et détenu à Londres d'octobre 1998 à mars 2000 pour violation des droits de l'homme pendant sa dictature. En 2005, il est inculpé pour fraude fiscale. Il meurt le 10 décembre 2006 à Santiago, à 91 ans. Pinochet est père de cinq enfants qui ont largement profité des largesses du régime et se battent maintenant pour récupérer l'héritage et la fortune cachée du dictateur.

En ce dimanche après-midi, le 9 septembre 1973, un joyeux désordre règne au domicile de la famille Pinochet, à Santiago du Chili. Jacqueline, la fille cadette, fête son quatorzième anniversaire, entourée de ses jeunes amies. À l'autre bout de la maison, dans le bureau de son père, l'ambiance est beaucoup plus lourde. Le général Gustavo Leigh, qui dirige les forces aériennes, tente depuis un bon moment de convaincre Augusto Pinochet de se joindre au complot organisé par l'amiral Toribio Merino, commandant en chef de la marine, et par lui-même. Pinochet argumente, ratiocine, hésite, ou du moins, fait semblant. Jusqu'à ce fameux dimanche, Pinochet s'est toujours conduit, au fil de sa longue carrière, en soldat discipliné : discret, réservé, obéissant et parfois même obséquieux. Orlando Letelier, ministre d'Allende, écrira plus tard – avant d'être assassiné aux États-Unis en 1976 par des agents de la dictature – : « Pinochet se comportait de manière servile envers ses supérieurs, comme un coiffeur qui se cramponne à vous en attendant son pourboire. »

Mais Pinochet n'a plus guère le choix désormais ; il en sait trop pour pouvoir reculer. Informé du complot, il n'a rien dit à Allende. Les conjurés le pressent une dernière fois de prendre position et, s'il refuse de se joindre à eux, d'expliquer ses raisons noir sur blanc. Nul doute que, dans ce cas, il sera bientôt leur prisonnier. D'abord loyal à Salvador Allende, le général Pinochet se joint donc *in extremis* à la conjuration des militaires. Cela aboutit, deux jours plus tard, au coup d'État qui met fin à la présidence d'Allende. Pourtant, le 11 septembre au matin, ce dernier croit encore, avant de se suicider, à la loyauté de Pinochet, qui a fait un bout de chemin avec lui dans la franc-maçonnerie. Dans l'incapacité de joindre Pinochet au téléphone, le président lâche : « Ce pauvre Augusto, il est sans doute prisonnier... »

Lucía et Piedad

L'audace tardive de Pinochet comble d'aise son épouse, Lucía Hiriart, de huit ans sa cadette, catholique militante et conservatrice opiniâtre. Cette petite brune au teint pâle n'est guère fidèle à l'un de ses lointains ancêtres paternels, un révolutionnaire basque de 1789, qui, devenu éphémère ministre de la Justice, a eu le triste privilège d'annoncer à Louis XVI sa condamnation à mort. Pas plus qu'à son père, Osvaldo Hiriart, notable du parti radical (centre gauche), sénateur puis ministre de l'Intérieur, un laïc, franc-maçon et antimilitariste qui lui a transmis le gène de la politique, mais dont elle s'est éloignée idéologiquement.

Ambitieuse pour deux, elle n'hésite pas à galvaniser son mari lorsqu'elle le trouve trop attentiste. Un soir, à l'approche du putsch, elle l'entraîne dans la chambre où dorment quelques-uns de ses petits-enfants et lui lance : « Veux-tu qu'ils deviennent esclaves des communistes ? » Entre « eux » – la gauche – et « nous », juge-t-elle, « c'est la guerre, où tout est permis ». Celle qui ne supportera bientôt plus, une fois la dictature installée, qu'on l'appelle autrement que « Señora Lucía », se laissera peu à peu griser par le pouvoir, ses attributs et ses privilèges. De plus en plus impérieuse, elle restera jusqu'au bout dans le camp des « durs », convaincue de la supériorité intrinsèque du régime militaire. Pinochet glisse d'ailleurs un jour à l'un de ses conseillers : « Je préfère combattre un bataillon qu'affronter ma femme. »

Les cinq enfants Pinochet vivent le coup d'État du 11 septembre en ordre dispersé. Les deux plus jeunes, encore adolescents, Marco Antonio, 15 ans, et Jacqueline, 14 ans, sont « à la neige » avec leur mère. Le général a en effet persuadé sa femme, sans l'informer de la date du putsch, d'aller respirer le bon air de la montagne près de Portillo, la célèbre station de ski andine, à deux heures de route de Santiago. Les trois autres sont beaucoup plus âgés : Inés Lucía, 30 ans, se trouve chez elle à Santiago ; Augusto Osvaldo, 28 ans, est sous-lieutenant à Antofagasta, au Nord du Chili ; María Verónica, 25 ans, vit au Panama où travaille son mari, ingénieur forestier. Événement clé dans l'histoire contemporaine du Chili, la dictature imposée à coups de canon en 1973 pèse différemment sur le destin des enfants Pinochet, en fonction de leur âge, de leur tempérament, de leur degré d'engagement politique et de la nature du lien qui les attache à leur père. Elle chamboule l'existence quotidienne des deux plus jeunes.

En septembre 1973, Pinochet a 57 ans, sa femme 49. Mariés en janvier 1943, ils ont derrière eux plus de trente ans de vie commune, une vie nomade et plutôt agitée. La famille a déménagé une vingtaine de fois au gré des affectations du père, notamment entre Santiago et les villes du Nord, proches de la frontière du Pérou, la plus « sensible ». D'un naturel machiste, Pinochet attend de sa jeune femme qu'elle consacre son temps à son foyer et ses enfants. Propagandiste ardente des valeurs familiales, Lucía n'a pourtant aucun goût particulier pour les tâches domestiques, à commencer par la cuisine. Elle ne s'intéresse pas non plus au cursus scolaire de ses enfants et n'est pas une mère très câline. Pinochet, quant à lui, reconnaîtra plus tard avoir été sévère avec ses aînés, indulgent envers ses cadets.

Aînés, cadets : dix ans les séparent. Pourquoi cet écart ? Pourquoi cette maternité en deux vagues ? La réponse a pour nom Piedad Noé, une jolie Équatorienne d'origine libanaise, aux yeux verts, aux cheveux châtains, douce, intelligente, cultivée et divorcée, avec qui Pinochet va nouer une idylle passionnée. En 1956, il reçoit pour mission d'enseigner à l'académie de guerre de Quito. Toute la famille sourit à pleines dents sur la photo prise à bord du navire *Marco Polo* qui les emmène plein nord. Pinochet se réjouit à l'avance de sa solde, qui lui sera versée en « feuilles de laitue », comme on appelle alors vulgairement les dollars américains.

Dans la haute société de Quito, Pinochet, qui a alors 40 ans, joue les séducteurs. Les historiens lui prêtent au moins deux liaisons suivies dont sa femme ne saura rien, avec Mercedes Calisto et Leonor Rosales. Et en 1957, Lucía apprend que son mari la trompe sans vergogne avec Piedad. C'est un séisme conjugal. La colère et la douleur ravagent Lucía. Pinochet a rencontré l'amour de sa vie et ne semble pas vouloir y renoncer. Alors, pour dissuader son mari, Lucía recourt au stratagème ancestral : tomber enceinte. Peine perdue. Accompagnée de ses trois enfants, elle repart au Chili pour vivre sa grossesse et y accoucher. Après la naissance de Marco Antonio, Lucía revient à Quito. Pinochet lui assure alors avoir rompu. C'est un mensonge, qui incite Lucía à repartir de nouveau à Santiago, non sans s'être fait faire un nouvel enfant. Ce sera Jacqueline. Pinochet accomplit sa mission jusqu'à son terme, en septembre 1959, avant de rentrer au pays. Ni lui ni sa femme n'ont le courage de se séparer. À une époque où l'armée chilienne ne badine pas avec la morale, Pinochet redoute de ruiner sa carrière et préfère lui sacrifier son amour. Il agit comme l'espère Lucía. Mais les deux anciens amants continuent de s'écrire. Piedad fera même un dernier voyage secret au Chili un quart de siècle plus tard, en 1983.

Cette liaison laisse des traces. Amère, meurtrie, dépressive, Lucía se laisse aller. Lève-tard depuis toujours, elle ne sort souvent de son lit qu'à la mi-journée, s'habille de façon négligée, délaisse ses deux plus jeunes enfants. Les plus âgés sont témoins des querelles domestiques. Leur mère, qui a l'injure facile, qualifie volontiers son mari de « militaire de merde ». Pinochet laisse passer les orages et se réfugie dans le silence. Leur entourage s'étonne souvent de la docilité conjugale de Pinochet, sans doute nourrie par le remords. L'épisode équatorien fait souffrir les aînés. Bien des années plus tard, Augusto Osvaldo confie la jalousie qu'il ressent à Quito en voyant son père beaucoup plus attentionné envers les deux fils de Piedad qu'envers lui-même.

La « trahison » sentimentale de Pinochet est le secret familial le mieux gardé. L'ébruiter placerait Lucía dans une position intenable, en flétrissant l'image de la famille Pinochet exemplaire à tous égards qu'elle s'efforce de présenter. Se posant en gardienne inflexible de l'ordre moral, Lucía ne cesse de faire la chasse aux maris infidèles, civils ou militaires, obtenant plus d'une fois du chef de la junte qu'il punisse les coupables en entravant leur carrière. Sa censure s'exerce jusque dans la sphère privée. Un témoin se souvient qu'elle ordonna un jour à son mari de mettre fin à la projection sous son toit d'un western parodique pourtant bien innocent, *Les Pétroleuses* de Christian-Jacque, où Brigitte Bardot et Claudia Cardinale roulent dans la poussière en se crêpant le chignon…

Des enfants solitaires

L'épilogue de « l'affaire Piedad » confère à la dernière-née de la famille, Jacqueline, un statut particulier. Elle passe, aux yeux de son père, pour le symbole de la réconciliation conjugale et devient, de loin, son enfant préféré. Elle a moins de dix-huit mois, lorsqu'une broncho-pneumonie met sa vie en danger. Pinochet parvient à la sauver à force d'attentions et de soins médicaux. Plus tard, il passe tous ses caprices à cette jeune fille coquette, joyeuse et séduisante. Puis il l'aide financièrement à maintenir son train de vie, tout en s'abstenant de critiquer ses frasques et sa frivolité. Au soir de sa vie, il fait même d'elle, dans son testament, son héritière privilégiée.

Dès le lendemain du coup d'État, les deux jeunes enfants Pinochet se sentent abandonnés. Le chef de la junte est mobilisé à plein-temps par les affaires de l'État. Son épouse, de plus en plus engagée politiquement, s'implique à fond dans les activités de la Cema, un réseau d'organisations caritatives à vocation sociale qu'elle régente bientôt d'une main de fer. Elle délègue toutes ses tâches domestiques à du personnel militaire. Rares sont les week-ends qu'elle partage avec ses enfants. « J'ai eu tout de suite l'impression qu'on m'avait volé mon père », déclare plus tard Marco Antonio. Et Jacqueline confie : « Ce jour-là, j'ai cessé d'avoir des parents. »

Marco Antonio et Jacqueline souffrent à la fois de la solitude familiale et de l'étouffante protection imposée par leurs parents, inquiets de leur sécurité. Ils vivent désormais nuit et jour sous la surveillance de gardes du corps, militaires ou policiers. La Dina, redoutable police politique de la dictature, fournit aux deux adolescents des jeunes « protecteurs » parmi lesquels Marco Antonio trouve des complices de jeu et Jacqueline ses premiers flirts. Quelques jeunes filles, sosies de Jacqueline, sont recrutées pour l'accompagner et en faire ainsi une cible moins visible lors des réunions publiques. Le fils cadet de Pinochet se souvient : « Jusqu'alors, j'étais un adolescent libre de mes mouvements. D'un jour à l'autre, je ne pus plus sortir seul de la maison. Ma vie devint étriquée. » Sa sœur cadette ajoute : « Il était devenu impossible d'avoir une vie normale. J'ai dû attendre l'âge de 27 ans pour pouvoir marcher seule, sans escorte, dans la rue. »

Ces inconvénients quotidiens n'empêchent pas les enfants Pinochet de prendre aussitôt conscience de leur nouveau statut social. Au point de donner l'impression qu'ils se considèrent intouchables. Les camarades de collège de Marco Antonio se rappellent comment celui-ci se vante d'être le fils de l'homme le plus puissant du pays et de pouvoir agir à sa guise impunément. Dans une interview accordée peu après le putsch au quotidien *El Mercurio,* Lucía, qui se présente comme une simple « femme de soldat » affirme : « Nos enfants nous ont toujours donné satisfaction. Ils n'ont jamais eu aucun problème d'adolescence. »

Les faits vont la contredire. Ses deux cadets n'en font bientôt qu'à leur tête. Marco Antonio enfourche sa moto et s'amuse à semer ses gardes du corps qui le poursuivent à toute vitesse la nuit dans les rues vides et silencieuses de Santiago, soumises au couvre-feu. En juillet 1975, après une fête, il provoque un accident avec sa voiture au cours duquel sa jeune passagère, Natalia Ducci Valenzuela, est tuée sur le coup. Des agents de la Dina, vite arrivés sur les lieux, se débarrassent du corps que les parents de la victime retrouvent plus tard dans un égout. Pas question bien sûr pour le coupable d'assumer sa responsabilité. L'affaire est étouffée « sur ordre supérieur ». Marco Antonio, alors âgé de 17 ans, n'était pas autorisé à conduire. Vingt ans plus tard, un juge découvre qu'on lui a ensuite octroyé un faux permis de conduire et une carte d'identité qui le vieillissaient de quatre ans. Le fils Pinochet confie plus d'une fois son sentiment de culpabilité à quelques amis proches et se rend régulièrement sur la tombe de la jeune fille.

L'âme damnée du pouvoir, Manuel Contreras

Les enfants Pinochet sont de médiocres élèves. Jacqueline n'intègre jamais l'université et Marco Antonio ne passe que quelques mois à celle de Valparaíso. Lors de ses nuits effrénées, ce dernier multiplie les fugues pour échapper à ses protecteurs. Ils ont pour mission, afin de prévenir un empoisonnement, de goûter chaque verre d'alcool qu'il consomme. À l'époque, Pinochet est contrarié de voir ses enfants brandir en toute occasion le nom de leur père pour obtenir un traitement de faveur. Il envoie son fils pendant deux semaines à Washington pour qu'il goûte aux joies simples de l'anonymat. Mais Marco Antonio ne fait guère amende honorable. À 22 ans, il a de nouveau un accident – de moto cette fois – qui blesse sérieusement sa passagère et amie, Francisca Guzman Riesco. Pinochet cherche alors à l'éloigner plus longtemps pour le faire oublier. Il l'envoie à Tulsa, dans l'Oklahoma, étudier l'anglais et apprendre le pilotage.

Pendant les premières années de la dictature, la sécurité des Pinochet est entre les mains de l'âme damnée du pouvoir, Manuel Contreras. En tant que chef de la Dina, il est l'ordonnateur des basses œuvres : arrestations, tortures et assassinats politiques. Il connaît tous les secrets inavouables d'un régime dont il est l'une des chevilles ouvrières. C'est un ami intime du général et, encore plus, de Lucía, qui a aveuglément confiance en lui. Manuel Contreras redoute en permanence qu'un membre de la famille Pinochet soit victime d'un enlèvement ou d'un attentat. Il alimente la paranoïa familiale en annonçant régulièrement avoir déjoué tel ou tel complot, en partie imaginaire. Il consolide du même coup sa stature d'homme indispensable. Il est le seul haut dignitaire à qui Lucía pardonne ses infidélités conjugales.

Certaines craintes sécuritaires sont néanmoins fondées. Jacqueline raconte qu'un jour où, encore jeune adolescente, elle se trouve au domicile de Contreras, la maison est la cible d'une fusillade : « Tout le monde s'est réfugié sous les lits. J'ai senti la mort de près. » Bien plus tard, c'est Pinochet lui-même qui échappe de justesse à la mort. Le 7 septembre 1986, le général rentre de week-end en voiture, avec près de lui, Rodrigo García, l'un de ses petits-fils, âgé de 10 ans. Un commando du Front patriotique Manuel Rodríguez (FPMR), aile militaire du parti communiste, ouvre le feu. L'enfant et son grand-père sont sains et saufs mais cinq gardes du corps périssent, brûlés vifs.

Trois ans plus tard, la police découvre que des membres du FPMR surveillent les déplacements des enfants de Jacqueline, laquelle est en outre l'objet de diverses menaces de mort. Pinochet, qui n'est plus président mais reste chef de l'armée, ordonne à sa fille de s'exiler avec sa famille. Il y a alors longtemps que Contreras ne veille plus sur les Pinochet. La mise en cause directe par la justice américaine de la Dina dans l'assassinat d'Orlando Letelier – ancien ministre des affaires étrangères d'Allende, tué le 21 septembre 1976 par une voiture piégée à Washington, où il vivait en exil – a en effet contraint le général à limoger son fidèle acolyte. Furieuse, Lucía a marqué sa colère en quittant le domicile conjugal... pendant deux semaines. Et elle n'a pas manqué ensuite de réaffirmer sa loyale amitié envers Contreras. Une fois la démocratie restaurée, ce dernier est condamné pour plusieurs de ses crimes. Il est aujourd'hui sous le coup d'un ensemble d'accusations pour lequel il encourt quelque deux cents ans de prison.

La folie des grandeurs

Au début de la dictature, Pinochet soigne son image de président austère et économe. À l'époque, une note secrète de la CIA le décrit même comme « honnête, travailleur, dévoué ». Au palais de la Moneda, on le voit éteindre lui-même les lumières pour économiser l'électricité. Une image, amplifiée par la propagande officielle, et qui correspond à sa réputation d'officier frugal, un rien grippe-sou, chef d'une famille au train de vie modeste. Mais la réalité est toute autre : la famille ne tarde pas à prendre ses aises. La population chilienne ne le découvre que très tardivement, après le départ de Pinochet du pouvoir.

Ayant écarté ou neutralisé ses rivaux galonnés, le général, devenu président, se voit en homme providentiel, sûr de son bon droit, celui qui a sauvé le Chili du communisme. En novembre 1975, les Pinochet assistent aux obsèques de Franco, à Madrid, où ils sont traités avec d'immenses égards qui les flattent. Ils s'octroient, pour l'occasion, un viatique d'un million de dollars. Ils prennent vite goût aux biens et aux faveurs que leur confère le pouvoir. En ces dernières années de 1970, le régime est à son apogée, grâce au « miracle » économique produit par la politique néolibérale des « Chicago boys », une jeune caste d'entrepreneurs industriels et financiers. Lucía, qui aimerait tant être intronisée et respectée au sein de la vieille aristocratie chilienne – ce qu'elle ne sera jamais – raffole de bijoux, de chaussures, de chapeaux, et de haute couture. Elle va jusqu'à changer de vêtements quatre fois par jour. C'est l'époque où la première dame chilienne confie à une proche parente vouloir « être comme Eva Perón ».

Les Pinochet se comportent comme si l'État et l'armée étaient à leur service, « l'armée de mon papa », comme disent même Marco Antonio et Jacqueline. La famille ne fait pas de différence entre l'argent public et le sien propre. Elle puise allègrement, pour ses dépenses privées, dans les fonds alloués au fonctionnement de la Maison militaire, une institution créée par le général. L'absence d'opposition politique, l'emprise de la censure et la soumission de la justice permettent aux Pinochet de voler l'État impunément. Leurs frais et leur patrimoine ne sont pas contrôlés. Après le plébiscite approuvant en 1980 la nouvelle Constitution, la famille considère le régime comme éternel. Les Pinochet s'offrent une immense et luxueuse résidence présidentielle en marbre rose avec piscine, gymnase, sauna, salle de cinéma, clinique et deux cents places de parking. Coût pour l'État : 20 millions de dollars.

La folie des grandeurs qui s'empare du clan renforce son caractère dominateur. Les enfants Pinochet, imitant leur mère, n'ont aucun scrupule à maltraiter les sous-officiers et le personnel de maison à leur service. Lucía menace volontiers les militaires de les faire exiler dans une ville de garnison lointaine. Elle invective pour un rien ses domestiques : « Venez par ici, les putes ! » La mégalomanie familiale frise parfois le grotesque. Pinochet ne recourt, pour sa protection, qu'à des gardes du corps qui ne sont pas plus grands que lui. Sa femme interdit que les autres dames du régime s'habillent comme elle. Un jour, elle gifle en public l'épouse d'un ministre qui a oublié cette consigne.

À part la prédilection de Pinochet pour sa fille cadette Jacqueline, la tendresse n'irrigue guère les rapports familiaux. Autant l'aînée, Inés Lucía, est une femme froide, rationnelle, calculatrice, autant son frère Augusto Osvaldo est colérique, imprévisible, mythomane. En 1972, il est presque écrasé contre un mur par un camion. Il souffre longtemps des séquelles de cet accident stupide qui aggrave son instabilité caractérielle et l'oblige à quitter l'armée. Homme d'affaires douteux et endetté, il devient au fil des ans la brebis galeuse de la famille, méprisé de tous.

Son père le frappe même d'un interdit bancaire. Dans les années 1980, on lui trouve un emploi de conseiller au consulat du Chili à Los Angeles.

Alliés de circonstance

Le jeune Marco Antonio s'entend assez bien, malgré leur différence d'âge, avec Inés Lucía, dont il partage les traits de caractère. Mais ils sont plus des alliés de circonstance que des complices unis par un amour fraternel. Car des luttes souterraines ne cessent d'opposer les enfants Pinochet, jaloux les uns des autres, et soucieux avant tout de plaire à leur père dont ils attendent toujours quelque bienfait sonnant et trébuchant. Seule María Verónica se tient délibérément à l'écart des rivalités familiales. Calme, discrète, réservée, elle parvient pendant les dix-sept années de dictature à demeurer presque anonyme, même si son mari, devenu entrepreneur, s'enrichit beaucoup à la faveur des privatisations décidées par le régime.

Parmi les enfants Pinochet, l'aînée, Inés Lucía, est, de loin, la plus engagée politiquement. Le coup d'État opère chez elle une métamorphose idéologique. Avant septembre 1973, elle milite activement au sein de la Démocratie chrétienne. Après le putsch, elle devient une adepte zélée de la dictature, résolument hostile à toute forme d'ouverture politique. Son mari, Hernán García, vétérinaire de profession, dirige pendant cinq ans la télévision nationale, principal outil de propagande du régime. Un jour de 1976, alertée par d'anciens amis démocrates chrétiens, elle se rend à la villa

Grimaldi, un centre de détention près de Santiago, sans être autorisée, selon elle, à y pénétrer. Elle raconte plus tard qu'elle était au courant des violations des droits de l'homme perpétrées par le régime de Pinochet : « Je savais qu'il y avait des détenus et des tortures. »

Elle n'hésite pas à intervenir dans les affaires de l'État. Elle écrit à son père des lettres critiquant tel ou tel dignitaire, lettres ornées des signes maçonniques chers au dictateur. Le 22 mars 1980, la famille Pinochet, dans un avion en route pour Manille, est contrainte de faire demi-tour en plein vol, après l'annulation de dernière minute par le président Marcos de leur voyage officiel aux Philippines, à la demande de l'administration américaine. C'est un affront qu'Inés Lucía, appuyée par sa mère, fait laver en obtenant de son père la destitution immédiate du ministre des Affaires étrangères, Hernán Cubillos, qu'elle trouve trop « mou » et trop ouvert au dialogue avec l'opposition.

Le 5 octobre 1988, le Chili dit « non » au dictateur. Le plébiscite organisé par Pinochet pour consolider son pouvoir se retourne contre lui. La majorité des électeurs – 57 % – lui refuse une nouvelle présidence de huit ans. L'opposition a gagné. Le régime est totalement pris à revers. Il doit accepter une longue période de transition vers la démocratie, qui s'achève en mars 1994. Chez les Pinochet, règnent la colère, l'impuissance et l'inquiétude. Accablé, le dictateur se replie sur lui-même, taciturne, pendant plusieurs semaines. Il envisage un coup de force, que les autres militaires refusent. Lucía déplore « l'ingratitude » des Chiliens. Elle rejette la responsabilité de la défaite sur les États-Unis et sur certains secteurs de l'Église.

À l'origine, Pinochet ne voulait pas accomplir un nouveau mandat. Lucía et sa fille l'ont fait changer d'avis, avec l'aide d'un familier, expert dans le maniement des pendules et des formules ésotériques. La défaite électorale de Pinochet exclut bien évidemment qu'il reste au poste suprême. Mais la famille s'accroche. Lucía laisse flotter l'idée qu'elle pourrait elle-même être candidate à l'élection présidentielle de décembre 1989. Les enfants en ont discuté avant le plébiscite. Inés Lucía estime être la mieux placée pour succéder à son père, mais Augusto Osvaldo se voit également très bien à la place de Pinochet. D'un commun accord, ils s'entendent donc pour s'effacer devant leur mère. Finalement, ce projet de candidature fait long feu, et la famille s'adapte plutôt bien à la démocratie restaurée. Le général demeure commandant en chef de l'armée jusqu'en mars 1998, avant d'être nommé sénateur à vie. Il quitte ses fonctions militaires avec les honneurs alors que les crimes de la dictature n'ont suscité ni condamnation, ni repentir, ni la moindre punition.

Arrêté à Londres

Le 22 septembre 1998, Pinochet arrive à Londres pour être opéré d'une douloureuse hernie discale. Il a 82 ans. Ses enfants, le sachant désormais attaquable politiquement, lui ont déconseillé ce voyage, en vain. Pinochet prend le thé chez l'ancien Premier ministre Margaret Thatcher puis entre à la clinique. Le 16 octobre, deux agents de Scotland Yard lui annoncent son arrestation. Stupeur à Santiago. L'ex-dictateur fait les frais d'une justice internationale encore balbutiante, actionnée par un juge espagnol, Baltazar Garzón.

Le 25 novembre, nouveau coup de tonnerre : la Chambre des Lords juge que Pinochet ne peut bénéficier de l'immunité diplomatique – avant de revenir plus tard sur sa décision. L'imbroglio juridico-politique va durer. À Londres, les rivalités familiales s'aiguisent, notamment entre les deux aînés. Elles profitent à Marco Antonio, qui s'impose comme porte-parole et confident de Pinochet. Une longue négociation entre Londres et Santiago permet le rapatriement du général. Le 3 mars 2000, après cinq cent quatre jours de détention, Pinochet rentre au pays, politiquement vaincu. L'invulnérabilité dont il bénéficiait depuis vingt-cinq ans a volé en éclats. Cette fragilité nouvelle désintègre un peu plus le clan. Le 25 novembre 2000, les enfants du général, réunis autour du patriarche pour son 85e anniversaire, se livrent à une violente querelle. Ils ne se parleront plus pendant plusieurs années.

Mais le pire est encore à venir. En dehors des diverses enquêtes judiciaires sur les crimes de la dictature, ce sont les malversations financières qui vont attirer l'attention et jeter le discrédit moral sur Pinochet et ses enfants. Une première affaire d'argent – dite des « Pinochèques » – avait déjà jeté une ombre sur la famille en 1988. Elle a pour acteurs le général et son fils Augusto Osvaldo. Ce dernier, ancien militaire reconverti dans le négoce, achète une petite compagnie en faillite dont l'armée est le principal créancier. Un an après, l'armée, dont son père est le chef, la lui rachète pour trois millions de dollars, sous forme de trois chèques à son nom, les fameux « Pinochèques ». Le conflit d'intérêts est flagrant. L'affaire éclate en pleine transition démocratique. Elle provoque une vive tension avec le gouvernement civil lorsque Pinochet, pour s'imposer, ordonne à deux reprises des mouvements de troupes à Santiago. L'affaire est finalement classée pour raison d'État.

Les relations s'enveniment alors un peu plus entre Pinochet et son fils, qui raconte plus tard : « Mon père m'a assigné à résidence sous bonne garde dans une cabane au nord de Valparaíso où je suis resté deux semaines. Il voulait m'avoir sous la main au cas où. » À cette époque, Augusto Osvaldo a tendance à se soûler et il a violemment affaire à ses gardes du corps. L'un d'eux témoigne : « Le général nous avait autorisés à frapper son fils, parfois jusqu'au sang. Ensuite, il s'endormait, complètement ivre, et ne se souvenait de rien le lendemain. »

Les millions cachés

Le 15 juillet 2004, le *Washington Post* dévoile un nouveau scandale qui éclabousse toute la famille. Une commission du Sénat américain découvre que Pinochet a engrangé une véritable petite fortune pendant vingt ans sur des comptes ouverts à l'étranger, dont beaucoup avec l'aide de ses enfants, notamment à la banque américaine Riggs.

Les estimations initiales ne cessent de grossir : quelque 26 millions de dollars au total, éparpillés sur cent vingt-cinq comptes. Le général a sollicité ses enfants, pour ouvrir ou alimenter les comptes, lorsqu'ils séjournaient aux États-Unis : Augusto Osvaldo en Californie, Inés Lucía à Miami, et Marco Antonio, dès 1981 en Oklahoma. Ce dernier est le plus impliqué dans les trafics. Le général a utilisé au moins huit faux noms, dont certains assez fantaisistes : Mister Escudero, Red Fox ou Rapi (contraction des premières syllabes de Ramón, son troisième prénom, et de Pinochet).

D'où vient l'argent ? Pour l'essentiel sans doute de ventes illégales d'armement, notamment à l'armée équatorienne. Une autre partie est puisée dans les « frais réservés » de la présidence, autrement dit sa « caisse noire ». Le gros de l'argent détourné l'a été entre 1990 et 1998, après le retour de la démocratie, lorsque l'ex-dictateur dirige l'armée. Les Pinochet ont également accumulé une fortune immobilière. La justice dénombre vingt-cinq immeubles enregistrés au nom du général et de sa femme. La première propriété foncière est rachetée en 1981 au dixième de son prix à un ministère qui l'a réquisitionnée.

En août 2004, Pinochet est contraint de s'expliquer pour la première fois devant un juge qui l'inculpe, entre autres, de fraude fiscale et d'usage de faux passeports. En août 2005, pour protéger sa famille, Pinochet assume l'entière responsabilité de ses combines. En novembre 2006, l'inculpation est renouvelée par la Cour suprême. Entre-temps, l'ancien sénateur a perdu son immunité. Mais le 10 décembre, Pinochet meurt des suites d'un infarctus à l'hôpital militaire de Santiago, le jour même de l'anniversaire de sa femme. Ironie du calendrier, ce 10 décembre est aussi la Journée internationale des droits de l'homme. En octobre 2007, toute la famille se retrouve sous les verrous avant d'être libérée sous caution après une nuit en prison. Au bout du compte, les cinq enfants et leur mère sont disculpés de toute charge pénale.

Aujourd'hui, la veuve de Pinochet n'a pas à se plaindre de sa situation matérielle. Certes, les millions de dollars litigieux restent gelés sur leurs comptes à l'étranger, en attendant que la Cour suprême tranche définitivement sur leur sort. Les propriétés du clan ne peuvent être vendues. Mais leurs loyers assurent des rentrées substantielles à Lucía, qui en a l'usufruit. La jalousie règne toujours parmi les enfants, notamment entre Inés Lucía, Marco Antonio et Jacqueline. Ils se soupçonnent mutuellement de vouloir prendre en main la gestion de l'héritage, le jour où leur mère disparaîtra. Chacun garde à l'esprit tous ces millions secrètement amassés par Pinochet, et qu'il n'a évidemment pas pu mentionner dans son testament. La fortune cachée du dictateur défunt n'a pas fini d'empoisonner l'atmosphère familiale.

Oudaï et Qoussaï Hussein, monstres à l'image de leur père

Par Khattar Abou Diab

Né à Tikrit, probablement le 28 avril 1937, Saddam Hussein devient vice-président puis président de l'Irak en 1979 à la suite d'un coup d'État. Il mène une politique hégémonique : il attaque l'Iran en 1980 et envahit le Koweït en 1990, invasion qui est à l'origine de la seconde guerre du Golfe. Il est renversé par les forces américaines lors de l'invasion du pays en 2003. Arrêté en décembre, il est condamné à mort le 5 novembre 2005, notamment pour sa responsabilité dans le génocide kurde. Le 30 décembre 2006, Saddam Hussein est exécuté par pendaison à Bagdad. Il est le père de cinq enfants. Ses deux aînés sont des garçons à qui il entendait apprendre le pouvoir et la violence.

Été 2014, l'Irak s'enflamme de nouveau et Mossoul, la deuxième ville du pays, est prise par une coalition sunnite dont le fer de lance est le groupe islamiste radical l'EIIL, l'État islamique en Irak et au Levant. Un nombre conséquent de ces rebelles se réclame toujours de Saddam Hussein. Raghad, sa fille aînée, qui a trouvé refuge en Jordanie, va même jusqu'à déclarer qu'elle est « très heureuse de la victoire accomplie par les héros de son père et des exploits de son oncle Ezzat Ibrahim al-Douri [ancien vice-président irakien] ». Les deux frères aînés de Raghad, Oudaï et Qoussaï, n'ont pas réussi à échapper aux troupes américaines. Ils ont tous les deux été tués en 2003 lors de l'assaut des forces spéciales de l'Oncle Sam. Avec leur mort, c'est toute la lignée mâle de l'ancien maître de Bagdad qui disparaît. Les deux frères étaient pourtant parvenus en quelques années à s'approprier les méthodes de leur dictateur de père, et les élèves ont même fini par dépasser le maître.

De parfaits nouveaux riches

Oudaï et Qoussaï grandissent dans l'ombre d'un père trop occupé à jouer les révolutionnaires dans un pays régulièrement secoué par les coups d'État, un père totalement absent. Ainsi, quelques mois seulement après la naissance d'Oudaï, en 1964, Saddam Hussein est soupçonné d'avoir planifié un attentat contre le président en place et jeté en prison. La femme de Saddam, Sajida, se retrouve à élever son premier fils seule. Saddam est toujours en prison quand son second fils, Qoussaï, naît deux ans plus tard en 1966. Mais cet emprisonnement ne va pas durer : à peine deux mois plus tard, Saddam parvient à s'évader. Commence alors pour lui une vie de clandestinité et de lutte contre le régime irakien. Oudaï et Qoussaï vont continuer à grandir sans leur père. Mais tout change pour eux en 1968. Une nouvelle révolution éclate à Bagdad et le pouvoir tombe entre les mains du parti Baas, le parti politique d'inspiration socialiste et nationaliste dont fait partie Saddam Hussein. Celui-ci n'a que 31 ans quand il prend la tête des services de sécurité nationaux et devient l'un des hommes les plus puissants et craints du pays. Oudaï et Qoussaï ont respectivement 4 et 2 ans et sont désormais les enfants de l'homme fort de la junte au pouvoir. À ce titre, rien n'est trop beau pour eux.

La famille Hussein déménage dans une vaste villa près du palais présidentiel. À l'intérieur, trône une piscine où les enfants peuvent s'ébattre sous le regard vigilant d'un staff de sécurité qui leur est spécialement dédié. La fratrie s'agrandit rapidement. Trois filles naissent presque coup sur coup. Raghad, en 1968, Rana en 1969 et la petite dernière, Hala, en 1972. Les petits Hussein, en parfaits nouveaux riches, se mettent à fréquenter les clubs de la haute société irakienne. Ils jouent au tennis, apprennent à monter à cheval dans les meilleurs centres équestres du pays et partent en vacances sur les bords du golfe Persique. Des photographes officiels sont souvent là pour immortaliser le bonheur de cette famille idéale et diffuser dans le pays l'image d'un Saddam Hussein en père parfait. Peu importe si la vérité est tout autre, la famille se doit d'être au service des ambitions paternelles, et celles-ci n'ont pas de limites.

Depuis 1971, Saddam Hussein est vice-président de l'Irak et s'est autoproclamé général. Il ne lui reste qu'une marche à gravir pour atteindre le pouvoir suprême : la présidence de la République irakienne. De leur côté, Oudaï et Qoussaï, à mesure qu'ils grandissent dans cet environnement préservé, démontrent de réelles capacités à profiter voire à abuser de l'impunité qui leur est offerte. Et ce n'est pas ce père – toujours absent – qui va les freiner dans leurs caprices.

La violence en héritage

Les deux garçons vénèrent leur père alors même qu'ils le connaissent mal. Saddam reproduit en effet avec ses enfants ce qu'il a vécu étant jeune. Il n'a pas connu son père et a été élevé par son oncle maternel. La vraie famille de Saddam, c'est le parti Baas à qui il donne tout son temps. S'il ne s'intéresse guère à ses fils, il leur transmet pourtant très vite sa soif de pouvoir et sa cruauté sans limites.

Sait-il qu'il est en train de former deux futures bêtes féroces quand il leur raconte avec détails comment il a fait exécuter tel ou tel opposant ? À chaque réunion familiale, Saddam se fait mousser et devient le héros d'un conte oriental. S'il souffre, s'il risque sa vie c'est pour mieux vaincre à la fin.

En écoutant les histoires de leur père et son goût développé pour la machination, les deux adolescents développent un comportement agressif. Ils sont encore très jeunes et cela les marque à vie. Oudaï confie à un journaliste arabe, lors d'une de ses soirées agitées, qu'il « imite son père dans l'élimination de ses ennemis ». Un ancien haut gradé du régime confirme également que « Qoussaï voulait à tout prix plaire à son père jusqu'à l'excès ». Les deux garçons ont parfaitement assimilé l'éducation selon Saddam. À son image, Oudaï et Qoussaï sont de « fiers guerriers, prêts à défier la mort » comme se plaît à le répéter Raghad, la fille aînée de la famille. Une vision biaisée d'une réalité plus sanglante encore car s'il est vrai qu'Oudaï et Qoussaï fréquentent aisément la mort, ce n'est pas sur les champs de bataille mais bien par plaisir dans les nombreuses salles de torture du régime.

À partir de 1979, leur père obtient enfin la récompense d'une vie passée à intriguer et à éliminer les rivaux : il devient président de la République. Il n'a que 42 ans et ses fils, 15 et 13 ans. Désormais, l'Irak appartient à Oudaï et Qoussaï en héritage. Tous ceux qui en doutent vont le payer très cher. La dictature repose sur une terreur omniprésente. Encore une fois, Saddam montre la voie à ses fils. Il n'hésite pas à liquider personnellement ses ennemis politiques ou à gazer près de 5 000 Kurdes à Halabja, une ville irakienne près de la frontière avec l'Iran. Et pour que ses deux fils comprennent parfaitement ce que tuer signifie, Saddam Hussein les oblige à être présent pendant les exécutions de ce début de règne. L'objectif est atteint. Les deux adolescents n'oublieront jamais.

Le dictateur irakien est un meneur d'hommes sans pitié. Il mobilise le clan, le parti et l'État pour appliquer sa politique et ses plans. Et gare à ceux, même au sein de la famille, qui lui résistent. En 1989, Saddam fait disparaître son beau-frère et ami d'enfance, le général Adnan Khairallah, dont le prestige croissant dans l'armée lui porte ombrage. Les deux fils du dictateur comprennent très vite qu'ils ne sont pas à l'abri de la colère de leur père. Celui-ci méprise tout le monde, ses ennemis comme ses proches. Y compris ses propres enfants. Et notamment ses fils, des enfants gâtés et corrompus par l'argent, qui le déçoivent chaque jour un peu plus. Alors qu'il contemple les eaux du Tigre, l'un des grands fleuves du pays, Saddam confie à son directeur de bureau : « J'aurais souhaité naître seul sans famille et sans cousins. » Les informations sur les frasques de ses garçons lui reviennent en effet dans les moindres détails. Il sait qu'à seulement 20 ans, Oudaï joue déjà un rôle tout à fait déterminant dans la corruption générale. Le médecin personnel de Saddam se souvient : « Oudaï détruisait ce qui peut rester de confiance en Saddam et son régime. On parlait de lui dans le pays entier, Oudaï n'avait quasiment pas de limites. J'ai plusieurs fois dû soigner des invitées qui arrivaient de ses fêtes après avoir subi des coups de couteau, des brûlures de cigarettes ou quelque autre mauvais traitement pendant la nuit. »

« *Docteur* » *Oudaï Hussein*

Tel père, tels fils… Oudaï et Qoussaï ne sont pas tout à fait les copies conformes de leur père. Mais, un destin commun les réunit dans une marche irréversible vers l'abîme. Une marche qu'ouvre Oudaï, l'aîné. Ses proches s'accordent à dépeindre le « docteur » Oudaï Hussein – titre obtenu par la force de l'autorité – comme un jeune homme insolent et sans scrupule. On n'a pas d'idée précise sur sa vie scolaire, toute information ayant été placée sous le sceau du secret absolu pour protéger la famille présidentielle. Mais, des témoignages recoupés indiquent qu'Oudaï n'a aucune culture et ne maîtrise pas de langues étrangères. Après un passage à la faculté de médecine de Bagdad, il atterrit à la faculté du génie où il finit major de sa promotion. Plus tard, il devient également docteur en sciences politiques.

Mais bien plus que ses « dons » universitaires, ce sont ses caprices qui sont légendaires. Des rumeurs circulent dans tout le pays. On lui prête mille assassinats, une fortune colossale, des centaines de voitures de sport… La vérité dépasse la fiction. Après la prise de Bagdad par les Américains en avril 2003, on découvre qu'il possède près de 5 000 voitures de luxe : des Porsche, des Mercedes, des Maserati, des Rolls-Royce… Les G.I. inspectent ébahis la résidence d'Oudaï située dans le complexe du palais présidentiel de Bagdad. Elle comprend une maison, un entrepôt, une salle de sport, une piscine, une cave à vin, mais aussi de l'héroïne, un harem – on y trouve également un petit registre noir contenant la liste de noms de centaines de femmes avec leur numéro de téléphone – et un zoo composé de cinq lionceaux, de deux guépards et d'un ours.

Au-delà de ses extravagances de nouveau riche, Oudaï est surtout un remarquable tortionnaire. Khaled Jassem, rédacteur en chef d'un quotidien sportif appartenant à Oudaï et qui a travaillé avec lui pendant une vingtaine d'années, décrit l'aîné des Hussein comme un « monstre » : « Je n'ai jamais vu quelqu'un d'aussi cruel. Ma vie était un cauchemar. J'avais peur en permanence. » Oudaï a ainsi remis au goût du jour des pratiques moyenâgeuses comme la terrible *falaqa*. À la moindre erreur, le fils du dictateur inflige à ses collaborateurs ce supplice qui consiste à frapper avec un bâton la plante des pieds de la victime allongée sur une planche, les jambes maintenues par des attelles et les pieds qui dépassent. La *falaqa* est extrêmement douloureuse. Les pieds de la victime gonflent. Celle-ci ne peut plus marcher pendant plusieurs jours. Le sens de l'équilibre est parfois gravement perturbé. Mais ce n'est pas suffisant pour Oudaï. L'aîné de Saddam va plus loin encore dans le sadisme : il savoure la terreur qu'il inspire ou qu'il inflige. Un ancien cadre du parti Baas témoigne : « Quand Oudaï ne pouvait pas assister à la bastonnade, il envoyait ses bourreaux l'administrer. Mais ne voulant pas se priver du plaisir d'entendre la douleur de la victime, il l'écoutait crier grâce au téléphone. »

Souvent, Oudaï prend ses décisions sous l'emprise d'un cocktail à base de whisky, de gin et de champagne.

Profondément paranoïaque, il se protège en utilisant la même technique que son père : il utilise un sosie. L'« heureux » élu au poste de sosie d'Oudaï s'appelle Latif Yahia. Pendant leur enfance, Yahia et Oudaï sont camarades de classe. Très vite, Yahia se fait remarquer pour sa forte ressemblance avec le premier fils de Saddam Hussein. En 1987, Oudaï lui demande de jouer son *fidai*, un mot arabe signifiant tout à la fois « martyr prêt pour le sacrifice » et « sosie » mais qui sous-entend aussi « conseiller » et « garde du corps ». Dans un premier temps, Yahia décline l'offre. Mal lui en prend. Il est immédiatement emprisonné dans une cellule et menacé d'être égorgé. Sa sœur est promise au même sort s'il n'obtempère pas. Ces arguments lui font changer d'avis : il finit par accepter le rôle. L'une des premières tâches du nouveau sosie consiste à se refaire les dents pour recréer le sourire d'Oudaï, qualifié de sourire de « chimpanzé ». Ensuite, pour se glisser au mieux dans la peau de son nouveau patron, Yahia se voit contraint de visionner une série de vidéos dans lesquelles Oudaï et son personnel de sécurité torturent des dissidents et ennemis personnels jusqu'à la mort. Yahia prétend également avoir été obligé à regarder Oudaï brutaliser des Irakiens, mais il se défend d'avoir participé à des viols ou des meurtres.

L'impunité qui découle de son nom et de sa filiation avec le dictateur atteint ses limites quand Oudaï déclenche un massacre lors d'une fête familiale. Dans un accès de colère, il blesse grièvement de deux balles dans la jambe Watban Ibrahim Hassan al-Tikriti, un ancien ministre et surtout le demi-frère de son père. Les rafales tuent plusieurs danseurs d'une troupe gitane. Furieux, Saddam Hussein décide de sévir. Pour punir son meurtrier de fils, il s'attaque à ce qu'il chérit le plus : il fait mettre le feu à l'un de ses garages. Une vingtaine de voitures de luxe seront brûlées... La leçon n'est pas réellement entendue puisque Oudaï continue à menacer, à humilier et à liquider qui il veut et où il veut. Sa femme ne lui convient pas ? Il la répudie sans ménagement. Et tant pis si c'est la fille d'un autre demi-frère de son père. Ses anciens beaux-frères s'en offusquent ? Il les humilie publiquement.

Quant au cuisinier de son père, Jajo, il le bat à mort en pleine réception diplomatique. Le drame se passe en 1988, Oudaï n'a alors que 24 ans. Suzanne Moubarak, l'épouse du président égyptien, vient à Bagdad participer à une fête donnée en l'honneur des États arabes qui ont soutenu l'Irak dans sa guerre contre l'Iran. Oudaï est présent. Selon les témoignages, le fils aîné de Saddam Hussein s'en serait violemment pris à Jajo, l'un des plus proches serviteurs de son père. Il le frappe plusieurs fois, le jette à terre et lui assène plusieurs coups de couteau. L'homme meurt quelques heures plus tard à l'hôpital. Pour sa défense, Oudaï explique que Jajo est le responsable du déshonneur de sa mère. Jajo aurait en effet présenté une jeune femme, Samira Chahbandar, à Saddam Hussein quelques années auparavant. Le coup de foudre a été immédiat. En 1986, Samira est devenue la deuxième femme du dictateur et a inauguré par la même occasion la polygamie de Saddam Hussein (il aura quatre femmes officielles à la fin de sa vie).

L'affaire du meurtre en public fait grand bruit. Hosni Moubarak apprend l'incident avec effroi et déclare à son entourage qu'Oudaï est un psychopathe. Cette fois-ci la sentence que Saddam Hussein inflige à son fils est davantage à la hauteur de la gravité des faits. Il le fait juger et condamner à huit ans de prison. Mais, trois mois après, suite à la médiation du roi Hussein de Jordanie, Saddam accepte de transformer la peine de son fils en exil en Suisse. Ce dernier y vivra sous le contrôle d'un frère du dictateur, ambassadeur irakien auprès de l'ONU. Le passage du terrible fils chez les Helvètes se solde par une expulsion du pays pour port d'arme illégal. Le voilà alors à Paris pour quelques semaines de nouveaux excès, notamment dans les boîtes de nuit où le lobby pro-irakien français exerce une grande influence consécutive aux fortes relations entre Bagdad et Paris à l'époque.

Un tel itinéraire ne passe pas inaperçu et de telles pratiques ne peuvent rester impunies. Oudaï n'échappe pas à la colère de l'une de ses victimes. En 1996, en plein Bagdad, il est victime d'un attentat. Il reçoit sept balles dans le corps et ne passe pas loin de la mort. Des chirurgiens français viennent le soigner et sauvent sa jambe, mais il gardera des séquelles toute sa vie – il boitera. Il lui faudra plus d'un an avant de réapparaître en public. Mais loin de le ramener à la raison, cet acte ne fait qu'aggraver sa frénésie de violences. D'autant que, malgré le soutien des services secrets irakiens, Oudaï ne parvient pas à démasquer celui qui a tenté de le tuer.

À cette époque, profitant de l'embargo onusien, Oudaï contrôle tous les trafics dans son pays : « Les voitures, les médicaments, l'alcool et surtout la contrebande du pétrole. » Il est l'intermédiaire obligé des affairistes arabes, russes et occidentaux. Il a également noué des relations privilégiées avec les fils de plusieurs hauts dirigeants arabes, notamment avec le cousin du président syrien et le fils du président de la République libanaise de l'époque.

Qoussaï, l'héritier en puissance

Saddam Hussein comprend rapidement qu'il ne peut compter sur son fils aîné pour lui succéder un jour. Trop instable nerveusement voire franchement déséquilibré. Heureusement, il y a Qoussaï. Contrairement à la vie agitée d'Oudaï l'incontrôlable, Qoussaï cultive le secret et sévit sans témoins et sans bruit. Le cadet fait tout pour s'imposer auprès de son père comme numéro deux du régime. Il séduit l'entourage du président, notamment les militaires mais aussi les diplomates irakiens ainsi que le noyau dur du parti Baas. Qoussaï avance minutieusement et silencieusement. Il sait se montrer humble et proche des gens simples. Son seul plaisir officiel se résume aux parties de chasse dans le désert et dans les marais irakiens.

Dans les dernières années de l'ère de Saddam, entre 1997 et 2003, à l'époque de l'application de la formule « Pétrole contre nourriture », dans le cadre de sanctions de l'Onu et dans le climat de corruption qui les accompagne, les rumeurs courent sur les rivalités supposées entre les deux fils de Saddam. Ces rivalités ont pour enjeu principal la probable succession du dictateur et la place de favori. Le turbulent Oudaï perd progressivement le duel, notamment après l'attentat qu'il subit en 1996 et qui l'éprouve. Avant cette date, Oudaï espère rafler la mise à travers ses réseaux de contrebande, son journal *Babel,* sa chaîne de télévision Shabab adressée à la jeunesse, sa présidence au Comité olympique irakien, son infiltration du parti et ses commandos transformés en corps militaire dénommé « *Fedayin* de Saddam ». Dépendant directement du palais présidentiel, cette organisation paramilitaire créée par Oudaï en 1995 fait partie des organisations les plus fidèles au parti Baas et à Saddam.

Mais en face, Qoussaï, le plus discret et le plus impliqué dans les arcanes du pouvoir – et notamment dans la répression de l'insurrection de 1991, quand l'opposition irakienne tente de renverser le régime –, s'avère le plus discipliné et le plus efficace. Il progresse sans accrocs vers le rang de dauphin. Le parcours scolaire de Qoussaï est aussi secret que celui de son aîné. On apprend seulement qu'il est allé à la faculté de droit. À l'instar de son père, il se consacre au parti Baas et au métier des armes. D'un caractère affirmé, travailleur acharné, il est présenté par la propagande officielle comme un excellent combattant et tacticien. Mais, c'est sa place d'homme de confiance de son père qui le projette au-devant de la scène comme responsable de la protection rapprochée du président et des forces d'élite de la garde présidentielle depuis la fin des années quatre-vingt-dix. Auparavant, il est chargé de la zone nord durant la période succédant à la seconde guerre du Golfe (1990-1991). On lui attribue aussi la direction effective de l'appareil de répression irakien qui a sévi contre les révoltés chiites suite à la perte du Koweït. Il est parmi les détenteurs des clés de l'appareil sécuritaire et, de ce fait, il est considéré comme l'un des hommes les plus craints de la population.

Aux antipodes de la vie conjugale perturbée de son frère, Qoussaï apparaît en public comme un père de famille tranquille et responsable. Marié à Lama, la fille du général à la retraite Maher Abd al-Rachid – vétéran distingué de la guerre avec l'Iran –, il a une fille : Mouj, et trois garçons : Moustapha, Saddam et Adnan. À Bagdad, on le surnomme le « serpent » en raison de son comportement sanguinaire mais toujours discret, calme et froid. Vêtu de costumes bien taillés, il acquiesce à chacun des mots de son père, lors des réunions télévisées rassemblant les conseillers militaires et sécuritaires du Raïs.

À 37 ans, Qoussaï est nommé chef de la branche armée du parti Baas au pouvoir, ce qui place théoriquement toute l'armée sous son commandement. Ainsi, à la veille de la guerre de 2003, son père lui confie la mission de défendre Bagdad malgré les objections appuyées de plusieurs officiers irakiens. Ceux-ci dénoncent l'incompétence militaire de Qoussaï. Mais peu importent les capacités tactiques et techniques pour le dictateur irakien. Il a confiance en son fils et c'est bien suffisant à ses yeux pour le nommer à un tel poste.

La chasse à l'homme

Avec la chute de Bagdad, les forces américaines lancent une grande chasse à l'homme contre Saddam et contre tous ceux qui comptent pour le régime. Le 11 avril 2003, le Pentagone publie la liste des chefs irakiens les plus recherchés sous la forme d'un jeu de cinquante-deux cartes tiré seulement à deux cents exemplaires. Saddam Hussein est l'as de pique. Ses fils Oudaï et Qoussaï sont respectivement l'as de cœur et l'as de trèfle. Une fuite met le jeu aussitôt fameux sur le marché américain – 750 000 jeux sont vendus en dix jours. L'opposition américaine à la guerre en Irak s'en mêle, éditant à son tour un jeu des « personnalités américaines recherchées pour crimes de guerre en Irak ». George W. Bush n'a droit qu'au quatre de trèfle.

Selon le témoignage d'un diplomate arabe en poste à Bagdad lors de l'arrivée des troupes américaines : « Saddam aurait envoyé son médecin personnel, Ala Bachir, à l'ambassade syrienne, pour demander au régime syrien de l'accueillir avec sa famille. » Toujours à en croire cette source, « le régime syrien aurait envoyé un conseiller de son ambassade à Bagdad pour vérifier l'exactitude de la requête du Raïs irakien ». « La réponse de Damas était négative pour Saddam lui-même, mais positive pour Oudaï et Qoussai à condition qu'ils apportent toutes les devises qui leur est possible de prendre. »

Des témoins visuels présents à Damas en avril 2003 confirment le transfert de centaines de millions de dollars et d'autres devises de l'Irak vers la Syrie, ils confirment aussi que « les deux fils de Saddam Hussein sont passés bel et bien en Syrie vers fin avril 2003 ». Ces sources s'accordent également sur le fait que la pression américaine exercée sur le régime de Damas – et notamment au cours de la visite du secrétaire d'État Colin Powell en Syrie en mai 2003 – a conduit à repousser plusieurs dirigeants du régime irakien ou à expulser ceux qui y ont pris refuge comme Oudaï et Qoussaï. Ces derniers doivent donc trouver un nouvel asile.

Plus tard en juillet 2003, les Américains sur place apprennent que les deux fils du dictateur se trouvent à Mossoul au Nord du pays, chez l'un des proches de leur père, Nawaf al-Zaydan. Ce dernier est propriétaire d'une villa en plein centre. Un jour qu'il entend toquer à sa porte, il ne peut réprimer un sursaut en découvrant les visiteurs sur son seuil. Malgré leurs barbes hirsutes, il reconnaît immédiatement Oudaï et Qoussaï, les deux fils de Saddam, accompagnés d'un garde du corps du nom d'Abdoul Samad et du fils aîné de Qoussaï, Moustapha, 14 ans. Il les fait aussitôt entrer et les installe dans deux vastes chambres du deuxième étage.

Al-Zaydan a 46 ans. C'est un homme affable qui doit tout ou presque au dictateur et à sa famille. Rappelons que Mossoul n'est pas une ville réputée pour ses sympathies baasistes, rien à voir avec Tikrit ou Ramadi. Même si les sunnites y sont majoritaires, Mossoul est située très près du Kurdistan, et ce n'est pas dans cette région que la Task Force 21 de l'armée américaine chargée de traquer Saddam et ses fils concentre en priorité ses recherches. Mais une trahison ou une fuite signale aux Américains la présence de recherchés « très précieux » dans Mossoul. Le 22 juillet 2003, les G.I. choisissent l'aube pour attaquer les fugitifs. Ces derniers résistent avec acharnement pendant plus de trois heures. Si l'on en croit les propos tenus par le général américain Sanchez devant les journalistes à Bagdad, au lendemain de l'assaut, le dernier à mourir ce jour-là, celui qui tire l'ultime rafale, serait Moustapha, le fils de Qoussaï.

Ainsi, la saga des deux fils du dictateur se termine-t-elle sur un champ de bataille. Pour leurs partisans, « cette mort héroïque efface beaucoup de leurs fautes et de leurs crimes ». Les fils de Saddam, élevés dans le luxe et la facilité, auteurs de toutes les abominations et d'extravagances de nouveaux riches, tournent avec leur chute une page de l'histoire de l'Irak. Raghad, la fille aînée, est désormais considérée par les nostalgiques de Saddam comme son héritière légitime. La seule capable de porter de nouveau le flambeau.

Bachar el-Assad : l'élève a dépassé le maître

Par Frédéric Encel

Après son accession au pouvoir à la suite d'un coup d'État en 1970, Hafez el-Assad, qui appartient au parti Baas, un parti politique socialisant et panarabe, devient président de la République de Syrie et le restera jusqu'à sa mort en 2000. Son fils, Bachar el-Assad, lui succède. Né le 11 septembre 1965, Bachar est le troisième enfant de la famille Assad. Avant lui sont nés sa sœur Bouchra en 1960 et son frère Bassel en 1962. Plus tard naîtront deux autres frères, Majd en 1966 (mort prématurément en 2009) et Maher en 1968. Les Assad sont issus d'une famille pauvre d'Alaouites, une minorité religieuse syrienne, à peine plus de 10 % de la population syrienne. Malgré leur faible nombre, les Alaouites se sont hissés aux commandes de l'État syrien en infiltrant les rouages de l'armée et du parti Baas. Une revanche pour cette minorité longtemps méprisée par le reste des Syriens.

Bachar n'est encore qu'un bébé quand son père est nommé ministre de la Défense et chef d'état-major de l'armée de l'air. Et il n'a que 5 ans lorsque Hafez el-Assad prend enfin le pouvoir après un coup d'État en 1970. Le jeune Bachar en a-t-il gardé le souvenir ? Pour l'enfant comme pour le reste de la famille Assad, la date est importante. À partir de maintenant, leur vie ne va plus réellement leur appartenir : tout comme des millions de Syriens, elle se retrouve entre les mains d'Hafez el-Assad. Et ce, davantage pour le pire que pour le meilleur.

Bachar, le timide

Fils d'une famille paysanne modeste, Hafez el-Assad, né en 1930, est un jeune lieutenant de l'armée de l'air quand il se marie en 1958 avec Anissa Makhlouf. Sa femme est membre d'une famille plus influente – dans le monde alaouite – que la sienne. Sur l'une des rares photos de famille aux couleurs délavées datant de 1985, Anissa présente le même visage dur et austère que son mari. Lorsque, jeune institutrice, elle rencontre Hafez, son cousin éloigné, elle milite activement au Parti social nationaliste syrien (PSNS), formation rivale du Baas dans lequel gravite son futur époux. Ses connexions politiques, elle va dès lors les mettre au service d'Hafez. Anissa déploie toute son énergie pour faciliter l'ascension politique de son mari pendant que celui-ci se concentre sur sa carrière militaire. Tous les deux ont une même ambition : prendre le pouvoir.

Pendant ses années de conquête, le couple donne naissance à cinq enfants. Tous vont hériter de cette soif de pouvoir. Tous sauf un : le petit Bachar. Contrairement à la personnalité affirmée de son frère aîné Bassel, à la férocité de sa sœur Bouchra et à l'agitation de son frère Maher, Bachar est timide, « effacé », presque à l'excès. Selon un proche de la famille, « Bachar provoque l'ironie du clan familial, on se moque de lui à tour de rôle, il zozote à cause d'un défaut d'élocution. » Bachar est perçu comme faible et cela est certainement accentué par le comportement de son père qui impose à la fratrie une discipline de fer et refuse d'emblée toute marque de tendresse. Cette figure du père écrasant malgré ses absences prolongées, Bachar la déteste et il en souffre terriblement. Et ce n'est pas du côté de sa mère qu'il peut trouver du réconfort. Elle agit comme une « véritable matrone ». Anissa est une femme d'une grande force de caractère, fière d'être issue d'une famille de notables. Elle inculque également à Bachar, avec rudesse, l'amour de l'autorité. Aux dires de ceux qui l'ont connue, c'est une femme simple et très versée dans la pratique de la foi alaouite. Foi qu'elle transmet de toutes ses forces à ses enfants.

Pendant que papa conquiert le pouvoir d'un pays difficile, le petit Bachar fait ses classes à l'école. À l'âge de 3 ans, il commence sa scolarité à Damas, à l'École laïque, un établissement jouissant d'une grande réputation nationale. Il y apprend le français et l'anglais, respectivement ses deuxième et troisième langues. C'est un élève « moyen », selon une de ses petites camarades de l'époque. Il va d'ailleurs, en raison de ses notes insuffisantes, quitter sa première école pour terminer ses deux années de secondaire à l'école Le Frère – un lycée français, où il obtient de meilleurs résultats. Ses professeurs confirment que Bachar comme ses frères et sa sœur n'a pas profité de privilèges particuliers ou d'un chauffeur privé. Hafez et Anissa tiennent aux apparences face à l'opinion publique. Pas de passe-droits donc pour Bachar. Au cours d'une excursion scolaire, alors qu'il est collégien, il refuse la requête de ses camarades de dévoiler son rang afin d'éviter le contrôle d'un barrage militaire. Le jeune homme est tellement effacé qu'il se retrouve parfois victime de quiproquos pour le moins embarrassants. Comme cette fois où il assiste à une cérémonie publique en l'honneur de l'anniversaire de son père. Tandis que tout le monde applaudit, le jeune homme reste les bras ballants, ne sachant pas quelle attitude adopter. C'est alors qu'un membre des services secrets, qui ne l'a pas reconnu, s'approche et lui administre une violente gifle pour punir son manque de ferveur. « Je me suis demandé s'il fallait que je me fasse reconnaître. Finalement, j'ai décidé de partir », racontera-t-il plus tard à un proche.

Aux journalistes qui l'interrogent sur son enfance, Bachar assure qu'elle a été normale et harmonieuse. Il joue au football avec les gamins de son quartier, au ping-pong avec son père, et mange les délicieux gâteaux que cuisine sa mère. Voilà pour la version officielle. La réalité est plus nuancée. Les enfants ne voient que très peu leurs parents. Surtout leur père. Bachar donne alors à sa mère une place primordiale. Une place qu'elle ne quitte jamais plus. Même adulte, il continue à lui téléphoner plusieurs fois par semaine. Bachar grandit auprès de gardes du corps peu à même de l'entourer d'affection. Cette protection rapprochée, les enfants Assad ne vont jamais s'en passer. Car leur père se fait beaucoup d'ennemis en Syrie. Le régime militaire qu'il impose au pays depuis 1970 se durcit. Une police secrète toute puissante interroge et fait disparaître le moindre opposant.

Le danger ne vient pas uniquement de l'intérieur. L'ennemi est surtout de l'autre côté de la frontière avec Israël. Bachar grandit dans un environnement guerrier. Il n'est encore qu'un enfant quand éclatent les guerres arabo-israéliennes. En octobre 1973, lors de la guerre du Kippour, il a 8 ans. Sur ordre de son père, avec toute sa famille, il doit fuir dans les montagnes alaouites loin de Damas. Pas question que les soldats israéliens capturent un membre du clan Assad. Plus tard, ce sont les Frères musulmans, un mouvement politique islamiste opposé au régime d'Hafez, qui menacent tous les enfants du dictateur syrien. La mort devient omniprésente dans l'univers de Bachar. Cette menace ne se dissipe jamais réellement mais s'atténue avec l'écrasement du soulèvement des Frères musulmans en 1982. Hafez el-Assad ne fait pas dans le détail et ordonne le bombardement du bastion des mutins islamistes, la ville de Hama. C'est un massacre. Au moins 20 000 civils y perdent la vie. Bachar a 16 ans et le régime de son père se durcit d'un cran supplémentaire. L'adolescent se doit de grandir rapidement pour survivre dans ce monde d'adultes où tout est politique. D'ailleurs, depuis ses 14 ans, Bachar a rejoint le mouvement des Jeunes du parti Baas.

Depuis qu'il est à la tête du pays, Hafez el-Assad se méfie de tous. L'homme est paranoïaque de nature. Bachar va se rendre compte que les craintes de son père ne sont pas forcément infondées quand son propre oncle paternel, Rifaat, tente un coup d'État. Il a profité d'un moment de faiblesse de son frère, en l'occurrence une attaque cardiaque, pour prendre sa place. Le putsch a manqué. Un monde s'écroule pour Bachar alors même qu'il n'a que 19 ans. Il découvre que même sa famille peut être dangereuse. Rifaat part en exil en France.

Cette violence quotidienne pousse le fils du président syrien à quitter le pays à son tour. Il décide de poursuivre ses études de médecine en Angleterre. À 23 ans, il devient interne en ophtalmologie au Western Eye Hospital de Londres. Pour la première fois, Bachar mène une vie normale, sans crainte d'un attentat, d'un coup d'État ou des colères de ses parents. Le jeune homme semble heureux dans la capitale anglaise. Il fait la connaissance de sa future épouse, la belle Asma al-Akhras. Cette Britannique d'origine syrienne est issue d'une grande famille sunnite de Homs et comprend la soif de tranquillité de Bachar. Née à Londres en 1975, elle est un parfait produit de l'éducation « british ». Pendant son adolescence, elle a même changé son prénom pour le rendre plus anglais. D'Asma, elle devient Emma. À 16 ans, elle reprend son prénom d'origine, le prénom de sa grand-mère paternelle.

Le cadet sur le devant de la scène

Pendant que les deux amoureux évoluent en Angleterre, un autre fils d'Hafez el-Assad, l'aîné, Bassel, continue son apprentissage du pouvoir. Depuis des années, il est celui qui doit succéder un jour à son père. Bassel est né trois ans avant Bachar, en 1962. Il est son exact contraire. Autant Bachar est timide et introverti, autant Bassel est sûr de lui, jusqu'à l'arrogance même, flamboyant, amateur de conquêtes féminines... Depuis leur plus jeune âge, les rôles ont été parfaitement distribués entre les deux frères. Les proches de la famille Assad se souviennent de la souffrance de Bachar quand il était jeune. Lui si réservé, si terne, comment peut-il lutter contre le charme de son frère ? Même quand Bachar prend la parole, sa voix est si douce, presque féminine, que personne n'y fait attention. Bassel, quant à lui, est un homme, un soldat, un parachutiste, un amateur de voitures de sport et de vitesse. Mais la vitesse, mal contrôlée, peut être mortelle.

21 janvier 1994, le régime syrien vacille. L'héritier au trône de la République se tue au volant de sa voiture. Un banal accident de la route comme il en arrive tant. Bassel conduit sa berline vers l'aéroport de Damas pour attraper son vol vers l'Allemagne. La voie est noyée dans le brouillard. Il roule trop vite, manque l'embranchement et fait un tête-à-queue. La voiture part en tonneau. Bassel est tué sur le

coup. À l'intérieur du véhicule, Rami Makhlouf, un cousin, s'en sort avec de sérieuses blessures. Immédiatement, la rumeur enfle dans le pays. Il s'agit d'un assassinat. On suspecte l'oncle félon, Rifaat, en exil à Paris. L'enquête conclut officiellement à un accident. Hafez el-Assad perd son fils chéri. Il n'avait que 32 ans et incarnait le futur d'une Syrie sous contrôle des Assad. Bachar l'ophtalmologue est alors rappelé au bercail. Sa parenthèse britannique n'aura duré qu'une année. Il n'envisage pas un instant de refuser le rôle qui lui revient dès lors. S'opposer à son père ? C'est au-dessus de ses forces. Il rejoint donc sa famille à Damas. Il y retrouve Bouchra, sa sœur aînée, ainsi que son petit frère, Maher, qui ressemble beaucoup au défunt Bassel. La même fougue, le même charisme. Une brutalité à peine contrôlée. Bouchra ne manque pas de caractère non plus. Ne s'est-elle pas mariée à un homme de dix ans son aîné malgré l'opposition formelle de son père ? Hafez el-Assad avait refusé, en effet, que sa fille épouse Asaf Shawkat. Cet Alaouite né en 1950 était déjà triplement divorcé. On dit même que Bassel avait menacé de mort l'amoureux de sa sœur s'il l'épousait. Mais rien n'y fit. Bouchra ne céda pas. Hafez, tout dictateur qu'il est, dut courber l'échine et accepter l'union. Des trois enfants Assad survivants, c'est donc bien le plus effacé, le plus timide qui est choisi pour perpétuer la dynastie naissante.

Le jeune homme complexé se retrouve mis sur le devant de la scène. Et quelle scène ! Il n'a pas le droit à l'erreur. Bachar va tout faire pour ne pas décevoir son père. Il accepte – mais a-t-il réellement le choix ? – de prendre la place de son frère au propre comme au figuré. Ainsi, il quitte son cercle d'amis pour mieux adopter celui de son frère ; il récupère les locaux où Bassel aimait travailler ; il va même jusqu'à reprendre la Syrian Computer Society, la compagnie dont son aîné était le dirigeant. Bachar devient Bassel ou plutôt tente de le devenir. La transformation doit être totale : physique et mentale. Pendant six ans, le souffre-douleur de la famille va se préparer intensément pour son futur rôle : académie militaire de Homs puis poste de conseiller politique auprès de son père. Hafez el-Assad, malade chronique depuis 1983 – problèmes cardiaques, diabète –, doit agir vite. Il se sait condamné et mesure l'ampleur de la tâche. Comment transformer ce grand timide ? Le dictateur sait que son pouvoir ne tient que par la force et la terreur. Toute faiblesse risque de déclencher une révolte. Hafez a déjà eu du mal à neutraliser son frère, l'ambitieux Rifaat, en combinant une alliance avec des sunnites influents et des généraux alaouites. Mais, la mort de Bassel remet tout en jeu. La question de la succession redevient d'actualité et les prétendants risquent de s'entre-tuer et de mettre le pays à feu et à sang.

Une mue étonnante

À partir de 1997, Bachar, l'ophtalmologue adepte du *tea time* à l'anglaise, est obligé de prendre en main le dossier libanais, le dossier le plus important de la politique extérieure – et intérieure également. Il s'agit ni plus ni moins de s'assurer que l'État syrien maintient bien son contrôle policier et militaire sur son voisin libanais. Le fils Assad commence à exclure toutes les personnes qui peuvent lui faire de l'ombre et notamment les généraux syriens les plus ambitieux. Et si Bachar le faible, se révélait être un aussi bon dictateur que son père ? Le gentil cadet opère une mue étonnante. Certains, parmi les proches du régime, trouvent que le jeune homme n'est plus le même. Sa voix a changé, il semble plus sûr de lui, presque un chef d'État.

Les Syriens vont vite s'en rendre compte. Hafez el-Assad meurt le 10 juin 2000, après trois décennies de pouvoir sans partage sur la Syrie. Qui va lui succéder ? Le fidèle assistant du défunt, le ministre de la Défense Moustapha Tlass, respecte les dernières volontés d'Hafez el-Assad et force le vice-président Abdel Halim Khaddam à abdiquer et à signer le décret permettant à Bachar, l'héritier désigné par son père, d'accéder à la présidence. À partir du 20 juin 2000, Bachar entame donc son règne. Mais les proches du sérail confirment qu'« Hafez continue à régner à partir de sa tombe ». Bachar hérite d'un régime « bien ficelé » et il n'a qu'à appliquer les recettes de son père pour que les Alaouites continuent à tenir le pays et à régner.

Pour « vendre » le nouveau dictateur, la machine de propagande d'État décide de présenter Bachar el-Assad comme un homme moderne épris de nouvelles technologies et de liberté. Ainsi, lors de son accession au pouvoir, on parle d'un immense espoir, le temps d'un bref Printemps de Damas avec libération de prisonniers et permission de forums de dialogue. Une campagne intense de relations publiques destinée à convaincre les journalistes et les diplomates est lancée. « Le jeune président est ouvert à la possibilité du changement », martèle le régime syrien. Plusieurs observateurs tombent dans le piège et affirment que les réformes ont été empêchées par la vieille garde du père. Mais ce tri supposé entre réformateurs et réactionnaires reste imaginaire. Cette promesse de changement se retrouve aussi vite étouffée qu'oubliée. La dictature des Assad demeure. En fin de compte, l'arrivée au pouvoir de Bachar apporte avant tout le premier prototype d'un nouveau modèle de « régime républicain héréditaire arabe ».

S'il ne fait pas suivre les mots par des actes, Bachar el-Assad va pourtant persister dans le même discours. Ainsi, en janvier 2011, quelques mois avant le début du Printemps arabe, il continue à marteler la nécessité de « changement » et d'« adaptation » dans un entretien au *Wall Street Journal*. Une légère évolution est bien observée dans le domaine économique, la première année du régime. Elle tourne en faveur d'un népotisme incarné par le cousin Rami Makhlouf – celui-là même qui se trouvait dans la voiture le jour de l'accident mortel de Bassel. Il est intouchable. Son père est le frère d'Anissa, la mère de Bachar. Le clan des Makhlouf tient les rênes de l'économie syrienne. Comme Bachar vénère toujours autant sa mère, il ne parvient pas réellement à s'opposer à elle ou à la famille Makhlouf. Dans les premières années du règne de Bachar, les Makhlouf profitent alors pleinement de la situation. Les procédures de privatisation qu'ils mettent en place permettent la naissance d'une classe d'hommes d'affaires sunnites acquis au pouvoir. L'ouverture économique creuse ainsi les écarts entre une infime minorité de bénéficiaires et la majorité de la population – l'une des raisons essentielles de la révolte de 2011, partie de faubourgs marginalisés de grandes villes.

Sur le plan diplomatique, les premières années du règne de Bachar el-Assad sont marquées par de fortes tensions internationales. Le jeune président affronte la guerre d'Irak de 2003, puis il est accusé d'avoir commandité l'attentat de février 2005 contre le Premier ministre libanais Rafiq Hariri. Sous la pression américano-française et la mobilisation populaire libanaise, il doit retirer ses troupes du pays du cèdre. Le Liban a rarement été aussi isolé sur la scène internationale. Mais, à cause de la guerre Israël/Hezbollah de 2006 au Sud Liban et de la lenteur de représailles internationales contre son régime, Bachar survit et on le voit même invité par le président Nicolas Sarkozy au défilé du 14 juillet 2008.

En échappant aux conséquences de la guerre d'Irak de 2003 – malgré son soutien au régime de Saddam Hussein dans ses dernières années et son entretien du terrorisme anti-occidental en sous-main –, puis à celles de la confrontation autour du Liban entre 2005 et 2007, Bachar el-Assad semble conforté dans sa place. Il imite les méthodes de son père en se montrant pragmatique et dynamique et en tirant sur toutes les ficelles possibles pour se maintenir. La presse occidentale présente son épouse – ils se sont mariés le 31 décembre 2000 – comme « la rose du désert » et gonfle la popularité de la jeune femme. Cela profite au président, tout comme le fait qu'il soit père de trois enfants – Hafez, Zein et Karim –, ce qui permet encore d'adoucir son image d'autocrate. Mais hormis la petite parenthèse fantastique de ses débuts et l'image de la Première dame, le régime de Bachar ressemble sensiblement à celui de son père. Le système s'avère très bien rôdé, visant autant la perpétuation du clan Assad au pouvoir, que la sécurité de la communauté alaouite, et la stabilité du pays. Difficile de changer une tactique qui marche.

Bachar symbole d'un régime personnel et totalitaire

Sans concessions, Bachar el-Assad se désintéresse rapidement de l'image du « réformateur » qu'il a voulu donner à ses débuts et dirige le pays d'une main de fer. La répression contre la communauté kurde, qui fait plus de 30 morts à Qamishli en 2004, illustre bien la ligne sécuritaire du régime. Derrière cet exercice du pouvoir par la force se cache le prince selon Machiavel. Pour l'auteur italien qui affirmait qu'il était « plus sûr d'être craint que d'être aimé », gouverner consistait à mettre « ses sujets hors d'état de nuire et même d'y penser ». À l'instar de son père et contrairement aux espoirs de changement notamment dus à la faiblesse réputée de sa personnalité, Bachar el-Assad incarne désormais le régime. Lui, c'est à la fois l'État, l'armée et les services de sécurité.

Pour rassurer le clan dirigeant (outre les Assad, cela inclut les cousins Makhlouf), la communauté alaouite, le parti

Baas et les fidèles, Bachar el-Assad assume l'héritage de son père avec zèle à l'ombre d'une mère qui joue « la gardienne du temple ». Le pouvoir d'Anissa Makhlouf, veuve d'Hafez el-Assad, atteint sans doute son apogée au début de l'ère Bachar. Anissa refuse jusqu'en 2007 de céder à sa belle-fille son titre officiel de Première dame de Syrie. « Il y a eu une vraie rivalité entre Anissa, soutenue par sa fille, Bouchra, et Asma pour influencer Bachar », commente un ancien diplomate français basé à Damas. En 2005, quand le président syrien décide d'évacuer le Liban, Anissa aurait lancé à son fils : « Tu as contredit la parole de ton père selon laquelle le Liban et la Syrie appartiennent à notre maison, jusqu'aux enfants de nos enfants. » La perte de la carte libanaise par les Assad a été perçue comme un signe avant-coureur de la chute du régime.

En 2007, Bachar el-Assad subit une humiliation lorsqu'Israël rase les installations de son projet de réacteur nucléaire et qu'il ne peut répliquer militairement. En 2008, il subit deux autres revers avec l'élimination du dirigeant du Hezbollah Imad Mogniyeh en plein Damas, puis l'assassinat de son conseiller militaire Mohamed Suleiman. En réaction, le président syrien renforce encore le premier cercle du pouvoir. En mars 2011, lorsque le Printemps arabe touche la Syrie, on attribue à Bachar cette phrase : « En 1982, mon père a fait 30 000 morts à Hama, il a eu trente ans de paix. » Selon plusieurs témoins, il voulait faire de Dar'a – dans le Sud du pays, berceau de la contestation –, un exemple, une sorte de « Hama bis ». Mais l'étendue de la contestation vers la côte syrienne, Idli et Homs, aurait compliqué sa tâche. À partir d'août 2011, les injonctions occidentales l'appelant au départ ont dû sonner familièrement à l'oreille de Bachar el-Assad en le conduisant à s'agripper de nouveau au pouvoir quel qu'en soit le prix. On connaît la suite : la plus grande tragédie humaine du début du XXIe siècle – presque 200 000 morts et pas loin d'un tiers de la population déplacé ou réfugié.

Un changement de régime ou tout autre scénario positif ne semble plus à l'ordre du jour. Tout le système totalitaire du pays tourne autour de Bachar, appuyé par son frère, Maher, ses cousins et une clique mafieuse qui n'acceptera jamais de lâcher le pouvoir. La situation postattentat de juillet 2012, qui a décimé de hauts dirigeants syriens, rappelle d'autres fins de règne dans l'Histoire. Mais ces agonies sont parfois longues et meurtrières...

Contredisant les espoirs d'un régime fréquentable et libéral, le président syrien se montre inaccessible, même aux arguments rationnels. La seule logique pratiquée est celle du pouvoir et des stricts rapports de force. Des hauteurs de sa maison du mont Kassioun surplombant Damas, ou dans un autre endroit discret, Bachar el-Assad se met en scène : il est le capitaine d'un navire qui refuse de couler. Il dénonce « un complot international » et parle du « combat contre le terrorisme », alors même que la contestation de mars 2011 a été pacifique dans les premiers mois et que le puissant appel du peuple à la dignité, à la liberté et à la justice s'est heurté à une machine infernale de répression. L'islamisation et la militarisation de la révolte ont servi les desseins de Bachar. Il peut ainsi se présenter comme le protecteur des minorités et le rempart contre le terrorisme. En réalité, le régime syrien excelle dans la manipulation et le guidage à distance de groupes extrémistes. Ce n'est pas un hasard si les dirigeants ou les hauts cadres islamistes ou jihadistes ont été libérés soudainement des prisons syriennes. Bénéficiant du soutien indéfectible des Russes, des Iraniens et du Hezbollah libanais, Bachar fait mieux encore que son père. Il provoque et s'oppose durablement à l'Occident.

L'ophtamologue quasi bègue d'il y a quinze ans à peine se révèle être le digne héritier d'Hafez le tyran. Bachar n'hésite pas à faire subir à ses enfants ce qu'il a lui-même vécu avec son père. Il se sert d'eux pour légitimer son régime et son action guerrière. Bachar ouvre de temps en temps les portes de son jardin secret aux photographes et aux équipes de télévision acquis à sa cause. Regardons-le avec sa charmante épouse et ses trois bambins en train de souffler les bougies d'un gâteau d'anniversaire, de jouer aux petites voitures avec son fils aîné… Comment un bon père de famille qui prend soin de ses enfants pourrait-il être le monstre sans cœur décrit par l'ennemi, c'est-à-dire la très grande majorité des médias, des ONG et des diplomates étrangers ?

Les enfants Assad ne peuvent ignorer la guerre. Ils doivent souffrir comme souffre le peuple derrière son Guide. Alors Bachar et sa femme Asma ordonnent à leurs petits de jouer pleinement leur rôle. Janvier 2012. Le pays est à feu et à sang depuis déjà six mois. Assad organise une manifestation populaire en plein Damas destinée à démontrer l'attachement des Syriens à son régime. Il s'agit de son premier grand discours depuis le début de la révolution. « Sans aucun doute, nous allons vaincre le complot... » s'écrie-t-il face à une foule hurlant sa haine pour les insurgés. À côté de lui, vêtue d'une parka pastel et d'un bonnet en laine (c'est l'hiver et il fait froid à Damas), la belle et souriante Asma. Sa présence n'est pas anodine. Elle permet au régime de faire taire les rumeurs sur sa fuite vers Londres. Mais le couple de tyrans amoureux ne suffit pas. Soudain, sur l'estrade apparaissent trois petites bouilles. Ils sont tous là, les enfants Assad. Hafez (le même prénom que son grand-père comme une promesse à un destin dynastique évident), 10 ans, sa sœur Zein, 8 ans, et le plus petit Karim, 6 ans. Les photographes du régime se jettent sur eux pour immortaliser la scène. Les enfants ont le regard perdu, ils semblent effrayés par tant de clameurs. Au même âge, quarante ans plus tôt, Bachar vivait la guerre du Kippour contre Israël. Lui aussi avait craint pour sa vie. En jetant ses enfants dans le bain sanglant du jeu politique de sa dictature, Bachar ne fait que respecter une tradition familiale.

Le dirigeant druze libanais Walid Joumblatt qui a fréquenté les deux Assad, et dont le propre père fut assassiné sur l'ordre d'Hafez el-Assad, témoigne : « J'ai bien connu le père. C'était un dictateur, un criminel, mais beaucoup plus civilisé que le fils [...] Un jour Bachar m'a dit qu'il n'y avait plus de photos de son père dans le pays, comme s'il avait voulu l'effacer. Il ne faut pas être psychiatre pour comprendre que c'est un menteur pathologique. » Il ajoute : « On a affaire à un psychopathe doté d'une double personnalité, effroyablement menteur et brutal. J'ai découvert quelqu'un de machiavélique. »

Les divisions de la communauté internationale et le grand engagement de l'axe iranien à ses côtés ont aidé Bachar el-Assad à survivre et à être « réélu » comme président en 2014. Il règne donc toujours sur la Syrie et peut continuer à sévir, jusqu'à nouvel ordre.

Muammar Kadhafi, les enfants perdus du Guide

Par Vincent Hugeux

Muammar Kadhafi dépose en douceur le roi Idriss le 1er septembre 1969, puis règne sur la Libye en despote fantasque durant plus de quatre décennies. Traqué, le Guide de la Jamahiriya tombe sous les coups et les balles d'insurgés ivres de vengeance le 20 octobre 2011, en lisière de son fief de Syrte. Peut-on imaginer hérédité plus écrasante pour sa descendance ? Depuis cet infamant hallali, les cinq enfants encore en vie nés des œuvres du défunt colonel entretiennent la flamme d'une splendeur douteuse et révolue à tout jamais. Fût-ce en cellule, dans le box d'un tribunal ou dans un refuge doré, loin de la mère-patrie livrée au chaos des milices.

Le cimetière, l'exil, la prison ou le prétoire. Depuis le lynchage de Muammar Kadhafi, les rejetons de feu le Guide libyen connaissent des infortunes diverses. Moatassem, liquidé par les bourreaux d'un père dont il partage la débâcle jusqu'à son épilogue barbare, repose sans doute auprès de lui dans un recoin tenu secret du désert. Khamis et Seif al-Arab ont selon toute vraisemblance succombé sous les bombes de l'Otan, même si une tenace rumeur entretient le doute quant au trépas du premier. En leur asile nostalgique et doré du sultanat d'Oman, trois des rescapés remâchent leur amertume au côté de la veuve Safiya, née Farkech. Quant à l'héritier présomptif Seif al-Islam, 42 ans, captif d'une brigade révolutionnaire de Zenten, dans le Nord-Ouest, il comparaît depuis le 27 avril 2014, et par vidéoconférence, devant le tribunal pénal de Tripoli. Sort promis ultérieurement, mais *in situ* cette fois, à son cadet Saadi, extradé huit semaines auparavant de son refuge nigérien. Encore faudrait-il que le procès des trente-sept « dignitaires » du régime déchu, maintes fois ajourné sur fond de chaos sécuritaire, d'âpres rivalités régionales, de pulsions irrédentistes et de bisbilles procédurales, parvienne à son terme. Les chefs d'inculpation ? Assassinats, pillages, sabotages, actes portant atteinte à l'unité nationale, complicité d'incitation au viol, enlèvements et dilapidation des deniers publics. Une certitude : pour la fratrie Kadhafi, le regroupement familial tient de la chimère.

Le Glaive et la balance

Dans sa retraite carcérale, l'ex-dauphin Seif al-Islam – le « Glaive de l'islam » en arabe – aura eu tout loisir de méditer sur les aléas du destin. Son géniteur Muammar, Fregoli des dunes, pouvait revêtir dans une même journée trois ou quatre costumes de scène, de la djellaba moirée à l'uniforme de maréchal d'opérette. Lui a endossé tour à tour le veston chic du réformateur policé, chantre de l'ouverture à l'Occident, de la liberté d'expression et des droits de l'homme, puis le treillis de combat et le blouson à col fourré du boutefeu haranguant le 26 février 2011, kalachnikov à la main, une cohorte de fantassins fidèles à la Jamahiriya – ou République des masses –, sommés de noyer l'ennemi sous des « rivières de sang ». Avant de se glisser dans la défroque du Touareg en cavale et, enfin, dans l'humble tenue gris-bleu du taulard. Car la déroutante chevauchée de cet architecte de formation, médiocre artiste peintre, jadis intime du populiste autrichien Jörg Haider comme de quelques barons du blairisme, hier thésard choyé et généreux bienfaiteur de la prestigieuse London School of Economics (LES), a brutalement pris fin le 18 novembre 2011. Ce jour-là, une poignée de miliciens du djebel Nefoussa intercepte le jeune quadra, qui se prétend vainement chamelier. Statut imaginaire certes, mais invoqué en vertu d'une implacable logique : sa traversée du désert commence.

Qu'il paraît loin le temps béni où « Seif » emmenait dans son sillage un duo de tigres blancs du Bengale, placé un temps en pension au zoo viennois de Schönbrunn avant de rentrer au pays… Éconduit par la France, la Suisse et les États-Unis, leur maître a dû à l'époque se rabattre sur l'antenne autrichienne d'une université américaine. Et que dire des vernissages chic de ses croûtes vaguement inspirées de Salvador Dali, accrochées aux cimaises de quelques musées européens par des galeristes complaisants ou vénaux ? Tocade éphémère : au grand soulagement des amateurs d'art, « le Glaive », qui en dépit de son patronyme dédaignait la peinture au couteau, finira par renoncer aux pinceaux et aux palettes de couleurs.

En son palais mauresque

Adieu donc à la queue-de-pie, au nœud papillon, aux soirées huppées et aux beautés de la haute. Derrière ses barreaux grillagés comme à la barre, le captif arbore la barbe drue de l'ascète pieux et contemplatif. Quand, lors de l'audience initiale, un juge tripolitain s'enquiert de l'éventuelle présence à ses côtés d'un défenseur, la riposte cingle : « Dieu est mon avocat ! » Le Très-Haut étant surbooké, un conseil sera commis d'office pour l'acte II, quinze jours plus tard. Si le captif finit par répondre de ses méfaits à distance, il le doit moins aux craintes qu'inspire un transfert acrobatique vers Tripoli qu'à l'intransigeance de ses geôliers de Zenten. Lesquels, sourds aux objurgations du pouvoir central ou de ce qui en tient lieu, ne céderont le cas échéant leur précieux butin de guerre qu'en échange d'une coquette rançon, qu'elle soit acquittée en cash, en portefeuilles ministériels ou sous la forme d'une ample autonomie politico-administrative. Seif al-Islam n'est d'ailleurs pas le seul à jouer les prévenus délocalisés : chef de la Sécurité intérieure de Muammar, ce « Frère Guide » qu'il a épaulé jusqu'à son dernier souffle, Mansour Daw, aux mains des ex-insurgés de la cité portuaire de Misrata, à 200 kilomètres à l'est de la capitale, prend lui aussi part au procès par écran interposé.

Pour l'auteur de ces lignes, le ring judiciaire et ses combats de box ravivent des images de dix ans d'âge. En ce dimanche de mai 2004, l'esthète au crâne poli et aux lunettes à fines montures reçoit en gandoura crème dans une bonbonnière mauresque proche de Tripoli. Il règne dans la résidence fétiche du fils cadet du Guide, plantée au beau milieu d'un *no man's land* ocre balayé par l'harmattan, et dont des caméras de vidéosurveillance scrutent les accès, une quiétude cossue. Mosaïques, vitraux colorés, plafonds de bois alvéolés, lustres en verre de Gallé, canapés grenat couverts de coussins à pompons ornés d'étoiles et de croissants… Avec, en fond sonore, le doux clapotis d'une fontaine. Sur l'un des murs du salon, un téléviseur à écran géant de facture japonaise diffuse à jet continu les programmes de la chaîne du Qatar al-Jazira. Quand on songe que, une décennie plus tard, le clan Kadhafi traînera dans la fange le fer de lance médiatique de l'émirat, coupable d'empathie envers les insurgés de Benghazi et d'ailleurs…

Le prince et ses pudeurs

En ce temps-là, le maître de céans, chauve quoique né coiffé, se donne dix-huit mois pour boucler sous l'étendard de la LSE sa thèse de philosophie politique sur « le rôle de la société civile dans la démocratisation des institutions de la gouvernance planétaire ». En fait, il lui faudra plus de trois ans pour achever ce chantier très inspiré : au risque du plagiat, son pensum puise amplement dans les archives de l'Organisation mondiale du commerce et pille, *a minima*, un traité d'économie et le rapport consacré par une ONG britannique aux travers des institutions financières de Bretton Woods. Pour le reste, le sémillant trentenaire répond en pédagogue patient, et dans un anglais fluide, au feu roulant des questions. Les États-Unis ? « Nous ne sommes plus ennemis. L'Amérique est une superpuissance qui a son propre agenda. Peut-être d'autres clashes surviendront-ils un jour. » La suspension toute fraîche d'un journal réformiste ? « Il n'y a pas en Libye de presse libre, indépendante, neutre. Les gens en sont encore à courtiser le Leader à longueur de pages. » Le pluralisme ? « La démocratie, c'est la démocratie. Il n'en existe qu'une seule définition. Elle doit être directe. Nous nous dirigeons vers des élections générales. Les Libyens les réclament et nous faisons partie de ce monde. » Les droits humains ? « Un de mes plus grands succès. En termes de lois comme de pratiques, notre situation en la matière est bien meilleure que celle des États-Unis. J'en suis très fier et je défie Amnesty International de démontrer le contraire. Il n'y a pas dans les prisons libyennes un seul détenu de conscience. Zéro.

À l'exception de quelques Frères musulmans, arrêtés pour avoir tenté d'organiser des réseaux secrets. » La succession ? « Je me tiens à l'écart, dans mon coin. Et je joue mon rôle de journaliste, d'écrivain, de professeur. Je ne suis ni prince héritier ni vice-président. » En titre, certes pas. Mais « l'ingénieur Seif » en a parfois les attributs. Ainsi, au nom de sa Fondation mondiale Kadhafi pour la bienfaisance, il négocie en 2000 aux Philippines la libération des otages de Jolo, kidnappés sur ordre de l'islamiste du cru Abou Sayyaf ; et transmet à l'Élysée une invitation paternelle. De même, « le Glaive », fine lame de la planète business, supervise les investissements à l'étranger de la Lafico et d'Oilinvest, deux holdings aux performances piteuses qu'il rêve de remanier en profondeur.

Moatassem ou le Brutus absout

À l'époque, on ne lui connaît au sein de la fratrie qu'un rival virtuel, Moatassem, le jusqu'au-boutiste dont on verra le cadavre gésir un temps sur un matelas de mousse crasseux au côté de celui du père, dans une chambre froide de Misrata, ultime étape avant l'inhumation en catimini. Il est vrai que ce colonel, pilier de la répression par ailleurs formé à la médecine, se voit propulsé en 2007 à la tête du Conseil de sécurité nationale, avant d'en être évincé. Et pour cause : mû par une pulsion inexpliquée, voire sous l'empire de l'alcool, il lance un jour les chars de son unité d'élite à l'assaut de la résidence paternelle de Bab al-Aziziya. Forfaiture que notre irascible Brutus paiera d'un long exil égyptien, abrégé par un retour en grâce tout aussi énigmatique. En avril 2009, le voici reçu à Washington par la secrétaire d'État Hillary Clinton. Mieux, Moatassem, très actif sur le juteux marché des contrats d'armements, a l'insigne honneur d'accompagner son père de Moscou à Rome, puis au siège new-yorkais de l'Onu, où le timonier bédouin gratifie l'assemblée générale d'un ébouriffant soliloque. Seule ombre au tableau de l'escale chez l'Oncle Sam : malgré l'activisme de son sherpa de fils, Muammar n'obtient ni le droit de planter sa tente sur les pelouses de Manhattan ni celui de visiter Ground Zero, site du carnage du 11 septembre 2011.

Dans la sourde guérilla de succession qui l'oppose alors à Seif, le prétorien Moatassem peut se prévaloir d'un atout mais pâtit d'un handicap. Son atout : la bienveillance des dignitaires tribaux, des galonnés, de l'appareil sécuritaire et des caciques conservateurs, gardiens du dogme de la Jamahiriya exaspérés par les velléités réformatrices de l'aîné. Son handicap : ses outrances ruineuses de bringueur invétéré. Fidèle à ses habitudes, Moatassem enterre – et noie sous le whisky et le champagne – l'année 2010 dans un club huppé de Saint-Barthélemy, île française des Antilles. Au menu, un concert privé de Beyoncé et d'Usher, deux idoles du R&B dotées chacune d'un cachet de plus de 700 000 euros.

Le goût de l'esbroufe et la cupidité : voilà sans doute les plus éclatants dénominateurs communs des stars de la galaxie familiale, toutes avides d'empocher, du pétrole à la téléphonie, les dividendes de la kleptocratie maison.

C'est ainsi que dès février 2006, la conquête de la franchise Coca-Cola et la mainmise sur une usine d'embouteillage déclenchent une bagarre homérique. Les séides de Moatassem vont jusqu'à enlever un temps un cousin et beau-frère de Mohamed, l'aîné de la fratrie... On sait qu'il y a du Néron et du Borgia chez les Kadhafi ; moins qu'on trouve aussi en eux du Picsou. Si elle enjoint désormais par lettre à l'Onu de l'aider à retrouver la dépouille de son mari, Safiya fait montre elle aussi d'un sens aigu des affaires : jusqu'à l'agonie du régime, elle dirige la compagnie aérienne Buraq Air, détentrice d'un quasi-monopole sur l'acheminement, à l'heure du *hadj*, des pèlerins libyens en route pour La Mecque. Allah, pourvu qu'Il en trouve, reconnaîtra les siens.

Saadi ou les illusions du comploteur

Troisième fils du patriarche Muammar, Saadi parvient quant à lui à échapper aux milices révolutionnaires et à rallier à temps le territoire nigérien. Et ce dès septembre 2011, à la tête d'un convoi d'une trentaine d'officiels. Hébergé « pour raisons humanitaires » dans une villa cossue du Conseil de l'Entente, organe de coopération régionale logé à Niamey, cet autre colonel, qui s'est taillé sur mesure en 2005 une unité de forces spéciales, ne tarde pas à mettre à rude épreuve la tradition d'hospitalité sahélienne. Ainsi que la patience du président Mahamadou Issoufou, pourtant résolu, au grand dépit du voisin du Nord, à préserver son hôte indocile des foudres d'une justice libyenne incapable à ses yeux de lui garantir un traitement « juste, équitable et

clan Mussolini en vacances au bord de la mer Adriatique. Il n'y a guère qu'avec sa fille aînée, Edda (à droite), e le Duce a su se montrer proche.

Staline adorait Svetlana, sa fille unique. Sur cette photo de 1935, le maître de Moscou se présente comme un bon père tendre et présent avec son enfant de 9 ans.

Le général Franco n'eut qu'un enfant, sa fille Carmencita. Celle-ci lui a voué un culte indéfectible, même après la chute du régime franquiste.

Mao a eu une dizaine d'enfants mais n'en a réellement élevé qu'un, sa fille Li Na (ici à gauche). Sur cette photo prise à Pékin en 1951, on voit une autre de ses filles, Li Min (à droite), et un de ses neveux.

Kim Il-Sung pose avec sa première épouse Kim Jong-suk et leur fils Kim Jong-il, dans les années 1940. Dès son plus jeune âge, le petit garçon a été élevé comme un être à part, supérieur.

Premier fils de Castro, Fidelito a 10 ans quand son père devient le maître de Cuba en 1959. Il pose ici le 14 février 1959 à l'hôtel Hilton de La Havane.

Le shah d'Iran Mohammad Reza Pahlavi pose avec son épouse l'impératrice Farah Diba, la princesse Farahnaz et les princes Ali-Reza et Reza à Téhéran, en avril 1968.

© Gamma-Keystone via Getty Images

François Duvalier, surnommé « Papa Doc », choisit Jean-Claude, son fils, pour lui succéder. Celui-ci n'a alors pas encore 20 ans.

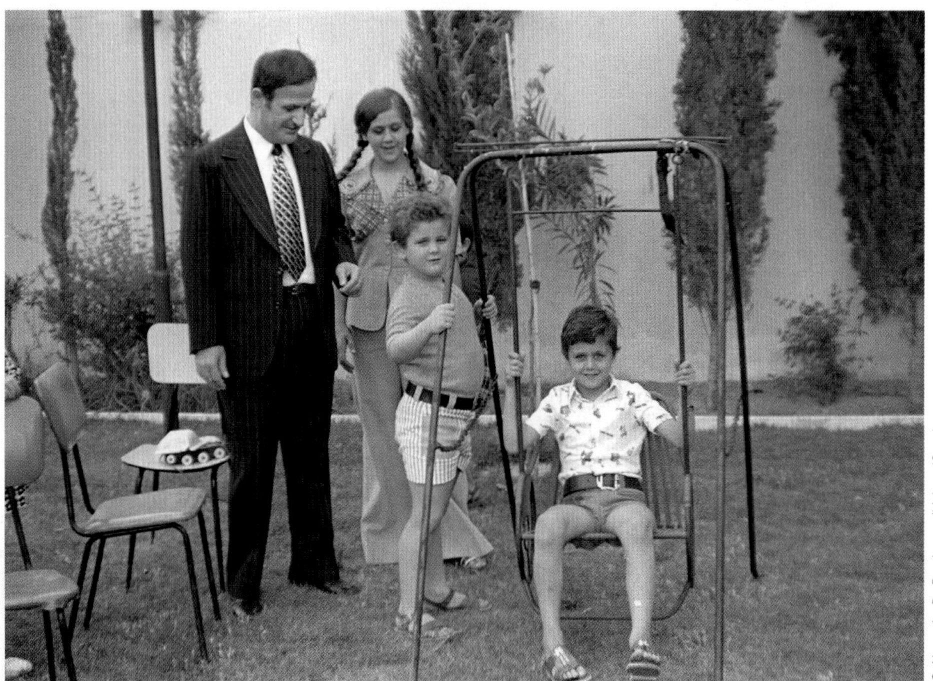
© Alexandra De Borchgrave/Liaison (Getty)

Hafez el-Assad et ses trois enfants Bouchra, Madjeh et Bachar, le 4 juin 1974 à Damas. Un instant de paix fugace entre deux guerres : celle du Kippour, contre Israël, et celle du Liban.

Joseph-Desiré Mobutu Sese Seko avec sa femme, Mama, et leurs enfants, attendant l'arrivée de Valéry Giscard d'Estaing pour sa visite au Zaïre, le 7 août 1975.

Jean-Bedel Bokassa junior a tout juste 4 ans lorsqu'il assiste au couronnement impérial de son père, le 4 décembre 1977.

ddam Hussein et ses deux fils, au cours d'une baignade riante (photo non datée). Pour les endurcir, le dictateur obligé ses deux garçons à assister aux exécutions des prisonniers dès leur plus jeune âge.

adhafi avec son fils, Hannibal, et sa fille, Ayesha, en 1984, devant la caserne Aziziya à Tripoli. Ils sont à l'endroit nême où, quelques jours auparavant, des opposants ont tenté d'assassiner le tyran libyen.

De gauche à droite, le président Moubarak, ses fils Alaa et Gamal, et sa femme Suzanne lors de la remise de diplôme de Gamal.

Le président Loukachenko salue les troupes militaires de son pays, la Biélorussie, avec son dernier fils, Kolia, en 2011. Depuis ses 7 ans, l'enfant est officiellement présenté comme le successeur de son père.

impartial ». Que Saadi, bambochard légendaire, écume jusqu'à l'aube, entre bière et vodka, les boîtes de nuit de la capitale, passe encore. Mais que, piétinant ses promesses de retenue, il appelle à la sédition et œuvre au côté de son compagnon d'exil Abdallah Mansour, naguère caïd du renseignement, à une illusoire restauration, non ! Déjà, en février 2012, dans un entretien diffusé par la chaîne panarabe al-Arabiya, l'ancien jet-setter prédit un soulèvement imminent au pays. Dans le genre profil bas, on a vu mieux. Assigné pour de bon à résidence après cet accroc, celui qui régna sur le football libyen, s'arrogeant le brassard de capitaine d'un club tripolitain et du Onze national, ainsi que les commandes de la Fédération, ne renonce pas pour autant à ses fantasmes de reconquête. Il courtise ainsi vainement le leader séparatiste Ibrahim al-Jadhran, maître de plusieurs terminaux pétroliers de Cyrénaïque (est). Plus grave, Tripoli l'accuse, « preuves irréfutables » à l'appui, d'aiguillonner l'ardeur de kadhafistes impénitents et de tribus affiliées, attisant les braises d'au moins deux foyers de tensions : la région de Sebha, au Sud, épicentre d'affrontements armés au début de l'exercice 2014, et une enclave proche de la frontière tunisienne. Pour Niamey, qui a sollicité sans succès maints pays d'accueil – dont l'Afrique du Sud, la Tanzanie et l'Algérie –, c'en est trop. Remis aux autorités tripolitaines le 6 mars, le fêtard assagi sur le tard dort depuis lors dans une cellule de la prison de haute sécurité d'al-Hadba, non loin d'Abdallah al-Senoussi, cousin et beau-frère du Guide et ancien ponte de ses services secrets, ou de Baghdadi al-Mahmoudi, dernier chef de gouvernement de l'ère Kadhafi. Dire que Saadi aurait pu atterrir au Zimbabwe ou au Venezuela, bastions de l'anti-impérialisme, sinon sur une plage paradisiaque de la côte pacifique mexicaine... De fait, si le stratagème rocambolesque orchestré par une Canadienne n'avait été déjoué fin 2011, le footeux de la tribu coulerait peut-être aujourd'hui une retraite indolente à Punta de Mita.

Entre foot et jet-set

Au moins cet exil latino-américain l'aurait-il rapproché du stade Azteca de Mexico, temple mythique, à l'instar du Maracaña brésilien, des dévots du ballon rond. En l'espèce, la carrière erratique de Saadi en dit long sur ses entêtements d'enfant gâté. Nul doute qu'il doit à son seul pedigree, et à la fortune de la dynastie, ses quelques fugaces apparitions sur les pelouses de la Série A italienne, dans les rangs du club de Perugia (Pérouse). Temps de jeu cumulé de ce joker de luxe, abonné au banc des remplaçants : une quinzaine de minutes, et ce, notamment, face à la Juventus de Turin, dont le clan paternel possède alors 7,5 % du capital... Qu'importe : l'officier barbu veut mordicus entrer dans l'histoire sous le maillot de meilleur footballeur d'Afrique. Il recrute ainsi à prix d'or les Argentins Carlos Bilardo, entraîneur sacré lors du Mundial 1986, et Diego Maradona, attaquant au talent fou et cocaïnomane récidiviste. Mais aussi, en guise de préparateur physique, le sprinter canadien Ben Johnson, champion olympique 1988 promptement déchu de son titre pour dopage. Fâcheux tutorat : c'est pour avoir forcé sur la Nandrolone, substance prohibée, que Saadi lui-même se voit contraint d'abréger son épopée transalpine. Il n'empêche. Rien n'est trop beau pour notre intermittent du spectacle. Libye-Ghana, match de clôture d'un tournoi de prestige à Benghazi, est programmé le 31 décembre 1999 à 23 h 00 locales. Et le colonel de réserve inscrit – qui l'eût cru ? – « le dernier but du millénaire ». Quand la chance le boude, l'attaquant sort volontiers de ses gonds, quitte à déserter la pelouse pour empoigner le micro de la télé et railler ses partenaires. Baliverne, au regard de ce qui advient ce jour d'août 2000, alors que son équipe d'al-Ahly est menée 1-0. Deux penaltys, un but hors-jeu et trois expulsions plus tard, voilà l'offense effacée. Furieux, les supporters floués de Benghazi, fief islamiste et cité historiquement rebelle, saccagent le centre-ville en hurlant des slogans hostiles au fiston. Lequel offre sa démission, bientôt reprise sous l'avalanche des suppliques « spontanées » adressées au Guide Kadhafi. Quatre ans plus tôt, déjà, un derby tripolitain avait viré à l'émeute. Il met aux prises, en une joute fratricide, al-Ahly au club de Mohamed, seul enfant né du premier mariage de Muammar, par ailleurs ingénieur, roi de la planète télécoms, amateur d'échecs et président du Comité national olympique. Bataille rangée, échange de tirs entre les gardes du corps respectifs : on dénombre paraît-il une vingtaine de cadavres. Quant à l'arbitre, laissé pour mort, il vient de Malte. Logique. Pas un sifflet autochtone n'aurait couru un tel risque. Un autre revers ternit l'aura sportive de Saadi. En l'occurrence, le cinglant échec de la candidature de la Libye à l'organisation du Mondial 2010. Le 10 mai de cette année-là, à la veille du verdict, une péritonite providentielle le dispense de plaider devant la presse le dossier à Monaco, en prélude à un gala que le prince Albert, Nicole Kidman et Johnny Depp sont censés, à en croire le bristol reçu à l'époque, honorer de leur présence. Il faut dire qu'au-delà de l'argent de poche que lui procurent ses prébendes dans le tourisme et le BTP, Saadi s'est toqué de Hollywood, au point d'y investir un peu de son pactole. Faiblesse congénitale ? Alors jeune officier nassérien, Muammar doit dit-on à une appendicite sa rencontre, au début de la décennie 1970, avec une infirmière prénommée Safiya, dont il fera sa seconde épouse. Faute de mieux, l'encombrante doublure de Perugia aura donc accompli l'exploit de rabibocher papa avec le foot, discipline que ce dernier, atterré par les beuglements des « imbéciles » massés dans les gradins des stades, flétrit avec un souverain mépris dans un recueil de nouvelles.

Aïcha ou la rage taille mannequin

Dans la famille Kadhafi, la fille. Fille unique à plus d'un titre. Abusivement surnommée « la Claudia Schiffer des sables », au prétexte qu'elle affecte une modernité factice et teint en blond sa chevelure, dorénavant dérobée aux regards sous un voile plus ou moins vaporeux, Aïcha, 37 ans, sera elle aussi trahie par sa fougue et ses aigreurs. Pas plus que Saadi, cette avocate, qui rejoint en 2004 le collectif des défenseurs du satrape irakien Saddam Hussein, ne respecte son vœu de silence. Le 29 août 2011, enceinte jusqu'aux yeux, elle franchit clandestinement la frontière algérienne en compagnie de sa mère Safiya, de son demi-frère Mohamed et de son frangin Hannibal. Et c'est dans un hôpital de Djanet qu'elle accouche, le lendemain même, d'une fillette. Du moins s'en tient-on ici au scénario le plus plausible. Car la rumeur, qui dispute au pétrole le statut de premier produit d'exportation libyen, distille via Internet une collection de variantes. Selon l'une d'elles, la gamine serait tout bien considéré un garçon. À en croire une autre, Aïcha ayant enfanté six mois auparavant n'a pu en aucun cas donner si tôt naissance à un autre bébé, de quelque genre qu'il fut...

Qu'on se rassure : la suite sera, pour les rescapés de la maison Kadhafi, moins spartiate. À l'invitation du président Abdelaziz Bouteflika, la colonie s'installe dans une résidence d'État de Staoueli, station balnéaire de la banlieue ouest d'Alger. Pasionaria volcanique fraîchement déchue de son titre d'« ambassadrice de bonne volonté » de l'Onu, Aïcha entonne dès septembre sur la chaîne syrienne Arraï, acquise au régime finissant, un réquisitoire incandescent. Honneur au Frère Guide, haro sur les traîtres, vengeance pour les « martyrs » et honte à l'Otan. L'Otan ? Une instance qu'elle vomit, tout comme elle exècre les dirigeants français, Nicolas Sarkozy en tête, cibles en juin de la même année d'une plainte pour « crimes contre l'humanité » promptement classée sans suite par le Parquet de Paris. Il faut dire que son époux – un cousin, officier de profession – et, selon les versions, un ou deux de ses enfants auraient péri sous les bombes de l'Alliance atlantique. Embarrassantes pour ses hôtes algériens, les foucades de l'éruptive Aïcha deviennent intolérables lorsque, non contente de tenter d'incendier le mobilier du logis gracieusement prêté, elle lacère paraît-il un portrait de « Boutef' ». Crime de lèse-majesté. Désormais indésirables, les Kadhafi mettent le cap sur le Golfe, où le sultan omanais Qabous Ibn Saïd les accueille en VIP en octobre 2012. De fait, la *mater familias* Safiya et sa suite n'y perdent pas au change : les voici installés dans un quasi-palais de Qurum, quartier huppé de Mascate. Seules exigences du souverain : ici, point de vagues et pas de politique. Deux ans après, le marché tient toujours, quoiqu'il en coûte à Aïcha comme à son acariâtre frère Hannibal.

L'imprécatrice de la Sorbonne

Muammar Kadhafi tenait dit-on sa seule fille biologique pour « le plus politique » des enfants nés de ses œuvres. Même si, à l'orée du millénaire, le penchant héréditaire de la demoiselle pour les diatribes trouble quelque peu les laborieuses retrouvailles entre Tripoli et Londres, capitale dont la princesse libyenne fréquente alors assidûment les boutiques de luxe et le Dorchester Hotel. En juillet 2000, elle choisit ainsi le fameux *speaker's corner* de Hyde Park pour couvrir de louange les « combattants de la liberté » de l'Armée républicaine irlandaise, mieux connue sous son acronyme anglais IRA. Lourd malaise, et retour précipité dans la mère-patrie où, au demeurant, la jeunesse frondeuse fredonne volontiers une parodie peu flatteuse de *Aïcha*, tube du chanteur de raï algéro-marocain Cheb Khaled. Le temps qui passe n'affadit en rien le tempérament de la blonde à la chatoyante garde-robe. Chaperonnée par Edmond Jouve, un truculent professeur de Droit que cajole le Guide, la piquante harpie s'inscrit à la Sorbonne, avant d'en claquer le vénérable portail avec fracas. Motif invoqué : rien à espérer d'un fleuron du savoir empoisonné par les toxines de l'impérialisme occidental. « Je ne crois plus au droit international », confie-t-elle à son mentor, par ailleurs inconditionnel de la sinistre lignée nord-coréenne des Kim. « Martingale commode, objecte ironiquement l'un de ses éphémères enseignants. Même avec une immense mansuétude, je vois mal comment on aurait pu lui décerner le moindre diplôme au regard de la faiblesse de son français. » Si Me Aïcha Kadhafi plaide parfois, c'est donc toujours à charge, le poing brandi. On l'aperçoit encore, en mars 2011, juchée à l'arrière d'un pick-up, sillonnant les pelouses du complexe de Bab al-Aziziya – le fortin paternel –, histoire de doper, mégaphone en main, la ferveur du dernier carré des fidèles.

Hannibal, fêtard et cogneur

Venons-en à Hannibal, autre Omanais d'adoption. Ci-devant chef de l'autorité portuaire et maritime libyenne, ce gaillard au prénom carthaginois, enclin au temps de l'insouciance à dévaler les Champs-Élysées à 140 km/h, à contresens et en état d'ébriété au volant d'une Porsche, traîne un lourd passé de cogneur. En juillet 2008, la police suisse a l'outrecuidance d'interpeller dans un palace genevois l'arrogant héritier et son épouse, le mannequin libanais Aline Skaf, coupables d'avoir roué de coups et tailladé deux de leurs domestiques, un Marocain et une

Tunisienne. Aussitôt, Kadhafi père ordonne l'incarcération à Tripoli d'un tandem d'hommes d'affaires helvétiques et menace de geler les livraisons d'or noir à la confédération. Représailles efficaces, puisque Berne se résout à une humiliante reddition. L'année suivante, c'est au tour de *bobbies* londoniens de faire irruption dans une suite du Claridge : Monsieur vient cette fois de boxer Madame, bientôt hospitalisée le visage en sang. Mais notre gentleman sait se faire pardonner : il offre peu après à la cover-girl au minois tuméfié une soirée new-yorkaise avec, en *guest star*, une fois encore, la peu regardante Beyoncé. Au rayon cruauté, la délicieuse Aline n'est d'ailleurs pas en reste. À l'été 2011, quand sonne pour la Jamahiriya le glas de la débâcle, on découvre dans un galetas de la propriété tripolitaine du couple une nounou éthiopienne au visage ravagé par d'atroces brûlures : sa patronne a pris le pli d'ébouillanter l'infortunée Shweyga Mullah lorsque celle-ci ne parvient pas à calmer les brailleries des enfants. Sur place, l'envoyé spécial du quotidien britannique *The Independent* déniche aussi dans un ordinateur abandonné les traces de trois virements bancaires suspects pour un montant total proche de 20 millions d'euros, et les plans du *Phoenicia*, un yacht pharaonique pourvu d'un aquarium assez vaste pour qu'y batifolent six requins.

Khamis et Hana : le spectre et la miraculée

Le défunt ressuscité par la rumeur, la jeune « martyre » bel et bien vivante : la saga des Kadhafi recèle comme il se doit sa part d'ombre et de mystère. Voyez le benjamin

Khamis, patron jusqu'à la chute finale de la très redoutée 32e brigade, considérée par les experts comme l'unité la mieux équipée, la mieux entraînée et la plus fiable de l'armée. Entre le printemps 2011 et l'automne suivant, son décès sera annoncé puis démenti une demi-douzaine de fois. L'ex-cancre capricieux de l'« Espoir Vert », école d'élite tripolitaine, a-t-il péri dans l'attaque-suicide d'un pilote de chasse sur son QG aux premières heures de l'insurrection ? Le jeune officier supérieur formé au métier des armes en Russie puis à la gestion d'entreprise à Madrid aurait-il succombé en août à un raid de l'Otan non loin de Misrata ? Est-il tombé à la même époque sur le front est de Tripoli, lors d'un accrochage avec les rebelles ? Celui qui, depuis Sebha (sud), a orchestré le recrutement de mercenaires tchadiens, maliens ou nigériens, ravalés au rang de supplétifs de la répression, n'a-t-il pas plutôt succombé en octobre 2012 à Bani Walid, fief de la tribu warfalla et ultime bastion loyaliste ? Un scénario plus rocambolesque l'imagine se glissant discrètement à bord du Boeing 747 du sultan d'Oman, dépêché à Alger pour y cueillir sa mère et trois de ses aînés...

Selon la geste kadhafiste, le même Khamis a été blessé – il est alors âgé de 3 ans à peine – lors du raid aérien américain déclenché le 15 avril 1986 sur ordre de Ronald Reagan, en représailles à l'attentat à la bombe perpétré dans une discothèque berlinoise, attentat imputé à des agents libyens et fatal, entre autres, à deux G.I. À en croire là encore la vérité officielle, ce pilonnage punitif coûte aussi la vie à un bébé prénommé Hana, fauché dans sa chambrette de Bab al-Aziziya et présentée comme la fille adoptive du Guide ; lequel l'aurait prise sous son aile après la disparition de ses parents, un couple de médecins palestiniens. Une variante iconoclaste voit plutôt en Hana le fruit d'une liaison adultérine du prolifique Muammar... Qu'à cela ne tienne : si elle a en vérité survécu au déluge de feu lâché par les F-111 de l'*US Air Force*, la gamine est élevée au rang de victime emblématique de la barbarie yankee. Tout invité de marque se doit de se recueillir entre le berceau-cage et les meubles d'enfant. En 2006, pour commémorer le 20e anniversaire de « l'agression impérialiste », Tripoli accueille même un « Festival Hana pour la paix et la liberté ». On y entend alors le ténor espagnol Jose Carreras et le demi-dieu de la soul Lionel Richie donner de la voix devant l'édifice dévasté, laissé à dessein en l'état. Sept ans plus tôt pourtant, en juin 1999, la miraculée était apparue au côté du Guide au Cap, à la faveur d'un lunch présidé par l'icône sud-africaine Nelson Mandela.

La loi du sang

Un tabou d'État ? Soit. Reste que l'imposture ne dupe nullement les Libyens les moins crédules, dont certains dévoilent volontiers la légende d'Hana au reporter étranger de passage. Le soupçon devient certitude à l'été 2011, grâce au témoignage d'un jeune généraliste. Pour son malheur, celui-ci a côtoyé l'héritière sur les bancs de la fac de médecine, puis à l'hôpital central de Tripoli. « Tout s'est gâté, nous confie-t-il alors, le jour où, à la cafétéria, j'ai sermonné une collègue qui arborait le badge fétiche des partisans du régime. Dès le lendemain, l'un des gardes du corps d'Hana me somme de ne plus remettre les pieds à l'hosto. Hélas, je commets l'erreur de braver la consigne, le temps de retirer un courrier. Sur le parking, les nervis de la "brigade antiterroriste" me passent à tabac, me bandent les yeux et m'embarquent. En prison, j'ai cru mourir dix fois sous la torture. » Version étayée par un chirurgien du *Mustashfar Merkezi* – l'Hôpital central. « Au dernier étage de ce bâtiment, raconte Issam, Kadhafi a fait bâtir une chambre de palace pour la seule Hana. Marbre, lustres, parquets luxueux : il y en a au bas mot pour 200 000 dollars. Soit deux mille fois le salaire mensuel d'un docteur diplômé. » Quelques jours plus tard, un commerçant futé tente de vendre au narrateur de ce chapitre une liasse de photos souvenirs raflées peu après l'assaut victorieux des insurgés sur Bab al-Aziziya. Zoom sur notre rescapée, plutôt replète, en treillis de camouflage, ou posant entre papa et maman à l'occasion d'un somptueux dîner d'anniversaire, voire lovée sur un sofa kitch entre le Guide et la sœur aînée Aïcha. Mais hélas aucun cliché en compagnie de ce fameux orthodontiste londonien qui vient soigner à prix d'or la dentition de la fille cachée du « bouillant colonel ». Puisque nous en sommes aux reliques, un mot sur celles dénichées par une poignée de reporters dans le pied-à-terre d'Hana, au cœur du palais-caserne cher au Frère Guide : un sac Agatha, un flacon de parfum de luxe, une plaquette de Valium, deux soutiens-gorge Chantal Thomass 95 B et un livret de chansons de Dalida. Une copie du serment d'Hippocrate, peut-être ? Non. Au détour d'une enquête fouillée, publiée le 22 octobre 2011, *Libération* cite le verdict glaçant qu'assène le Dr Hana tandis qu'affluent dans son service de chirurgie les premiers blessés du soulèvement : « Pas de poches de sang pour ces rats de rebelles ! » Diable... Quel insurgé aurait survécu au bistouri de la survivante ?

Les Moubarak, une dynastie déchue

Par Anne-Clémentine Larroque

Pendant presque trente ans, Hosni Moubarak a régné sans partage sur l'Égypte. Cinq mandats ont permis à cet ancien militaire de constituer un pouvoir dictatorial légitimé à plus de 80 % des suffrages, à chaque élection. Dans sa chute en février 2011, Moubarak emporte ses deux fils, Alaa, 50 ans, l'aîné, et Gamal, 48 ans, son cadet, l'héritier en puissance. Promis à un destin solaire, ceux-ci ont longtemps profité du rayonnement pharaonique de leur père mais sont lourdement tombés avec lui lors de la révolution du Printemps arabe.

L'ascension d'Alaa et de Gamal Moubarak s'explique par la transmission farouche d'une rage de vaincre que leurs parents ont nourrie ; un mélange détonant d'ambitions et de revanche sociale et financière. Alaa et Gamal n'ont pas le choix : ils doivent devenir riches, célèbres et puissants. Comme leur père a forgé son destin – Hosni n'était pas prédestiné à la fonction de Raïs, autrement dit de chef du gouvernement, et pourtant… – ses fils doivent prendre la relève, s'enrichir toujours plus et protéger les comptes de la famille. Cet impératif catégorique trouve sa source dans le mythe familial né de la rencontre entre Hosni et Suzanne, leurs parents.

Les débuts d'une dynastie

Le mariage d'Hosni Moubarak et de Suzanne Saleh Sabet, en 1958, scelle l'alliance de deux familles aux origines modestes, qui, sans être non plus populaires, font *presque* partie de l'élite. Ce *presque* marque toute la différence et explique l'ampleur de la réussite que le couple impose à ses enfants. Hosni vient de la classe moyenne. Son père, greffier de profession, rêve de faire passer ses enfants de la petite bourgeoisie rurale aux strates sociales les plus prestigieuses. Les signes extérieurs de richesse plaisent bien au père du Raïs. Pour faire briller son fils, il va même jusqu'à lui acheter la première crosse de hockey vendue en

Égypte, lui donnant toutes les chances de se démarquer auprès de ses amis les plus riches.

Suzanne est de culture plus bourgeoise et aisée. Elle a la double nationalité : à la fois égyptienne par son père et britannique par sa mère. Elle possède donc un passeport pour le monde anglo-saxon que le futur Raïs ne manquera pas d'exploiter pour lui, ses fils, et parfois même pour l'Égypte. Hosni Moubarak est séduit par la double nationalité de Suzanne, par son milieu plus cultivé, plus riche aussi. Son grand-père est directeur d'une usine de charbon à Cardiff, son père est médecin et ses oncles militaires. Leur mariage constitue une première évolution dans la société pour Hosni, sa fulgurante carrière militaire et politique sera la seconde.

Hosni Moubarak a toujours rêvé de régner sur l'Égypte. Pour y parvenir, il choisit la voie militaire. Nasser, son modèle, avait fait de même. Travailleur acharné à défaut d'être brillant, Moubarak sacrifie tout à son ambition. Il parvient à intégrer l'armée de l'air égyptienne en deux ans au lieu de trois. Il est ensuite volontaire pour partir en Union soviétique afin d'être formé au pilotage de bombardier lourd. Cet acharnement paye. En 1973, à 45 ans, il est nommé chef de l'armée de l'air. Son baptême du feu est violent, car la guerre contre Israël éclate à ce moment-là. L'ambitieux militaire saisit l'occasion pour démontrer tous ses talents. Il lance une attaque surprise contre l'ennemi israélien qui se rapproche du canal de Suez. La victoire est totale et permet à l'infanterie égyptienne de reprendre le contrôle de la zone. Anouar el-Sadate, le président égyptien, salue cet « acte épique, héroïque et glorieux ». Finalement, l'Égypte perd la guerre mais garde la tête haute grâce à la victoire de Moubarak. Celui-ci devient un héros national. Un héros qui se lance en politique. Il est nommé vice-président de la République égyptienne en 1975. En octobre 1981, la mort de Sadate, lors d'un attentat perpétré par des islamistes, va concrétiser son aspiration la plus profonde. Une semaine seulement après cet attentat, Hosni Moubarak, 53 ans, est élu président de la République d'Égypte. Il était le seul candidat.

Un père aimant, mais distant

Le nouveau Raïs fera tout pour que ses fils poursuivent sa trajectoire. Il gardera toujours cette ligne de conduite : il veut offrir à Alaa et Gamal la possibilité d'aller plus haut que lui, se souvenant à chaque instant des sacrifices de son propre père qui l'ont mené au pouvoir suprême. Il reproduit ce qui lui a été transmis : un père doit être fort, c'est la figure centrale de la famille. Alaa et Gamal ont d'ailleurs tenté de prendre la même place dans leur famille respective. Mais, à la différence de leur père, ils essaient de voir davantage leurs enfants.

En dehors du cercle familial, Hosni est un dictateur plutôt discret, peu outrancier ; un vrai militaire, dur et austère. Un homme craint autant qu'il est méfiant, toujours distant avec ses interlocuteurs. Tout le monde s'accorde à le décrire comme glacial. Sauf quand il s'agit de sa famille. Bien sûr, ses fils ont eu à subir ses colères, son langage abrupt voire grossier, mais leur père les a chéris plus que tout au monde. Alaa et Gamal ont reçu une attention réelle de la part du Raïs, l'amour qu'il leur voue est sans limite, la protection qu'il déploie autour d'eux aussi. Hosni est un père aimant oui, mais extrêmement distant.

En effet, les démonstrations de son amour pour ses fils sont trop rares et leurs rapports directs avec lui sont sans grande effusion, sa froideur persistant dans la sphère personnelle. Hyperprotégés, choyés, Alaa et Gamal souffrent pourtant de l'absence du Raïs dans leur vie de tous les jours. Cet homme puissant et respecté, ce père fantôme, Alaa et Gamal ne tardent pas à le placer sur un piédestal.

Depuis leur naissance, au début des années soixante, Hosni offre à Alaa et Gamal le luxe pharaonique d'Héliopolis, « la ville du Soleil », un nouveau quartier huppé du nord-est du Caire, d'où rayonnent les grandes fortunes d'Égypte. Ils n'habitent pas le palais présidentiel officiel, mais ils logent tout près, dans une résidence privée au milieu des palaces et hôtels construits pour les grands du monde entier. Ils vont au St George's college, un établissement chrétien de grande qualité où l'on parle plus anglais qu'arabe, où l'on côtoie la jeunesse dorée égyptienne comme des expatriés. Hosni les pousse à faire du sport, les encourage à développer des qualités de pugnacité, de combativité dans tous les domaines. De son côté, Suzanne veille à leur transmettre au quotidien toutes les convenances et la culture de leur rang. Fêtes, activités sportives, séjours linguistiques aux

États-Unis, tout y est. Ils n'échappent à rien : Suzanne les pare de toute la panoplie des fils modèles de dictateur.

Quand Hosni Moubarak prend le pouvoir, Alaa et Gamal ont alors respectivement 20 et 18 ans. D'un seul coup, les enfants Moubarak deviennent les plus beaux partis d'Égypte. Ils sont jeunes, intelligents, formés à l'anglo-saxonne... La vie leur appartient, le monde aussi, du moins l'Égypte. Cette soif de pouvoir, rien ne pourra la satisfaire.

L'aîné et le cadet, si différents

Suzanne Moubarak est très présente au sein de sa famille. Elle a toujours exercé une grande influence sur son mari, mais également sur ses fils. On dit souvent que pour une mère égyptienne, « le dernier grain de raisin de la famille, c'est du sucre concentré ». Autrement dit, le cadet de la famille est souvent le préféré de maman. Cette règle s'applique parfaitement au clan Moubarak. Gamal est spécialement chouchouté par sa mère. Si Suzanne s'est éloignée progressivement de la simplicité de la vie provinciale, elle a toujours voué un grand intérêt à la culture de son pays et spécialement, donc, à la destinée politique de Gamal. Suzanne comprend en effet rapidement qu'Alaa ne veut pas être dans la lumière. Gamal lui ressemble davantage ; il est charismatique, sociable, ambitieux. Il choisit d'ailleurs de conserver la nationalité britannique et fait l'intégralité de ses études supérieures dans les écoles américaines du Caire. Physiquement, son cadet tient d'elle, avec des traits plus occidentaux que méditerranéens. Alaa, aux traits plus durs mais aussi plus fins, a le physique plus rugueux d'un Robert de Niro, comme son père.

Aucun des deux fils Moubarak n'embrasse la carrière militaire. Après leurs études de commerce, Gamal part travailler pour la Bank of America, à Londres. Quant à Alaa, il choisit, de rester travailler au Caire. Au début des années 1990, à 30 ans, il incarne pleinement le népotisme et la corruption en Égypte. Il devient même l'objet de plaisanteries dans tout le pays. Sa soif d'argent, son implication dans les détournements de l'économie nationale deviennent proverbiales. De nombreux cafés ou commerces du Caire affichent son portrait près du tiroir-caisse. Tout un symbole.

Alaa n'embrasse pas non plus la carrière politique comme l'ont fait son père et son frère. Il n'est pas aux affaires, il fait des affaires. Pourquoi ? Par volonté personnelle avant tout, il est réputé plus bigot, peu à l'aise en public. Moins affirmé, plus discret voire froid, très peu médiatisé, il n'est d'ailleurs pas autant haï que son cadet au moment de la Révolution. Plus dur que Gamal, Alaa ne souffre pas de la réussite de son frère. La chose la plus importante à ses yeux est d'éviter que les ambitions de l'aîné aient la moindre conséquence négative sur la vie familiale du clan Moubarak.

Le soutien d'un père… et d'une mère

Rentré de Londres, Gamal ne tarde pas à supplanter son aîné dans les affaires. Son éducation dans les meilleures écoles de commerce anglo-saxonnes fait des ravages. Il applique le libéralisme sauvage dans la corruption égyptienne. À ce titre, Gamal incarne parfaitement la trajectoire dorée d'un Égyptien converti à la culture américaine. Hosni Moubarak soutient son fils cadet dans sa démarche de libéralisation de l'économie mais à la sauce nationale... C'est-à-dire sans grande réglementation. Gamal crée une société d'investissement privé et une fondation pour les générations futures. Le but : permettre aux jeunes investisseurs égyptiens de pouvoir se lancer.

Beaucoup moins démonstratif que sa femme, le Raïs croit pourtant tout autant qu'elle en Gamal et vante ses qualités dès qu'il le peut. Selon des informations issues d'entretiens diplomatiques privés, diffusées par Wikileaks ; Hosni Moubarak décrit chez son fils une qualité propre aux hommes de pouvoir de la famille : le perfectionnisme. « Quand il était enfant, je lui ai donné un cahier dans lequel une ligne n'était pas droite ; il a piqué une crise et m'en a demandé un nouveau », raconte le Raïs. Outre le caprice, le dictateur est séduit par la droiture qu'il a su transmettre à son cadet. Même s'il le qualifie d'« idéaliste », il insiste aussi sur la ponctualité notable de Gamal : « S'il vous donne rendez-vous à 14 heures pour déjeuner, c'est 14 heures. Votre montre a intérêt à être à l'heure. » Aux yeux de son père, Gamal a l'étoffe d'un héritier. Son fils est en droit de rêver à son futur empire. Il est parfaitement préparé pour le poste suprême : la présidence. Mais avant cela, il doit exister politiquement et devenir l'homme providentiel du régime.

Hosni Moubarak est presque surpris en juin 1995 quand des islamistes égyptiens attentent à sa vie à Addis-Abeba, en Éthiopie. En effet, il ne se considère pas comme un dictateur, et refuse même l'idée de dictature. Bien sûr, il existe des opposants à son régime qu'il faut faire taire, mais ils se taisent plutôt bien. D'ailleurs n'a-t-il pas été élu à chaque fois par son bon peuple avec plus de 80 % des suffrages ? L'attentat d'Addis-Abeba va donc précipiter le régime vers un durcissement du pouvoir personnel et une mainmise de la dynastie Moubarak sur l'économie du pays.

En 1999, c'est à Suzanne de soutenir à son tour ouvertement Gamal pour se positionner au sein du parti officiel du régime militaire – le PND, Parti national démocratique. Mais des critiques virulentes s'abattent sur la mère et son fils, autant en politique qu'au sein du peuple. Pour commencer, Gamal intègre simplement le parti, il montre patte blanche à l'ancienne garde de son père. Puis, toujours sur les conseils de sa femme, qu'il sait avisés, Hosni impose officiellement son fils au sein de l'appareil du parti, au milieu des années 2000.

« Non au renouvellement, non au pouvoir héréditaire »

Remaniement ministériel, transformations du parti, Gamal est placé au centre du dispositif politique et assume des missions de politique étrangère pour son père. Mais deux problèmes subsistent. Sorti du Caire et de son milieu, Gamal ne bénéficie pas de réseaux régionaux, son influence n'est pas suffisamment relayée. Ensuite, il souffre d'une très mauvaise réputation et d'une impopularité montante : il est détesté des Égyptiens. Il est perçu comme l'enfant gâté du régime, un faux réformateur ; celui qui siphonne les mannes économiques du pays et les partage avec sa clientèle affairiste. Le fils de dictateur dans toute sa splendeur. Si Hosni Moubarak n'a jamais voulu officiellement promouvoir la succession de son fils, c'est parce qu'il est conscient de cette image détestable et des réticences même de l'armée à son égard.

En 2005, Gamal a 42 ans ; il passe à l'offensive. À côté d'Hosni Moubarak, il veut devenir visible. Il doit incarner la *new touch* de la politique égyptienne, clamant l'ouverture et la modernisation du régime. Il relooke son père et organise pour sa réélection une campagne présidentielle à l'américaine. Les caciques font grise mine et l'opposition conservatrice crée un slogan : « Non au renouvellement, non au pouvoir héréditaire. » On ne pourrait être plus clair, il faut tenter une autre stratégie. Le Raïs fait modifier la Constitution par référendum et ouvre les élections au pluralisme des partis. Désormais, l'élection du président est soumise au suffrage universel… enfin, en façade.

Gamal soutient cette ouverture devant les médias occidentaux. Il est mis en avant pour incarner le défenseur de la démocratie en Égypte. Sa montée en puissance est médiatiquement observable, on le voit plus souvent, accompagnant son père ou même seul. Il se retrouve de plus en plus sur les photographies présidentielles et officielles, toujours proche de son père, prêt à prendre la relève. Gamal représente le régime et le modernise. Comme sur un tapis volant, le fils du Raïs lévite de table en table, toujours reçu avec égards par les grands de ce monde.

Gamal : l'étoffe de l'héritier

Cependant, malgré son statut de bon parti, et sans être un papillonneur reconnu, son cœur reste à prendre. Mais un héritier au trône, déjà quadragénaire, doit nécessairement avoir une reine à présenter au peuple… Alors, en 2006, à 43 ans, il décide de prendre les choses en main. Le cadet de la famille finit par se marier avec la fille d'un puissant homme d'affaires égyptien, Mahmoud el-Gammal. Au départ, le père de la belle promise est très réticent ; la famille Moubarak sent le souffre. Il flaire les problèmes à venir, sa fille a vingt ans de moins que Gamal et ce dernier, bien que puissant, n'a pas vraiment bonne presse. Mais la jolie blonde est amoureuse, et son père finit par céder. Il accepte le fils du Pharaon avec en prime, un mariage discret à Charm el-Cheikh, loin du luxe et des grandes pompes habituelles. Cette sobriété est calculée, Gamal souhaite arborer une image plus populaire que par le passé. De son côté, Hosni Moubarak laisse faire son fils, il est même rassuré par ce mariage tardif, car les rumeurs sur son homosexualité présumée commençaient à se multiplier. La même année, Gamal rencontre George W. Bush à Washington, il représente son père sur le sol de la première puissance mondiale. Ces deux événements ne pouvaient qu'annoncer l'officialisation d'une succession toute proche.

Dans un tout autre registre, Gamal lance en 2008 un projet urbain de très haute envergure pour Le Caire : le Grand Caire 2050. Soutenu par les Nations unies et les États-Unis, cette nouvelle initiative « gamalienne » doit transformer littéralement la capitale, freiner sa croissance trop anarchique en lui donnant une dimension de métropole moderne et durable. Le projet est à l'image de l'ambition de Gamal : colossal. Le message est clair : outre ses bienfaits pour les Cairotes, le projet marque sa volonté de s'ancrer dans des perspectives à très long terme pour l'Égypte, et ce, jusqu'à l'horizon 2050. Ainsi, entre 1995 et 2011, l'ensemble des initiatives impulsées par Gamal lui permettent de se glisser progressivement dans le costume du superhéros aux couleurs de l'Égypte, le temps de faire intégrer au peuple et à l'armée l'évidence de sa succession providentielle.

L'empire financier des fils Moubarak

Contrairement aux apparences, l'empire financier Moubarak n'avait pas forcément les bases idéales pour exister. Suzanne et Hosni ne sont pas issus de familles fortunées et quand il accède au pouvoir, le nouveau Raïs lance même une importante campagne anticorruption dans tout le pays. Parallèlement, le train de vie de la famille demeure plutôt modeste pendant la première décennie de pouvoir, du moins en apparence. L'argent n'est pas encore une obsession familiale assumée. Après dix ans de pouvoir, les choses évoluent rapidement grâce notamment à l'impulsion des deux frères.

L'ensemble des placements financiers des frères Moubarak reste difficile à évaluer. Ils ont assurément bénéficié des relations du Raïs. Dès l'âge de 20 ans, ils ont su créer leurs réseaux à Londres ou au Caire principalement. Ils ont placé leurs avoirs dans les banques européennes, suisses notamment, et ont investi dans le foncier new-yorkais, parisien et dans les jeunes États du Golfe. En tout cas, ils ont plutôt bon goût ; l'hôtel particulier qu'ils possèdent en plein Paris, dans le 8e arrondissement, place Rio de Janeiro en est la preuve. Plusieurs étages, des pièces immenses, de quoi impressionner les plus grandes fortunes de France. Et que dire de l'éblouissante propriété privée de Gamal à Londres ? Dans le quartier huppé et central de Belgravia, au 28 place Wilton, où il aime passer quelques jours avec sa femme et leur petite fille Farida.

Selon le célèbre magazine économique américain *Forbes*, Gamal serait plus prospère que le Raïs lui-même. Ses biens sont évalués à 17 milliards de dollars au minimum, Hosni en posséderait à peine 15. Au moment de la destitution du clan Moubarak en 2011, la fortune familiale pesait entre 40 et 70 milliards de dollars, somme absolument astronomique, qui les placerait parmi les plus grandes fortunes du monde. Des chiffres, du reste, impossibles à vérifier et qui dépassent tout entendement. En juin 2013, juste avant la chute des Frères musulmans et le retour de l'armée, le Parquet général égyptien réévalue la fortune familiale : la somme des avoirs tombe magistralement à un bon milliard de dollars. C'est légèrement décevant pour un dictateur qui a régné trente années sur l'Égypte. Mais il ne faut pas oublier qu'à ses débuts, Moubarak se présentait comme l'apôtre de la lutte contre la corruption...

Le père entraîne ses fils dans sa chute

Hosni, le patriarche, ne pouvait être affaibli que par des événements familiaux. Ceux-ci interviennent à la fin de son règne. D'abord, en 2009, il y a la mort de son petit-fils Mohamed, un des deux fils d'Alaa. À seulement 12 ans, l'enfant, gravement malade, décède dans un hôpital français d'une hémorragie au cerveau. Le président Moubarak est extrêmement proche de lui : c'était son premier petit-fils, pilier de la future dynastie. Totalement dévasté par sa mort, le Raïs n'a pas la force d'assister aux funérailles organisées au Caire. Depuis ce drame, Moubarak se présente comme « un cadavre vivant ». Le second événement a lieu pendant la Révolution de 2011. Ses fils sont arrêtés et sa femme est mise en détention provisoire. Plus que sa propre chute, l'inculpation de ses fils le rend fou de rage. Il avait toujours tout fait pour les protéger, mais nul n'est prophète en son pays. Pas même le Raïs.

Le Printemps arabe égyptien éteint brutalement la flamme hégémonique des Moubarak à l'intérieur comme à l'extérieur du pays. La cause économique est centrale mais c'est l'ensemble du système qui est profondément sanctionné. En dix ans, la montée en puissance politique de Gamal Moubarak n'est pas passée inaperçue. Les jeunes révolutionnaires égyptiens ont craint l'installation définitive de la dynastie. La peur d'une mort lente du pays par *moubarakite aiguë* les a décidés à aller jusqu'au bout. Alors, en pleine Révolution, quand Hosni Moubarak fléchit et accepte le changement de gouvernement, le message devient clair : la rue lui impose une démission toute proche. La convalescence nationale pourrait enfin avoir lieu.

La conséquence est directe : en nommant un vice-président qui n'est pas un Moubarak, le Raïs détruit d'un trait de plume l'ambition ultime de Gamal, à savoir : briguer les prochaines élections présidentielles de septembre 2011. En clair, il fait démissionner les « Gamal boys » du gouvernement. Exit Gamal, le peuple peut exulter. Le message est d'autant plus fort que jamais auparavant, le Raïs ne s'est risqué à nommer un vice-président. Seul un Moubarak aurait pu prendre sa succession. L'éviction symbolique du fils annonce la mort politique du père. Les vieux mandarins militaires du régime n'y sont pas pour rien. Ils n'ont jamais vraiment adoubé cet héritier aux pratiques trop occidentales et trop cavalières. Pour garder leur pouvoir, son bannissement est nécessaire. L'armée accepte la chute du Raïs pour éviter l'avènement du fils. Le 18 février 2011, Hosni Moubarak lègue ses pouvoirs à son vice-président.

Gamal n'a pas dit son dernier mot

En avril 2011, deux mois après la chute d'Hosni Moubarak, ses fils sont placés en détention provisoire. Ainsi, depuis leur arrestation, Alaa et Gamal alternent entre séjours à la prison de Tora au sud du Caire et audiences de procès qui n'en finissent jamais d'être reportés. Outre leur propre enrichissement, les fistons paient la rançon de la gloire de leur père. Car un jour, le pouvoir aurait dû leur revenir. À eux directement ou à l'un de leurs fils.

Trois ans ont passé depuis leur arrestation. En 2014, les enfants Moubarak sont toujours en détention provisoire. Alaa, 53 ans, et Gamal, 51 ans sont aujourd'hui hors d'état de nuire pour l'Égypte. Le moral des fils Moubarak n'est pas bon, rapporte un gardien, sous le sceau de l'anonymat. « Ils font tout ce qu'on leur demande et n'élèvent jamais la voix. Il faut garder en tête qu'ils sont brisés », raconte-t-il au *New York Times*. Gamal, l'ex-futur président, semble le plus affecté : il a perdu beaucoup de poids, dort mal et reste très souvent seul. Vêtus de la tenue blanche des détenus, Alaa et Gamal ne trouvent même pas de réconfort dans les repas gastronomiques qu'ils commandent au luxueux hôtel Four Seasons – comme ils en avaient le droit en détention provisoire. Soupçonnés d'avoir contraint des entreprises étrangères à nouer des partenariats économiques et d'avoir planifié la « bataille des chameaux », le 2 février 2011, contre les manifestants du Caire, les deux frères risquent au minimum vingt ans de réclusion.

En résidence surveillée et très diminué, leur père continue d'être informé du sort de ses chers enfants. Ses seuls objectifs sont d'éviter pour lui-même la prison ferme mais surtout de sauver ses fils. Il continue d'espérer leur libération prochaine. Après tout, les anciens caciques de l'armée Moubarak sont de retour au Caire et l'élection du général Al-Sissi pourrait peut-être servir la famille de l'ancien Raïs.

Depuis 2013, la médiatisation des procès des Moubarak est de moins en moins relayée, de plus en plus discrète, comme si on voulait les oublier. L'armée s'acharne bien plus sur le sort des Frères musulmans que sur celui des frères déchus. Alors, Moubarak père aurait peut-être raison d'y croire, mais sera-t-il seulement là pour voir l'éventuelle libération de ses fils ? Il reste de nombreuses inculpations contre eux et à 85 ans, l'ancien dictateur, très malade, n'a pas de longues années devant lui.

Contre Hosni, la rue a bel et bien gagné, le tombeau du pharaon est presque scellé. À côté de la sépulture paternelle, les Égyptiens construisent le tombeau de ses deux fils. Pour les révolutionnaires, les trésors amassés pendant le règne du Raïs doivent être rendus à l'Égypte et à son peuple. La dynastie doit déchoir, l'ensemble de l'empire Moubarak ne peut que tomber. Mais gare aux héritiers, même maudits par le peuple, Gamal et Alaa gardent de leur père son nom : *Moubarak*, en arabe, « ceux qui sont bénis ».

Biélorussie, le fils illégitime du dictateur

Par Valeri Karbalevich

La Biélorussie se situe entre la Pologne et la Russie. Elle a déclaré son indépendance de l'Union soviétique en 1990. Alexandre Grigorievitch Loukachenko en est le premier et l'unique président. Il a modifié la Constitution et a progressivement instauré un régime autoritaire basé sur sa seule personne : c'est l'unique dictature d'inspiration stalinienne encore en vigueur dans toute l'Europe. En 2014, Loukachenko a fêté ses vingt ans de pouvoir absolu à la tête de la Biélorussie. Il n'a que 59 ans. Père de trois fils, c'est son benjamin, bâtard venu sur le tard, que Loukachenko élève comme son héritier.

Loukachenko a été réélu trois fois à la fonction de président (en 2001, 2006 et 2010) au cours d'élections que l'opposition et les observateurs internationaux ont reconnues inéquitables et non démocratiques : chaque fois, il est élu au premier tour avec près de 80 % des suffrages... L'Union européenne a adopté des sanctions interdisant Loukachenko de visa vers les pays membres. Quand il est élu en 1994 pour la première fois à la tête de la Biélorussie, Alexandre Loukachenko est le père de deux grands fils : Viktor, 21 ans et Dmitri, 16.

Une famille parfaite

Alexandre Loukachenko rencontre sa femme, Galina Rodionovna Želnerovič, à l'école. Ils se marient en 1977 alors qu'ils sont encore étudiants. Viktor et Dmitri naissent respectivement en 1993 et en 1998. Ils poursuivent leurs études au sein de la faculté de relations internationales de l'université d'État de Biélorussie. L'aîné, Viktor, reçoit une formation de « diplomate », le cadet, Dmitri, se spécialise en droit international. Après l'université, tous les deux font leur service militaire dans les forces armées. Bien que la Biélorussie ait conservé la conscription militaire, les diplômés des établissements supérieurs sont le plus souvent exemptés. Viktor et Dmitri font pourtant leur service, vraisemblablement à la demande de leur père. Alexandre Loukachenko lui-même, à l'époque soviétique, avait effectué son service militaire chez les gardes-frontières. Ses fils poursuivent une sorte de tradition familiale. Ils servent dans les *spetsnaz* (les forces spéciales) aux frontières – une unité de lutte contre la contrebande et les migrations illégales.

Ils sont mariés à des jeunes femmes de leur ville natale, Chklov. L'aîné a quatre enfants ; le cadet, trois. Le tableau familial frôle la perfection ! Alexandre Loukachenko peut être fier de ses deux fils qui incarnent l'homme idéal biélorusse. Du moins, l'idée qu'il s'en fait. L'omni-président refuse que sa famille puisse être impliquée dans un quelconque scandale financier ou moral. Chez les Loukachenko, pas de vie dissolue, pas d'aventures galantes…

Cette famille vertueuse, le dirigeant biélorusse en fait même un atout en termes d'image politique. Il s'appuie sur la propagande officielle pour souligner sans relâche la moralité de la politique présidentielle. Le charisme d'Alexandre Loukachenko n'est d'ailleurs pas tant politique que moral. Il se rengorge quand on le décrit comme « juste », « honnête », « sincère » et « populaire ». Dans ses discours, il se désigne comme quelqu'un d'irréprochable, le président le plus pur. Et le comportement de ses enfants doit s'inscrire parfaitement dans cette représentation. S'adressant à des journalistes, Loukachenko déclare : « Mes enfants sont bons. Personne ne les connaît à Minsk, notons-le, et c'est le principal. La plus grande réussite d'un président, d'un grand homme politique, c'est quand nul ne sait rien de ses enfants et des autres membres de sa famille. Cela montre qu'ils sont des gens comme les autres. »

À vrai dire, ses deux fils n'ont guère le choix. Leur père ne s'en cache pas, bien au contraire : il affiche au grand jour sa manière de gérer la vie de Viktor et de Dmitri : « Mes enfants, je les ai anéantis, pour ainsi dire. Aujourd'hui, ils n'ont rien, aucune liberté. Et vous – je l'ai déjà dit en congrès – n'avez pas une seule fois entendu parler du moindre scandale lié à mes enfants. Jamais d'histoires comme quoi ils auraient fait les riches ou se seraient mal comportés. »

Loin de la réalité

Cette dureté, cette exigence morale tourne rapidement à l'obsession chez Alexandre Loukachenko. L'image du martyr souffrant pour son peuple doit être totale. Un martyr prêt à se sacrifier ainsi que la chair de sa chair. « Je fais très attention à la façon dont je me comporte en société, de même pour ma famille, mes enfants, tous mes proches. Je n'ai pas d'appartement, je n'ai pas d'argent de côté. Le lundi, après le hockey, nous allons à la *bania* [sorte de sauna très apprécié dans la culture russe]. Je n'y vais qu'avec mes fils. Et là, nous sommes assis dans l'étuve, et mon fils aîné me dit : "Papa, d'accord, tu es président, et nous, nous habitons près de toi, derrière ces barbelés ; d'accord, c'est encore supportable... Mais demain ? Et si on ne te réélisait pas ? Où habiterions-nous ?" Vous imaginez, une question directe, en pleine face, qui m'a fait transpirer jusque dans les vestiaires, après être sorti de l'étuve. Je me retrouve dans une impasse : même de la façon la plus légale qui soit, je ne peux pas laisser à mes enfants un appartement. D'abord, parce que je ne pourrais me le permettre qu'en prenant un crédit. Je n'ai pas d'argent pour leur faire construire un appartement, même à Minsk. Moi-même, si je n'étais plus président, je n'aurais nulle part où vivre. »

Cependant, plus Alexandre Loukachenko fait vibrer la corde de l'émotion en racontant la situation misérable de ses enfants, plus on s'éloigne de la réalité. Les enfants du président ne vivent en effet pas si mal que ça. Ainsi, l'aîné, Viktor, devenu son Conseiller, s'est construit en 2006 une luxueuse villa tout près de la résidence présidentielle officielle. Son prix n'est pas connu, mais l'on sait que, dans ce quartier, une maison se monnaie entre 400 000 et 800 000 euros. Or, en 2006, le salaire moyen en Biélorussie dépasse à peine les 200 euros par mois.

De son côté, le fils cadet, Dmitri, se retrouve à la tête du Club sportif présidentiel, un groupe public d'État. Cette organisation s'occupe de soutenir matériellement les sportifs. Toutes les tentatives des journalistes indépendants pour recevoir des informations sur ce club – qui le finance ? par exemple – se heurtent à une fin de non-recevoir. Dmitri est également membre du Comité national olympique biélorusse.

Il convient ici de prêter attention à un épisode particulier. En 2009, s'adressant à des journalistes russes, le président déclare : « Eh bien, les enfants, la famille… Quand on est un homme d'État, ils doivent être là. Ils ne peuvent pas devenir des hommes d'affaires. Imaginez un peu : j'ai un fils, il est dans les affaires. Ça serait certainement prometteur, non ? Je n'aurais même pas à téléphoner et à demander qu'on le soutienne. Son nom de famille plaiderait pour lui. Aucun de mes proches, personne dans ma famille ne peut être dans le business. Et je souhaite qu'il en soit ainsi. Pas un homme proche de Loukachenko – ni ses enfants ni ses intimes – ne fait des affaires. Chez nous, c'est interdit, mais chez vous… »

Le Club sportif présidentiel est pourtant bien un business ! Et Dmitri lui-même, dans un discours retransmis sur la chaîne de télévision publique, a reconnu non sans une certaine fierté ses multiples succès dans les affaires. « Nous avons créé – c'est un fait connu, qui a été rapporté partout – Sport-pari [une société d'organisation de manifestations sportives et de paris] et la galerie marchande Belaz. Nous travaillons également à la construction d'un golf et d'un complexe exceptionnel près de la route périphérique, qui s'appellera Nottingham. Il y aura des immeubles d'habitation et des équipements sportifs. »

Une concentration des pouvoirs

Les enfants Loukachenko font des affaires. N'en déplaise au président. En revanche, pas de politique. C'est juré.

Aux premiers temps de son mandat, le leader biélorusse a assuré avec insistance que, en tant que président du peuple, il n'accepterait aucun népotisme, que sa famille ne pourrait prendre aucune part dans la vie politique. En 1997, à la question d'un journaliste – « Les membres de votre famille vous aident-ils ? » –, Alexandre Loukachenko s'étrangle presque d'indignation. Comment peut-on faire pareille supposition ? « Vous plaisantez ! Personne n'a pu voir ni ma femme ni mes fils parmi mes conseillers. » Dans d'autres interviews, il affirme : « Je considère que les membres de ma famille ne doivent pas se mêler de politique » ou bien : « Ma famille ne se permet aucune influence politique. C'est tout à fait exclu. » Rappelons-nous bien ces mots. Parce que très vite sa position va changer du tout au tout !

Juste après son service militaire, Viktor, le fils aîné, commence à travailler au ministère des Affaires étrangères. Il est immédiatement propulsé Premier secrétaire aux Affaires européennes. D'ordinaire, les collaborateurs débutants gravissent peu à peu les échelons du ministère : d'abord assistant, rédacteur, attaché, troisième, deuxième et puis seulement Premier secrétaire. Le fils du président accède d'emblée à cette fonction. Mais cela ne lui suffit pas. En 2003, Viktor rejoint l'Institut de recherches scientifiques en matériels d'automatisation Agat. Cet établissement se consacre au développement militaire. Le fils du président est chargé de la vente d'appareils militaires à l'étranger. Un poste à la fois lucratif et éminemment stratégique. Deux ans plus tard, en 2005, son père le nomme Conseiller du président sur les questions de sécurité. Dans la hiérarchie du pouvoir biélorusse, c'est une fonction de statut supérieur à celle de ministre. Viktor n'a pourtant que 29 ans.

Les informations sur les activités de Viktor Loukachenko en tant que Conseiller du président sur les questions de sécurité, ainsi que sur sa personne même, sont ultraconfidentielles. Depuis que Viktor est en poste, il n'a pas donné la moindre interview ni n'a fait le moindre commentaire par voie de presse. Pourtant, son poids politique a augmenté ces dernières années : il influence désormais les nominations de cadres des forces armées policières et militaires, contrôle les services spéciaux, lutte contre les adversaires du régime et il gère la neutralisation des manifestations de l'opposition. Dans la presse étrangère, sont apparus quelques entrefilets sur ses visites à l'étranger – en particulier dans des pays arabes – et les négociations qu'il y mène pour vendre du matériel militaire de production biélorusse.

Les Loukachenko père et fils concentrent donc les pouvoirs économique, politique et militaire du pays entre leurs mains. L'idée d'une dynastie Loukachenko à la tête de la Biélorussie commence à germer dans la classe politique nationale.

Ce sera sans Viktor et Dmitri

Mais Viktor a un défaut majeur : ce n'est pas un homme public. Alexandre Loukachenko lui-même tient les talents politiques de son fils en piètre estime. Devant des journalistes, il va jusqu'à déclarer : « Je dirais qu'il [Viktor] est plus faible aujourd'hui, et qu'il le sera plus encore demain, que le président en exercice. Alors à quoi bon soutenir et promouvoir le plus faible ? » En réalité, si Viktor a été placé à un poste si stratégique, c'est pour la seule qualité que son père puisse lui reconnaître : on peut lui faire confiance.

En effet, comme tout bon dictateur, Loukachenko se méfie de tout le monde, surtout de son entourage. Au fil des années passées au pouvoir, l'homme est devenu de plus en plus méfiant. La théorie du complot hisse la suspicion au niveau du credo idéologique. Pour survivre politiquement, Loukachenko s'entoure d'ennemis imaginaires qu'il traque constamment et dont il parle sans cesse. Ainsi, maudire les desseins ennemis est un rituel obligé que l'on retrouve dans chaque discours du président, y compris les discours de félicitations. Des campagnes de propagande sont également orchestrées par l'État dans le but d'inculper les opposants.

Comme dans tout autre État non démocratique, le rôle des « structures de force », c'est-à-dire l'ensemble des forces armées policières et militaires – et principalement des services spéciaux –, est hypertrophié en Biélorussie. Ces structures de force sont une institution étatique centrale, la charpente du régime. C'est pourquoi Loukachenko, qui ne fait confiance à personne, se sent plus à l'aise et plus sûr de lui quand, pour garantir sa sécurité, il peut compter sur son propre fils.

Viktor et Dmitri jouent donc chacun à plein leur rôle dans le système Loukachenko. L'un à la sécurité, l'autre aux affaires. Mais aucun n'est de taille pour la succession d'Alexandre à la tête du pays.

Kolia, le bâtard du dictateur

Alexandre Loukachenko n'a poutant pas dit son dernier mot en la matière : il devient père pour la troisième fois, à 50 ans. C'est un fils, à nouveau ! Nikolaï naît le 31 août 2004 d'une liaison extraconjugale. On notera que l'heureux père, né le 30 août 1954, modifie cette ligne de sa biographie en 2010. Pour pouvoir célébrer son anniversaire en même temps que son fils Kolia (diminutif de Nikolaï), le président s'octroie en effet le droit de repousser sa date de naissance au 31 !

Il n'existe pour le moment aucune information officielle sur l'identité de la mère de Kolia Loukachenko. Le président laisse seulement échapper un jour que la mère de son fils « [est] médecin ». Lors des premiers mois de la présidence de Loukachenko, à Minsk, des rumeurs se répandent sur la femme qui partage la vie du chef de l'État. Rapidement, dans la presse indépendante, sont apparues des photos d'Irina Abelskaïa, significativement légendées : « Le médecin personnel du président. » Les médias étrangers, eux, l'appellent ouvertement « l'épouse civile » du chef de l'État biélorusse.

Irina Abelskaïa a été mariée. Elle a un fils né de ce mariage, Dmitri. Au moment de sa rencontre avec Loukachenko, elle est déjà divorcée. Endocrinologue, elle est nommée directrice de l'hôpital national de l'administration présidentielle en 2001 – hôpital où est soigné l'ensemble de la nomenklatura dirigeante du pays. Elle commence peu à peu à y faire du lobbying en faveur de certains projets commerciaux et à exercer une influence sur le choix du personnel politique. Sa mère, Lioudmila Postoïalko, est même nommée ministre de la Santé.

Mais en 2007, pour une raison obscure, « l'épouse civile » est privée non seulement de son poste prestigieux mais aussi du droit d'élever son second fils, Kolia. Elle redevient simple médecin au sein d'un centre de diagnostic et de santé à Minsk. Sa disgrâce dure deux ans, au terme desquels le président lui permet de reprendre la tête de l'hôpital national de l'administration présidentielle. Cependant, Kolia continue d'être élevé sans sa mère.

La vie privée du dirigeant biélorusse est évoquée publiquement pour la première fois pendant la campagne présidentielle de 2006. Loukachenko dissimule alors l'existence de son troisième fils, Nikolaï, dans sa déclaration de revenus – que la loi prévoit de rendre publique. Le candidat à la présidentielle Alexandre Kozouline proteste à la télévision : « Mais alors, comment est-ce possible ! Le chef de l'État ne vit pas avec son épouse légitime, mais avec une autre femme, dont il a un enfant, quel exemple pour le pays… » Loukachenko est contraint de réagir et de reconnaître publiquement ses difficultés familiales. Dans son discours de clôture au 3e Congrès national biélorusse, il contre-attaque : « On va encore me poser une question sur mes enfants, ma famille… Mais, mes amis, comme si vous ne saviez pas quel homme je suis ! Comme si vous ne connaissiez pas la nature de mes relations avec ma famille ! Qu'est-ce que j'ai à cacher ? Rien ! Si vous avez besoin d'une Première dame, élisez les autres ! Ils vous en montreront des *ladies*, et tout un tas d'autres aussi. Je ne suis pas un modèle en la matière. Ni un modèle à imiter ni un exemple à suivre. Tout le monde le sait. Pauvre femme, celle qui, fût-elle top model, vivrait avec le président biélorusse. Parce que, à part mon pays et mon labeur épuisant, je n'ai quasiment rien. Je ne suis donc pas fait pour la vie de famille, j'ai mis toutes mes forces là-dedans. »

Un papa poule

Pourtant, très vite, Loukachenko s'affiche ouvertement avec son dernier fils. L'enfant n'a même pas 4 ans quand, au printemps 2008, il apparaît officiellement auprès de son père dans des lieux publics : au *soubbotnik* – la journée de travail obligatoire et non rémunérée, vieille tradition soviétique rétablie par Loukachenko en 1997 –, aux matchs de hockey, lors de déplacements de travail en Biélorussie et à l'étranger. À croire que le leader biélorusse ne peut plus se passer du petit garçon. Lui, l'homme si dur, dévoile une fibre paternelle insoupçonnée. « Mon fils ne peut pas rester tout seul… Bien sûr, c'est une charge supplémentaire pour moi : il ne laisse personne d'autre que moi l'habiller ou le nourrir. Si je ne suis pas à la maison, il ne dort pas, il ne mange pas, il ne se conduit pas comme un enfant. Il est attaché à moi comme une queue à un animal, et ça fait plusieurs années que ça dure. Je suis obligé de le prendre avec moi lorsque je pars en mission à l'étranger, sinon il ne dort pas et il risque l'épuisement. Alors qu'avec moi dans l'avion, il fait une sieste, il mange : il est attaché, attaché à son père. Alors quoi, je devrais le laisser à l'écart sous prétexte qu'il pourrait me déranger ? Ici, on parle du "fils illégitime du président". Combien y a-t-il d'enfants comme lui ? Et combien y a-t-il d'enfants abandonnés ? Alors, que cela serve d'exemple : quoi qu'il arrive dans la vie, quand on a un enfant, peu importe comment il est né. D'ailleurs, Poutine a dit à ce sujet : "Ça vient de Dieu." Devrais-je cacher ce qui m'a été donné par Dieu ? J'aime furieusement les enfants. »

Les deux fils aînés de Loukachenko ont dû être heureux de découvrir ce nouveau trait de caractère de leur père. Un amour soudain pour les enfants… Eux qui ont été élevés à la soviétique, c'est-à-dire en l'absence totale de confort, et surtout d'affection. Officiellement bien sûr, Viktor et Dmitri se gardent de réagir à l'apparition de leur nouveau frère Kolia sur la scène politique nationale. Après tout, il n'est encore qu'un enfant.

Ce qui est certain, c'est que pour son fils préféré, Alexandre Loukachenko ne regarde pas à la dépense. Surtout quand les frais sont pris en charge par l'État. En 2009, la télévision biélorusse filme Kolia roulant au volant d'une voiture électrique de près de 20 000 euros dans la résidence présidentielle à Drozdy. Rien n'est trop beau pour le petit dernier de la fratrie Loukachenko. D'habitude si discret sur sa vie privée, le président n'hésite plus à étaler son bonheur de nouveau père. Aucun détail n'est épargné aux Biélorusses. Ainsi les journalistes apprennent-ils que Kolia et son père vont à la *bania* ensemble. « Quand Kolia a eu un an, je l'ai pris par la main pour l'emmener à la *bania*. Bien sûr, il a chouiné et pleuré. Mais maintenant qu'il a 4 ans, il peut supporter une température de près de 100 degrés dans l'étuve et de 28 dans la piscine. Et même, il est capable de prendre un bain d'eau glacée. » N'est-ce pas là la preuve que l'enfant sait s'endurcir et a du caractère ? Des qualités essentielles aux yeux de Loukachenko.

« Papa, tu en as encore pour longtemps ? »

L'apprentissage du petit garçon, à défaut d'être adapté à son âge et à son équilibre psychologique, se déroule à un rythme effréné. Rien ne lui est épargné. Les visites officielles, les cérémonies protocolaires et les discours politiques deviennent le quotidien de Kolia. Voilà la volonté de son père. En fait, le président s'est mis à diriger l'État avec son fils dans les bras. Et le petit garçon prend de plus en plus de place dans la vie du président.

Ainsi, beaucoup de Biélorusses sont gênés par l'apparition de Loukachenko avec son fils naturel à l'église pour la Pâques, et par le discours sur la morale et les valeurs familiales que le président y tient. Même chose lorsqu'il emmène Kolia, qui a alors seulement 4 ans, à la soirée de l'élection de Miss Biélorussie. Au cours d'instructions militaires, Kolia est là également et écoute avec son père les rapports des hauts gradés. Il accompagne le président en visite officielle à l'étranger et y assiste à des négociations internationales. Au moment des pourparlers du leader biélorusse avec le président arménien en mars 2009, Kolia est assis sur ses genoux. Une situation qui n'est pas sans amuser Loukachenko. Les critiques, il les balaie d'un revers de la main : « J'en entends qui disent : "Il est à des négociations officielles, et le petit Kolia est sur ses genoux." C'est arrivé une fois. Je demande à mon fils : "Kolia, assieds-toi à côté, pas sur mes genoux, ce sont des négociations officielles." Il se met en colère : "Non, je veux être sur tes genoux. Tu es mon papa, je veux m'asseoir sur tes genoux." Qu'est-ce qu'on peut répondre à ça ? Les techniciens sont déjà là, les journalistes... "D'accord, viens sur mes genoux." »

Même gêne pour la visite au Vatican en 2009. Pour la première fois sans doute dans l'histoire du Saint-Siège, transgressant toutes les convenances cérémonielles, Loukachenko rend visite au pape avec son jeune fils né hors mariage. Kolia remet un cadeau à Benoît XVI et reçoit en retour un ballon de football. Comme tout enfant de son âge, il se met aussitôt à l'essayer. La photo de cette scène a été publiée dans la plupart des journaux biélorusses. Lors des pourparlers entre les présidents biélorusse et ukrainien à Ivano-Frankivsk en novembre 2009, l'enfant de 5 ans, présent depuis plusieurs heures, fait une colère. Il demande à haute voix en tirant son père par la manche : « Papa, tu en as encore pour longtemps ? » Attendri, Alexandre Loukachenko sourit, chuchote quelques mots à l'oreille de son fils et l'aide à redresser le petit drapeau sur la table. Kolia retrouve alors son calme et les discussions entre les deux hommes d'État peuvent reprendre.

En 2010, lors d'une réception officielle en Azerbaïdjan, le président Ilham Aliyev est assis près de sa femme quand Loukachenko est assis aux côtés de Kolia. Les photos du couple père-fils font le tour des médias et d'Internet. Le 11 avril 2011, Kolia descend même avec son père dans le métro de Minsk où une bombe vient d'exploser, faisant une dizaine de victimes. Sur les réseaux sociaux une blague est dorénavant devenue populaire : il faudrait collecter de l'argent et embaucher une nounou pour le président afin qu'il puisse trouver un peu de temps pour les affaires d'État...

Quelque chose de diabolique

Loukachenko a effacé la frontière entre ses vies publique et privée, il a fait de la Biélorussie son patrimoine familial. Il est difficile de savoir où finissent les réjouissances familiales entre un père et son fils et où commence la politique d'État. Ce que le président manigance avec son benjamin, seuls des monarques absolus, désignant leur dauphin, se sont permis de le faire.

Les représentants de l'opposition n'ont de cesse de violemment critiquer dans les médias indépendants le comportement inhabituel du président. Zenon Pozniak, l'un des plus farouches opposants de Loukachenko, écrit : « Personne n'a demandé pourquoi le numéro un du pays vit notoirement dans la luxure, comment lui est né un enfant hors mariage (du vivant de son épouse légitime), comment la mère de l'enfant a été évincée, et dépossédée, selon son "bon vouloir" à lui, de son autorité parentale, ce qui, du même coup, a privé l'enfant de sa mère. C'est quand même différent d'un flirt dévergondé avec une Monica Lewinsky ; il y a là-dedans quelque chose de diabolique, mais aussi de freudien, à chercher du côté d'un complexe d'infériorité infantile. »

Pour le journaliste ukrainien M. Podoliaka, qui a longtemps vécu en Biélorussie et en a été expulsé en 2004 : « Il [Loukachenko] ne fait que compenser son enfance malheureuse. Ce fut un bâtard au sens premier du terme, on le chahutait, on le frappait, on se moquait de lui. Et il entend donner à celui qui lui aussi est formellement un bâtard, son fils illégitime, ce qu'il n'a pas reçu durant ses jeunes années. C'est de l'ordre du complexe freudien caractérisé. »

Lors d'une conférence de presse en avril 2007, Loukachenko, en réponse à une question sur son héritier, tient ces propos remarquables : « Eh bien, puisqu'on parle déjà d'héritier, c'est le plus petit que je vais préparer à ma succession. Attendez un peu, ce n'est pas encore le moment, ce sera l'affaire d'une autre génération. » Un an plus tard, il reprend cette idée face aux journalistes : « Je l'ai déjà dit, mon fils cadet sera président de la Biélorussie. » Au cours de sa visite officielle au Venezuela en juin 2012, Loukachenko déclare également : « Voici mon fils Nikolaï. Sa présence ici indique qu'il y aura quelqu'un à qui passer le relais dans une vingtaine d'années. » Ce faisant, Alexandre Loukachenko confirme une nouvelle fois qu'il se prépare à rester à son poste pour deux décennies au moins et que le pouvoir risque de rester aux mains de la famille Loukachenko pendant encore quelques années. La Biélorussie est en train de se transformer en dictature héréditaire, à l'image de la Corée du Nord.

Notices biographiques des auteurs

Jean-Christophe Brisard est grand reporter, spécialiste en géopolitique depuis près de vingt ans. Il a travaillé pour le *National Geographic* pendant une dizaine d'années. Depuis 2008, il réalise des reportages et des documentaires pour la télévision française notamment sur les dictatures (Chine, Corée du Nord, Turkménistan, Libye, etc.).

Claude Quétel est historien, ancien directeur scientifique du Mémorial de Caen. Il a publié récemment *Le Débarquement pour les Nuls* (First, 2014) et *L'Effrayant Docteur Petiot, fou ou coupable ?* (Perrin, 2014).

***

Khattar Abou Diab est directeur du Conseil géopolitique perspectives. Il enseigne à l'université de Paris Sud – Paris XI. Il est également éditorialiste à la radio arabophone Monte Carlo Doualiya (groupe France 24 et RFI), spécialiste du Moyen-Orient, de la Méditerranée et de l'Islam. Il est coauteur du *Dictionnaire du Moyen-Orient* (sous la direction des *Cahiers de l'Orient*, Bayard, 2011) et du *Dictionnaire géopolitique de l'islamisme* (sous la direction des *Cahiers de l'Orient*, Bayard, 2009). Il a également publié *Le R*ôle de la force multinat*ionale au Liban de 1982 à 1984* (collection des recherches de l'université Paris II, PUF, 1986) et *Le Conflit Irak-Iran* (La Documentation Française, 1989, avec Paul Balta). Il a participé à plusieurs ouvrages collectifs et notamment *Les Relations culturelles entre chrétiens et musulmans au Moyen Âge, quelles leçons en tirer de nos jours ?* (Brepols, 2005) ; *Comprendre le Proche-Orient* (Bréal, 2005) ; *Atlas des religions* (Plon, 1994) et *Clés pour l'islam* (GRIP, 1993).

Bartolomé Bennassar est historien, professeur émérite d'histoire contemporaine ; il est le grand spécialiste de l'histoire de l'Espagne moderne et contemporaine. Parmi de très nombreux ouvrages, il a notamment publié un *Franco* en 1995 (Perrin – Tempus, 2002).

Jean des Cars est journaliste et écrivain. Son dernier ouvrage paru est *La Saga des grandes dynasties* (Perrin). Le prochain, à paraître le 30 octobre 2014, s'intitule *Le Sceptre et le Sang : Rois et Reines dans la tourmente des deux guerres mondiales* (Perrin).

Arnaud Duval séjourne depuis une quinzaine d'année en Asie, successivement au Vietnam, à Pékin et à Shanghai. Il a couvert l'ensemble de la région, témoin privilégié de son évolution économique et sociétale récente. Il est notamment l'auteur du *Dernier Testament de Kim Jong-il, Il était une foi(s) la Corée du Nord* (Michalon, 2012), un travail de réflexion et de décryptage sur l'incroyable longévité d'une dynastie ermite, nationaliste et dictatoriale.

Frédéric ENCEL est docteur HDR en géopolitique, maître de conférences à Sciences Po Paris et à l'ESG Management School. Il est l'auteur de nombreux ouvrages consacrés au Proche-Orient, dont *Géopolitique du printemps arabe* (PUF, 2014).

Marion GUYONVARCH est diplômée de l'École supérieure de journalisme de Lille en 2004, après des études d'histoire et de sciences politiques. Elle commence sa carrière à *Ouest-France* puis s'installe en Roumanie fin 2005 où elle couvre l'actualité du pays pour *L'Express*, *Ouest-France*, RFI ou encore la RTBF. De retour en France depuis 2012, elle travaille aujourd'hui comme journaliste indépendante pour des magazines tels que *Ça m'intéresse*, *La Vie* ou *Stylist*.

Vincent HUGEUX est grand reporter au sein du service Monde de *L'Express*, où il couvre notamment le continent africain. Lauréat en 2005 du prix Bayeux des correspondants de guerre et en 2013 du Grand prix de l'Association de la presse étrangère, il enseigne à l'École supérieure de journalisme de Lille et à l'École de journalisme de Sciences Po. Il a publié *Les Sorciers Blancs, Enquête sur les faux amis français de l'Afrique* (Fayard, 2007), *L'Afrique en face, Dix clichés à l'épreuve des faits* (Armand-Colin, 2010), *Iran, l'état d'alerte* (*L'Express*, 2010), *Afrique : le mirage démocratique* (CNRS Éditions, 2012) et *Reines d'Afrique, Le Roman vrai des Premières dames* (Perrin, 2014). Et a contribué en qualité de coauteur à divers ouvrages dont *Les Derniers Jours des dictateurs* (*L'Express*/Perrin, 2012) et *Le Siècle de sang, Les Vingt Guerres qui ont changé le monde* (*L'Express*/Perrin, 2014).

Valeri KARBALEVITCH est analyste politique biélorusse et il est l'auteur d'un livre sur le président Alexandre Loukachenko, traduit en français sous le titre *Le Satrape de Biélorussie : Alexandre Loukachenko, dernier tyran d'Europe* (collection « Les moutons noirs », François Bourin, 2012).

Jean-Pierre LANGELLIER est journaliste, il a travaillé au *Monde* pendant trente-cinq ans. Auteur de plusieurs ouvrages dont *Les Héros de l'An Mil* (Seuil, 2000) et *Le Dictionnaire Victor Hugo* (Perrin, 2014).

Anne-Clémentine LARROQUE est maître de conférences en questions internationales à Sciences Po Paris. Elle est historienne et spécialiste du monde arabo-musulman et de géopolitique.

Jacobo MACHOVER est l'auteur de *Raúl et Fidel. La Tyrannie des frères ennemis* (collection « Les moutons noirs », François Bourin, 2011), de *Cuba : l'aveuglement coupable* (Armand Colin, 2010) et de *La Face cachée du Che* (Buchet/Chastel, 2007), entre autres essais. Il a également écrit un récit autobiographique, *Exilé du paradis*, à paraître aux éditions François Bourin. Il est né à La Havane en 1954. Exilé en France, maître de conférences à l'université d'Avignon, il écrit indifféremment en français et en espagnol. De livre en livre, il s'efforce de démonter les mythes révolutionnaires pour contribuer au rétablissement de la vérité et de la liberté à Cuba.

Michel OSTENC est professeur d'université en histoire contemporaine. Spécialiste de l'histoire de l'Italie, il est l'auteur de nombreux ouvrages et articles publiés en français ou en italien. Il a consacré sa thèse de doctorat à l'éducation en Italie pendant le fascisme (Publications de la Sorbonne). On lui doit également *Intellectuels italiens et fascisme : 1915-1929* (Payot) ; *Ciano, un conservateur entre Hitler et Mussolini* (Le Rocher) ; *Ciano, le gendre de Mussolini* (Perrin) et *Mussolini. Une histoire du fascisme italien* (Ellipses).

Lana PARSHINA est née et a grandi à Moscou. À 18 ans, elle s'installe aux États-Unis. Elle y travaille entre autres comme interprète et journaliste. Elle tourne également des documentaires. Elle voyage aujourd'hui dans le monde entier et continue de faire des films, à la fois des documentaires et des longs-métrages.

Catherine Ève ROUPERT a fait de la curiosité un métier, de l'écriture une respiration. Elle est auteur du *Dossier Haïti, Un pays en péril* (Tallandier, 1988) et de *Histoire d'Haïti, La Première République noire du Nouveau Monde,* (Perrin, 2011). Elle a dirigé *Guerres et Droit humanitaire* (ministère de la Défense, 1998) et *Trésors méconnus du musée de l'Homme* (Cherche Midi, 1999).

Impression réalisée par

La Flèche
en septembre 2014
pour le compte
des Éditions First

N° d'impression : 3007459
Imprimé en France